WITHDRAWN

W9-BYF-829

JUN 29 2010

POR FIC ARNALDUR
Arnaldur Indriðason

O silêncio do túmulo

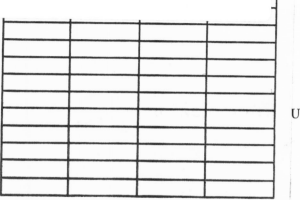

ULO

HUDSON PUBLIC LIBRARY
3 WASHINGTON STREET
HUDSON MA 01749

PLEASE
DO NOT REMOVE
CARD
FROM POCKET

FSC
www.fsc.org
MISTO
Papel produzido
a partir de
fontes responsáveis
FSC® C019498

A marca FSC é a garantia de que a madeira utilizada na fabricação do papel deste livro provém de florestas que foram gerenciadas de maneira ambientalmente correta, socialmente justa e economicamente viável, além de outras fontes de origem controlada.

ARNALDUR INDRIÐASON

O silêncio do túmulo

Tradução
Álvaro Hattnher

COMPANHIA DAS LETRAS

Copyright © 2002 by Arnaldur Indriðason
Publicado mediante acordo com Forlagid www.forlagid.is

Bókmenntasjóður
The Icelandic Literature Fund

Este livro contou com apoio financeiro de Bókmenntasjóður/ The Icelandic Literature Fund

Grafia atualizada segundo o Acordo Ortográfico da Língua Portuguesa de 1990, que entrou em vigor no Brasil em 2009.

Título original
Grafarþögn
Traduzido da edição americana (Silence of the grave)

Capa
Kiko Farkas e Thiago Lacaz/ Máquina Estúdio

Foto de capa
© Henrik Trygg/ Corbis (DC)/ LatinStock

Mapas
Robert Guillemette

Preparação
Ciça Caropreso

Revisão
Jane Pessoa
Márcia Moura

Dados Internacionais de Catalogação na Publicação (CIP)
(Câmara Brasileira do Livro, SP, Brasil)

Indriðason, Arnaldur
    O silêncio do túmulo / Arnaldur Indriðason ; tradução Álvaro
Hattnher. — São Paulo : Companhia das Letras, 2011.

    Título original: Grafarþögn.
    ISBN 978-85-359-1911-0

    1. Ficção policial e de mistério (Literatura islandesa) I. Título.

11-05736   CDD-839.693

Índice para catálogo sistemático:
1. Ficção : Literatura islandesa   839.693

[2011]
Todos os direitos desta edição reservados à
EDITORA SCHWARCZ LTDA.
Rua Bandeira Paulista, 702, cj. 32
04532-002 — São Paulo — SP
Telefone (11) 3707-3500
Fax (11) 3707-3501
www.companhiadasletras.com.br
www.blogdacompanhia.com.br

O SILÊNCIO DO TÚMULO

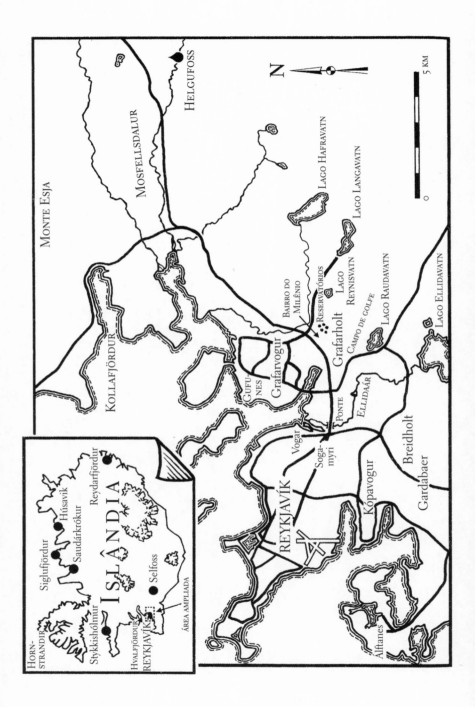

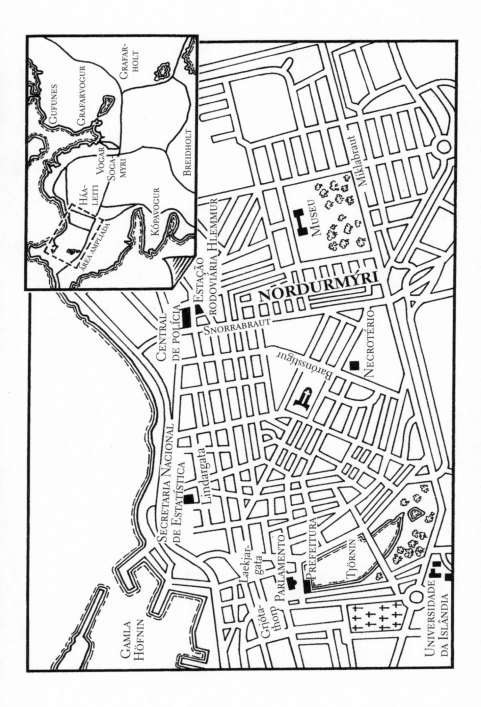

1.

Ele soube na hora que era um osso humano, quando o tirou das mãozinhas de um bebê que estava sentado no chão, mastigando-o.

A festa de aniversário tinha atingido o auge, com um barulho ensurdecedor. O entregador de pizza chegou e foi embora, e as crianças devoraram as pizzas e tomaram Coca-Cola em grandes goles, gritando umas com as outras o tempo todo. Então todas abandonaram a mesa ao mesmo tempo, como se tivesse soado um sinal, e começaram a correr para todos os lados novamente, algumas armadas com metralhadoras e pistolas, os mais novos segurando carrinhos ou dinossauros de plástico. Ele não conseguia perceber qual era a brincadeira. Para ele era tudo uma única e enlouquecedora algazarra.

A mãe do aniversariante colocou pipocas para estourar no micro-ondas. Disse ao homem que iria tentar acalmar as crianças ligando a televisão e colocando um filme para elas assistirem. Se não desse certo, as mandaria embora. Aquela era a terceira vez que comemoravam o aniversário de oito anos do filho, e seus nervos estavam a ponto de entrar em colapso. A terceira festa de aniversário em sequência! Na primeira, toda a família foi jantar em uma hamburgueria com preços extorsivos e um som de rock ensurdecedor. Em seguida, ela deu uma festa para parentes e amigos da família, que foi uma ocasião grandiosa, como se o garoto estivesse sendo crismado. Hoje, ele convidara os colegas de classe e amigos da vizinhança.

Ela abriu o micro-ondas, tirou o saco de papel cheio de pipocas, pôs um novo saquinho no aparelho e pensou que no ano seguinte faria tudo mais simples. Uma festa só e pronto. Como quando ela era criança.

Também não ajudava muito o rapaz sentado no sofá ser tão introvertido. Ela tentara conversar com ele, mas havia desistido, incomodada com a presença dele em sua sala de visitas. Impossível tentar conversar: o barulho e a agitação que os garotos faziam deixavam-na completamente perdida. Ele não tinha se oferecido para ajudar. Estava sentado lá, olhando para tudo sem dizer nada. Absurdamente tímido, ela pensou.

Ela nunca vira o jovem antes. Ele provavelmente tinha uns vinte e cinco anos e era irmão de um dos amigos de seu filho que estavam na festa. Quase vinte anos de diferença entre eles. Era magro como um caniço e apertou-lhe a mão na entrada com dedos compridos, a palma da mão fria e úmida, hesitante. Tinha vindo buscar o irmão menor, que se recusara categoricamente a ir embora enquanto a festa continuasse a todo vapor. Decidiram que ele deveria entrar um pouco. Logo tudo iria acabar, ela dissera. Ele explicou-lhe que os pais, que moravam em uma casa geminada no final da rua, estavam no exterior e ele estava cuidando do irmão; ele morava em um apartamento alugado na cidade. O rapaz ficou visivelmente desconfortável no corredor de entrada. Seu irmãozinho tinha desaparecido no meio da confusão.

Agora ele estava sentado no sofá observando a irmãzinha de um ano do aniversariante engatinhando pelo chão na frente de um dos quartos das crianças. Ela usava um vestido branco com babados e uma fita nos cabelos, e soltava gritinhos agudos para si mesma. Em silêncio, ele xingou o irmão. Estar em uma casa de desconhecidos deixava-o constrangido. Ele se perguntou se deveria oferecer ajuda. A mãe do aniversariante lhe dissera que o pai do menino ia trabalhar até tarde. Ele assentira com a cabeça, tentando sorrir. Recusou a oferta de pizza e refrigerante.

Reparou que a menininha estava segurando algum brinquedo que mordia quando ficava sentada, babando copiosamente. As gengivas deviam estar incomodando. Talvez fosse a primeira dentição aparecendo, pensou.

Quando a menininha se aproximou dele com o brinquedo na mão, ele se perguntou o que seria aquilo. Ela parou, torceu o corpo e sentou-se de boca aberta, olhando para ele. Um fio de saliva pendia sobre o peito dela. A menininha colocou o brinquedo na boca, mordeu-o e em seguida engatinhou na direção do rapaz com o objeto preso entre as gengivas. Ao se mover para a frente, fez uma careta e deu uma risadinha, e o brinquedo caiu de sua boca. Com alguma dificuldade ela o encontrou novamente e foi na direção do rapaz, segurando o brinquedo na mão. Em seguida ergueu-se apoiada no braço do sofá e parou ao lado dele, cambaleando mas satisfeita com o que tinha conseguido fazer.

Ele tirou o objeto dela e o examinou. A garotinha olhou para ele confusa e então começou a berrar, desesperada. Ele não demorou a perceber que estava segurando um osso humano — uma costela, de dez centímetros. A cor era de um branco desbotado e o osso estava completamente liso no lugar onde havia quebrado, de forma que não havia pontas, e em seu interior viam-se grandes manchas marrons, parecidas com terra.

Ele supôs que fosse a parte da frente da costela e notou que era bastante antiga.

Quando ouviu a garotinha chorando, a mãe olhou para a sala de visitas e a viu em pé ao lado do estranho. Deixou a tigela de pipoca sobre a mesa, aproximou-se da filha, pegou-a no colo e olhou para o rapaz, que parecia ignorar tanto a presença dela quanto a da menina que chorava.

"O que aconteceu?", a mãe perguntou ansiosa, enquanto tentava consolar a filha. Ela ergueu a voz em uma tentativa de sobrepujar o barulho dos garotos.

O rapaz olhou para cima, levantou-se lentamente e entregou o osso para a mãe.

"Onde ela conseguiu isto?", perguntou ele.

"O quê?"

"Este osso", disse ele. "Onde ela conseguiu este osso?"

"Osso?", disse a mãe. Quando viu o osso novamente, a menininha se acalmou e tentou pegá-lo, envesgando os olhos de tão concentrada, com mais baba pingando de sua boca aberta. A menina agarrou o osso e o examinou com as mãos.

"Acho que isso é um osso", disse o rapaz.

A menininha colocou-o na boca e acalmou-se outra vez.

"Essa coisa que ela está mordendo", disse ele. "Acho que é um osso humano."

A mãe olhou para a filhinha, que mastigava o osso.

"Eu nunca vi isso antes. Como assim, osso humano?"

"Acho que é uma parte de uma costela humana", disse ele. E acrescentou, explicando-se: "Eu sou estudante de medicina, estou no quinto ano".

"Que bobagem! Foi você que trouxe isso?"

"Eu? Não. Você sabe de onde isso veio?", ele perguntou.

A mãe olhou para a menininha e então arrancou o osso da boca da filha, jogando-o no chão. Mais uma vez, a menininha começou a chorar. O rapaz pegou o osso para examiná-lo mais de perto.

"Talvez o irmão dela saiba alguma coisa..."

Ele olhou para a mãe, que retribuiu o olhar de forma constrangida. Ela olhou para a menininha, que chorava. Depois para o osso e, em seguida, através da janela da sala de visitas, para as casas semiconstruídas ali perto, depois de novo para o osso e para o estranho, e por fim para seu filho, que saiu correndo de um dos quartos das crianças.

"Tóti!". Ela chamou em voz alta. O garoto ignorou-a. Com algum esforço ela entrou no meio do bando de crianças, puxou-o para fora com dificuldade e colocou-o na frente do estudante de medicina.

"Isto aqui é seu?", ele perguntou ao menino, entregando-lhe o osso.

"Eu achei", disse Tóti. Ele não queria perder nenhum instante da sua festa de aniversário.

"Onde?", a mãe perguntou. Ela colocou a menininha no chão, que olhou para a mãe, indecisa se deveria ou não começar a berrar novamente.

"Lá fora", disse o garoto. "É uma pedra engraçada. Eu lavei." Ele estava ofegante. Uma gota de suor escorria em seu rosto.

"Lá fora onde?", perguntou a mãe. "Quando? O que você estava fazendo?"

O garoto olhou para a mãe. Ele não sabia se tinha feito alguma coisa errada, mas a expressão no rosto dela sugeria isso, e ele se perguntou o que poderia ser.

"Acho que foi ontem", disse. "Na construção no final da rua. O que tá acontecendo?"

Sua mãe e o estranho se entreolharam.

"Você pode me mostrar o local exato onde você achou isso?", ela perguntou.

"Eu preciso mesmo fazer isso? É a minha festa de aniversário", disse ele.

"Sim, precisa", disse a mãe. "Mostre onde foi."

Ela pegou a menina no colo e guiou o filho na direção da porta da frente. O rapaz acompanhou-os de perto. As crianças fizeram silêncio quando viram seu anfitrião sendo pressionado daquele jeito, e ficaram olhando a mãe levar Tóti para fora da casa com uma expressão séria no rosto, segurando a irmãzinha dele no colo. Olharam umas para as outras e então saíram correndo atrás deles.

Foram para a nova propriedade que ficava na rua que levava ao lago Reynisvatn. O Bairro do Milênio. Ele fora construído nos aclives da colina de Grafarholt, em cima da qual os monstruosos reservatórios geotérmicos pintados de marrom elevavam-se como uma cidadela sobre o subúrbio. Ruas tinham sido abertas de cada lado dos reservatórios e uma série de casas estava sendo construída ali, uma ou outra já exibindo um jardim, grama recém-assentada e árvores jovens que iriam crescer e fornecer sombra a seus proprietários.

O bando saiu no encalço de Tóti pela rua mais próxima dos reservatórios. Casas geminadas recém-construídas estendiam-se por gramados, enquanto à distância, ao norte e a leste, predominavam os velhos chalés de verão que pertenciam a pessoas de Reykjavík. Como acontecia em todos os canteiros de obras, as crianças brincavam nas casas em construção, subiam pelos andaimes, escondiam-se nas sombras das paredes solitárias ou escorregavam pelas fundações recém-cavadas dentro da água acumulada ali.

Tóti levou sua mãe, o estranho e o bando todo até um dos canteiros de obras e apontou para o lugar onde havia encontrado a estranha pedra branca, que era tão leve e lisa que ele acabou colocando no bolso, decidido a ficar com ela. O garoto lembrava-se do local exato e saiu correndo na frente, direto para onde achara o objeto na terra seca. A mãe mandou que ele se afastasse e, com a ajuda do rapaz, desceu até a fundação da obra. Tóti pegou o osso da mão dela e colocou-o no chão. "Estava aqui, desse jeito", disse, ainda pensando que o osso fosse uma pedra interessante.

Era uma tarde de sexta-feira, e ninguém estava trabalhando na obra. Tábuas haviam sido instaladas dos dois lados para preparar o local para receber a concretagem, mas a terra ainda estava exposta nas partes em que não havia paredes. O rapaz foi até a parede de terra e examinou o lugar acima de onde o garoto havia encontrado o osso. Escavou a terra com a mão e ficou horrorizado ao ver o que parecia ser o osso de um antebraço enterrado bem fundo no chão.

A mãe do garoto ficou observando o rapaz olhar fixamente para a parede de terra e seguiu o olhar dele até também ver o osso. Aproximando-se, achou que podia distinguir uma mandíbula e um ou dois dentes.

Teve um sobressalto, olhou para o rapaz outra vez e depois para a filha, e instintivamente começou a limpar a boca do bebê.

Ela mal percebeu o que havia acontecido até sentir a dor nas têmporas. De maneira inesperada, ele bateu na cabeça dela com o punho cerrado, tão rápido que ela não viu acontecer. Ou talvez não acreditasse que ele havia batido nela. Aquele fora o primeiro murro e, nos anos seguintes, ela iria se perguntar se sua vida poderia ter sido diferente se o tivesse abandonado naquele exato momento.

Se ele tivesse deixado.

Ela olhou para ele perplexa, sem entender o motivo de ele ter batido nela de repente. Ninguém nunca batera nela. Aconteceu três meses depois do casamento.

"Você me deu um murro?", ela perguntou, pondo a mão na cabeça.

"Você acha que eu não vi o jeito que você estava olhando para ele?", disse ele entre dentes.

"Ele? O quê...? Você está falando de Snorri? Olhando para o Snorri?"

"Você acha que eu não percebi? O jeito que você se comportou, como se estivesse no cio?"

Ela nunca tinha visto aquele lado dele. Nunca o ouvira usar aquela expressão. No cio. Do que ele estava falando? Ela trocara umas poucas palavras com Snorri na porta do porão, para agradecer-lhe por ter vindo devolver alguma coisa que ela esquecera na casa onde estivera trabalhando como empregada. Ela não quis convidá-lo para entrar porque o marido estivera mal-humorado o dia todo, dizendo que não queria vê-lo. Snorri fez uma piada a respeito do comerciante para quem ela costumava trabalhar, eles riram e se despediram.

"Era apenas o Snorri", ela disse. "Não aja desse jeito. Por que você ficou o dia inteiro de mau humor?"

"Você está negando?, ele perguntou, aproximando-se dela novamente. "Eu vi você pela janela. Vi você dançando em volta dele. Como uma vadia."

"Não, você não pode..."

Ele acertou-a de novo no rosto com o punho fechado, arremessando-a sobre o armário de louças da cozinha. Aconteceu tão rápido que ela não teve tempo de proteger a cabeça com as mãos.

"Não mente pra mim!", ele gritou. "Eu vi o jeito que você estava olhando pra ele. Eu vi você flertando com ele! Vi com meus próprios olhos! Sua cadela nojenta!"

Outra expressão que ela ouvia dele pela primeira vez.

"Meu Deus", disse ela. O sangue que saía do lábio superior cortado entrava-lhe na boca. O gosto misturava-se com o das lágrimas que lhe escorriam pelo rosto. "Por que você fez isso? O que foi que eu fiz?"

Ele cresceu sobre ela, pronto para atacá-la. O rosto vermelho queimava de raiva. Rangeu os dentes, bateu o pé e então virou-se e saiu do porão. Ela continuou lá, incapaz de entender direito o que havia acontecido.

Mais tarde, ela pensava com frequência nesse momento e se alguma coisa teria mudado se ela tivesse tentado reagir à violência dele abandonando-o, indo embora para sempre, em vez de apenas encontrar motivos para se culpar. Ela devia ter feito alguma coisa para provocar uma reação daquelas. Alguma coisa da qual não tinha consciência, mas que ele percebia, e ela poderia conversar com ele sobre isso quando ele voltasse, poderia prometer que iria melhorar e tudo voltaria ao normal.

Ela nunca o vira se comportar daquele jeito, nem com ela nem com ninguém. Ele era uma pessoa tranquila, tinha um lado sério. Era quase um meditador. Foi uma das coisas de que gostou nele quando estavam se conhecendo. Ele trabalhava em Kjós para o irmão do comerciante que a empregava, entregando mercadorias para ele. Foi assim que se conheceram fazia um ano e meio. Tinham quase a mesma idade, e ele falava em abandonar aquele trabalho e talvez ir para o mar. Ganhava-se muito dinheiro com a pesca. E ele queria ter sua própria casa. Ser seu próprio patrão. Seu trabalho era repressivo, ultrapassado e mal pago.

Ela lhe disse que estava cansada do trabalho com o comerciante. O homem era um avarento que estava sempre passando a mão nas três garotas que trabalhavam para ele. A mulher do patrão era uma velha horrorosa e rabugenta, um verdadeiro capataz. Ela não tinha planos específicos. Nunca pensara no futuro. Trabalho duro era tudo o que conhecia desde a infância. Sua vida não era muito mais do que aquilo.

Ele começou a inventar desculpas para visitar o comerciante e com frequência ia até a cozinha falar com ela. Uma coisa levou à outra, e ela logo lhe contou sobre a filha. Ele disse que sabia que ela era mãe. Havia perguntado às pessoas sobre ela. Foi a primeira vez que ele revelou interesse em conhecê-la melhor. Ela lhe contou que logo a menina faria três anos, e foi buscá-la no quintal, onde ela brincava com os filhos do comerciante.

Quando voltou com a filha, ele perguntou quantos homens ela tivera na vida, sorrindo como se fosse uma brincadeira inocente. Mais tarde, usaria de maneira cruel a suposta promiscuidade dela para atacá-la. Ele nunca chamou a filha dela pelo nome, apenas por apelidos: chamava-a de bastarda e de aleijada.

Ela nunca teve muitos homens na vida. Contou a ele sobre o pai da menina, um pescador que se afogara em Kollafjördur. Ele tinha apenas vinte e dois anos quando a tripulação de quatro pessoas naufragou durante uma tempestade no mar. Pouco depois ela descobriu que estava grávida. Eles não eram casados, então ela não poderia ser considerada exatamente uma viúva. Eles tinham planos de se casar, mas ele havia morrido, deixando-a com uma filha ilegítima.

Enquanto ele estava sentado na cozinha ouvindo, ela reparou que a menina não queria ficar com ele. Normalmente a filha não era tímida, mas ela agarrava a saia da mãe e não soltava quando ele a chamava. Ele tirou um tablete de doce caseiro do bolso e ofereceu a ela, mas a menina enterrou o rosto com ainda mais força na saia da mãe e começou a chorar, querendo voltar a brincar com as outras crianças. Doces caseiros eram os seus favoritos.

Dois meses depois ele a pediu em casamento. Não houve nem um pouco do romance sobre o qual ela havia lido. Eles se encontraram várias vezes à noite e passeavam pela cidade ou assistiam a um filme de Chaplin. Gargalhando diante das peripécias do vagabundo, ela olhou para seu acompanhante. Ele nem sequer sorria. Uma noite, depois de saírem do cinema, quando esperavam uma carona que ele arranjara para voltar a Kjós, ele inesperadamente lhe perguntou se não deveriam se casar. Ele a puxou para si.

"Eu quero que a gente se case", dissera.

Apesar de tudo, ela ficou tão surpresa que só muito mais tarde se lembrou, na verdade quando tudo havia terminado, que aquilo não fora um pedido de casamento nem uma pergunta sobre o que ela desejava.

"Eu quero que a gente se case."

Ela havia considerado a possibilidade de ele fazer o pedido. O relacionamento deles tinha realmente chegado àquele ponto. Ela precisava de um lar para sua filhinha e queria um lugar só seu. Ter mais filhos. Poucos homens tinham mostrado interesse por ela. Talvez por causa da menina. Talvez ela não fosse uma escolha particularmente excitante, de estatura baixa e bem gordinha, com traços angulosos, um pouco dentuça, e dedos pequenos, mas ágeis, que pareciam nunca parar de se mexer. Talvez nunca recebesse uma proposta melhor.

"O que você me diz?", ele perguntou.

Ela fez que sim com a cabeça. Ele a beijou e eles se abraçaram. Pouco depois eles se casaram em uma igreja em Mosfell. Foi uma cerimônia simples, à qual compareceram apenas a noiva, o noivo, os amigos dele de Kjós e duas amigas dela de Reykjavík. O padre os convidou para tomar café depois da cerimônia. Ela perguntara sobre a família dele, mas ele se mostrou reticente a respeito. Contou a ela que era filho único, que ainda era um bebê quando o pai morreu, e sua mãe, que não podia sustentá-lo, o enviara para viver com pais adotivos. Antes de se tornar um trabalhador rural em Kjós, trabalhara em diversas fazendas. Não pareceu curioso em relação à família dela. Não parecia ter muito interesse pelo passado. Ela lhe contou que as circunstâncias que os envolviam eram muito semelhantes: ela não conhecia seus pais verdadeiros. Tinha sido adotada e fora criada em vários lares de Reykjavík, até ir trabalhar para o comerciante. Ele fez que sim com a cabeça.

"Vamos começar do zero", disse ele. "Esquecer o passado."

Alugaram um pequeno apartamento em um porão em Lindargata que era pouco mais do que uma sala e uma cozinha. Havia um banheiro no quintal. Ela parou de trabalhar para o comerciante. Ele disse que ela não precisava mais ganhar a vida. Ele conseguiu um emprego no porto até que pudesse entrar para algum pesqueiro. Sonhava em ir para o mar.

Ela estava em pé ao lado da mesa da cozinha segurando a barriga. Embora ainda não tivesse contado a ele, tinha certeza de que estava grávida. Era de esperar. Eles haviam conversado sobre ter filhos, mas ela não soube bem o que ele realmente achava; ele era muito misterioso. Se o bebê fosse menino, ela já havia escolhido o nome. Ela queria um menino. Ele iria se chamar Símon.

Ela já ouvira falar de homens que batiam na mulher. Já ouvira falar de mulheres que eram obrigadas a suportar a violência do marido. Já tinha ouvido histórias. Não conseguia acreditar que era uma delas. Não achava que ele fosse capaz disso. Deve ter sido um incidente isolado, disse a si mesma. Ele achou que eu estava flertando com Snorri, pensou. Preciso ter cuidado para não deixar isso acontecer de novo.

Enxugou o rosto e fungou. Que agressão. Embora ele tivesse saído, com certeza voltaria logo para casa e pediria desculpas. Ele não podia tratá-la daquele jeito. Simplesmente não podia. Não devia. Perplexa, foi até o quarto dar uma olhada na filha. O nome da criança era Mikkelína. Ela acordara com febre de manhã, depois dormira a maior parte do dia e ainda estava dormindo. A mãe pegou-a no colo e reparou que ela estava com muita febre. Sentou com a menina nos braços e começou a cantar para ela uma canção de ninar, ainda chocada e pensando na agressão.

Meninas, menininhas,
Lindas, com trancinhas,
Loiras menininhas,
Subindo na caixinha.

A menina estava ofegante. Seu peito pequeno subia e descia, e um assobio estranho escapava do nariz. O rosto parecia inflamado. A mãe de Mikkelína tentou acordá-la, mas ela não se mexeu.

Ela gritou.

A menina estava muito doente.

2.

Elínborg atendeu o telefonema sobre os ossos encontrados no Bairro do Milênio. Estava sozinha no escritório e prestes a sair quando o telefone tocou. Depois de hesitar um momento, olhou para o relógio, e depois para o telefone. Estava planejando um jantar especial naquela noite e havia passado o dia imaginando frangos preparados à moda indiana. Ela suspirou e atendeu o telefone.

Determinar a idade de Elínborg era difícil, quarenta e poucos anos, encorpada sem ser gorda, ela adorava comer. Era divorciada e tinha quatro filhos, inclusive um adotivo, que já saíra de casa. Casara-se novamente, com um mecânico de automóveis que adorava cozinhar, e morava com ele e os três filhos em uma casa em Grafarvogur. Ela se formara em geologia muito tempo atrás, mas nunca havia atuado na área. Começara a trabalhar para a polícia de Reykjavík nas férias de verão e acabou entrando para a instituição. Era uma das poucas detetives do sexo feminino.

Sigurdur Óli estava em pleno sexo selvagem com sua companheira, Bergthóra, quando seu *pager* apitou. O aparelho estava preso ao cinto de sua calça, caída no chão da cozinha, fazendo um barulho contínuo e insuportável. Sigurdur sabia que aquilo não iria parar até ele sair da cama. Havia saído do trabalho mais cedo. Bergthóra já estava em casa e o recebera com um beijo longo e apaixonado. As coisas tomaram seu rumo natural, ele deixou a calça na cozinha, tirou o fio do telefone da parede e desligou o celular. Esqueceu o *pager*.

Com um suspiro profundo, Sigurdur Óli olhou para Bergthóra, montada em cima dele. Ele estava suando e com o rosto vermelho. Pela expressão dela, percebeu que Bergthóra não estava preparada para simplesmente deixá-lo ir. Ela estreitou os olhos, estendeu o tronco sobre ele e mexeu os quadris com um ritmo delicado e constante até seu orgasmo afluir e todos os músculos de seu corpo começarem a relaxar novamente.

Quanto a ele, bem, teria que esperar ocasião mais apropriada. Em sua vida, o *pager* tinha prioridade.

Saiu lentamente debaixo de Bergthóra, que continuou deitada com a cabeça afundada no travesseiro, como se nocauteada.

Erlendur estava no restaurante Skúlakaffi, comendo carne seca. Ele às vezes comia ali porque era o único restaurante em Reykjavík que servia comida caseira islandesa da maneira que ele mesmo prepararia caso se desse ao trabalho de cozinhar. Também gostava da decoração: madeira compensada marrom e velha, cadeiras antigas de cozinha, algumas com a espuma saindo pelo estofado rachado, e o linóleo do assoalho gasto pelo peso de tantas botas de motoristas de caminhão, taxistas, operadores de guindastes, comerciantes e trabalhadores da construção civil. Erlendur estava sozinho a uma mesa em um canto, a cabeça inclinada sobre a carne, as batatas, as ervilhas e os nabos cozidos e encharcados de molho adocicado.

O movimento da hora do almoço já terminara havia muito tempo, mas ele tinha convencido o cozinheiro a lhe servir um pouco de carne seca. Espetou um pedaço grande de carne, acompanhado de batata e nabo, que cobriu com muito molho antes de fazer tudo desaparecer dentro de sua boca escancarada.

Erlendur preparou mais uma garfada e tinha acabado de abrir a boca quando seu celular, que estava na mesa ao lado do prato, começou a tocar. Ele parou o garfo no ar, olhou de relance para o telefone por um instante, olhou para o garfo cheio, de novo para o aparelho, e finalmente pousou o garfo sobre o prato com ar de quem iria se arrepender de ter feito aquilo.

"Por que eu nunca tenho sossego?", disse antes que Sigurdur Óli pudesse dizer uma só palavra.

"Encontraram uns ossos no Bairro do Milênio", disse Sigurdur Óli. "Estou indo para lá, e a Elínborg também."

"Que tipo de ossos?"

"Não sei. Elínborg telefonou e estou indo para lá. Já alertei o pessoal da polícia técnica."

"Estou comendo", disse Erlendur devagar.

Sigurdur Óli quase deixou escapar o que estivera fazendo antes de ligar, mas conseguiu se conter a tempo.

"Vejo você lá", disse. "Fica no caminho para o lago Reynisvatn, do lado norte, embaixo dos reservatórios. Não é longe da estrada que sai da cidade."

"O que é um Bairro do Milênio?", perguntou Erlendur.

"Hein?", disse Sigurdur Óli, ainda irritado por ter sido interrompido quando estava com Bergthóra.

"É um bairro de mil anos? O que quer dizer?"

"Saco!", resmungou Sigurdur Óli, desligando.

Pouco depois Erlendur estacionava seu carro velho e acabado na rua em Grafarholt, ao lado da fundação da casa. A polícia tinha chegado à cena e cercado a área com fita amarela, sob a qual Erlendur passou. Elínborg e Sigurdur Óli estavam lá embaixo, na fundação, ao lado do muro de terra. O estudante de medicina que havia comunicado a existência dos ossos estava com eles. A mãe que estava dando uma festa de aniversário tinha reunido os garotos e mandado todos para dentro de casa. O oficial médico de Reykjavík, um homem gorducho de uns cinquenta anos, desceu por uma das três escadas que haviam sido postas na fundação. Erlendur seguiu atrás dele.

A mídia se interessou pelos ossos. Repórteres se reuniram na cena e os vizinhos formaram fila para observá-la. Alguns já tinham se mudado para suas residências, enquanto outros, que estavam trabalhando em suas casas sem telhados, lá estavam, parados, com martelos e pés de cabra nas mãos, perplexos com toda aquela agitação. Era fim de abril no belo e agradável clima da primavera.

A equipe da polícia técnica estava trabalhando, raspando com cuidado amostras do muro de terra. Usavam espátulas e jogavam o conteúdo dentro de sacos plásticos. A parte superior do esqueleto podia ser vista no interior da parede. Havia um braço visível, uma parte da caixa torácica e o maxilar inferior.

"Esse é o Homem do Milênio?", perguntou Erlendur, aproximando-se do paredão de terra.

Elínborg lançou um olhar interrogativo para Sigurdur Óli, que estava em pé atrás de Erlendur, apontando o indicador para a própria cabeça e girando-o.

"Liguei para o Museu Nacional", disse Sigurdur Óli, e começou a coçar a cabeça quando Erlendur virou-se de repente para ele. "Vão mandar um arqueólogo para cá. Talvez ele possa nos dizer o que é isso."

"E a gente não precisaria de um geólogo também?", perguntou Elínborg. "Para saber mais sobre o solo. A posição dos ossos em relação a ele. Para fazer a datação dos estratos."

"Você não pode nos ajudar nisso?", perguntou Sigurdur Óli.

"Você não estudou isso?"

"Eu não me lembro de mais nada", respondeu Elínborg. "Mas sei que aquela coisa marrom se chama vasa."

"Ele não está muito fundo", disse Erlendur. "No máximo um metro, um metro e meio para baixo. Largado aí às pressas. Pelo que estou conseguindo ver, são restos de um corpo. Ele não está aqui há muito tempo. Não é um viking."

"Por que você acha que é 'ele'?", perguntou o oficial médico.

"Ele?", disse Erlendur.

"O que eu quero dizer", explicou o oficial médico, "é que pode muito bem ser uma mulher. Por que você acha que é um homem?"

"Ou uma mulher, então", disse Erlendur. "Tanto faz." Deu de ombros. "Pode nos dizer alguma coisa sobre esses ossos?"

"Eu ainda não consigo vê-los direito", disse o médico. "Melhor dizer o mínimo possível até que eles o tenham retirado da terra."

"Homem ou mulher? Idade?"

"Impossível dizer."

Um homem de jeans e com um suéter de lã islandês tradicional, alto, com uma barba grisalha e desgrenhada e dois caninos amarelados que se projetavam de sua boca enorme, aproximou-se deles e apresentou-se como o arqueólogo. Olhou a equipe da polícia técnica trabalhando e pediu que parassem com aquela bobagem, pelo amor de Deus. Os dois homens com as espátulas hesitaram. Estavam de macacões brancos, luvas de borracha e óculos de proteção. Para Erlendur, eles podiam ter saído direto de uma usina nuclear. Os dois olharam para ele, aguardando instruções.

"Que diabo, nós precisamos cavar por cima, até chegar nele", disse Caninos, balançando os braços. "Vocês vão recolhê-lo com essas espátulas? Quem está no comando aqui?"

Erlendur se apresentou.

"Isso não é uma descoberta arqueológica", disse Caninos, apertando-lhe a mão. "Oi, meu nome é Skarphédinn, como vai? Mas é melhor tratar como se fosse. Você entende?"

"Eu não faço a menor ideia do que você está falando", disse Erlendur.

"Os ossos não estão no solo há muito tempo. Não mais do que há sessenta ou setenta anos, eu diria. Talvez até menos. As roupas ainda estão sobre eles."

"Roupas?"

"Sim, aqui", disse Skarphédinn, apontando com um dedo gorducho. "E em outros lugares, tenho certeza."

"Pensei que isso fosse carne", disse Erlendur encabulado.

"O mais sensato a fazer nessa situação, para manter as evidências intactas, seria deixar minha equipe escavar usando os nossos métodos. A polícia técnica pode nos ajudar. Precisamos isolar a parte de cima com cordas e escavar até chegar ao esqueleto, e parar de desgastar o solo aqui. Nós não temos por hábito perder evidências. A maneira como os ossos estão dispostos pode nos dizer muitas coisas. O que encontrarmos ao redor deles pode nos dar pistas."

"O que você acha que aconteceu?", perguntou Erlendur.

"Não sei", Skarphédinn disse. "Cedo demais para ficar especulando. Precisamos escavar, aí então espero que alguma coisa útil apareça."

"Será que é alguém que morreu congelado e foi coberto pela terra?"

"Ninguém afunda tanto assim na terra."

"Então é um túmulo."

"É o que parece", disse Skarphédinn, bombástico. "Tudo indica isso. E então, vamos escavar?"

Erlendur concordou com a cabeça.

Skarphédinn caminhou com passos rápidos até a escada e saiu da área da fundação. Erlendur foi logo atrás. Quando estavam acima do esqueleto, o arqueólogo explicou qual era a melhor maneira de organizar a escavação. Erlendur ficou impressionado com ele e com tudo o que disse, e logo Skarphédinn estava ao celular, chamando sua equipe. Ele havia participado de muitas das principais descobertas arqueológicas das últimas décadas e sabia do que estava falando. Erlendur confiou nele.

O chefe da equipe da polícia técnica discordou. Ele discursou sobre transferir a escavação para um arqueólogo que não tinha a menor noção de investigações criminais. A maneira mais rápida era escavar em torno do esqueleto e soltá-lo da parede, para lhes dar espaço para examinar a posição em que ele estava e as pistas — se houvesse alguma — sobre a possibilidade de um ato de violência ter sido cometido. Erlendur ouviu esse discurso por algum tempo e depois declarou que Skarphédinn e sua equipe receberiam permissão para cavar até chegarem ao esqueleto, mesmo que isso levasse mais tempo do que o previsto.

"Os ossos estão aqui há meio século, uns dias a mais ou a menos não vão fazer diferença", disse ele, e o assunto ficou resolvido.

Erlendur olhou ao redor para as novas casas em construção. Olhou para cima, para os reservatórios geotérmicos marrons e para o local onde sabia estar o lago Reynisvatn e, em seguida, olhou para leste, para a enorme área gramada que se estendia até onde o novo bairro terminava.

Quatro arbustos chamaram sua atenção, destacando-se em meio ao mato a trinta metros de distância. Caminhou até eles e achou que eram de groselha. Estavam agrupados em linha reta a leste da fundação, e ele se perguntou, passando as mãos sobre os galhos nodosos e sem folhas, quem os teria plantado ali, naquela terra de ninguém.

3.

Os arqueólogos chegaram com suas jaquetas de fleece e roupas térmicas, armados com colheres e pás, cercaram com uma corda uma área considerável ao redor do esqueleto e perto da hora do jantar já tinham começado a cavar cuidadosamente o solo coberto de grama. Ainda estava bastante claro, e o sol não desapareceria antes das nove da noite. A equipe era composta de quatro homens e duas mulheres que trabalhavam de maneira calma e metódica, examinando com cuidado cada porção de terra retirada. Não havia sinais de que o solo fora perturbado pelo coveiro. O tempo e as obras na fundação da casa tinham cuidado disso.

Elínborg encontrou um geólogo na universidade totalmente disposto a auxiliar a polícia, que largou tudo o que estava fazendo e apareceu meia hora depois na fundação. Era um homem de meia-idade, magro e de cabelo preto com uma voz excepcionalmente grave e um doutorado em Paris. Elínborg levou-o até a parede de terra. A polícia armara uma tenda sobre a parede para escondê-la dos passantes, e ela fez um sinal para que o geólogo entrasse.

A tenda estava iluminada por uma enorme lâmpada fluorescente que lançava sombras melancólicas sobre o local onde se encontrava o esqueleto. Ele examinou o solo, pegou um punhado de terra da parede e o esmagou. Comparou o estrato ao lado do esqueleto com os que estavam acima e abaixo dele, e examinou a densidade do solo ao redor dos ossos. Com orgulho, contou a Elínborg como fora chamado uma vez para ajudar em uma investigação, analisar um torrão de terra encontrado em uma cena de crime, o que acabou se revelando uma contribuição útil. Em seguida, passou a discutir trabalhos acadêmicos sobre criminologia e ciências da terra, uma espécie de geologia forense, se é que Elínborg entendeu direito o que ele disse.

Ela o escutou tagarelar, até que perdeu a paciência.

"Há quanto tempo ele está aí?", ela perguntou.

"É difícil dizer", respondeu o geólogo com sua voz grave, assumindo uma postura acadêmica. "Não deve ser muito tempo."

"E o quanto é isso em termos geológicos?", perguntou Elínborg. "Mil anos? Dez?"

O geólogo olhou para ela.

"É difícil dizer", repetiu.

"Qual é a resposta mais precisa que o senhor pode me dar?", perguntou Elínborg. "Medida em anos."

"É difícil dizer."

"Em outras palavras, é difícil dizer qualquer coisa?"

O geólogo olhou para Elínborg e sorriu.

"Desculpe, eu estava pensando. O que você quer saber?"

"Há quanto tempo?"

"O quê?"

"Ele está deitado aí", gemeu Elínborg.

"Eu diria que entre cinquenta e setenta anos. Eu ainda teria que fazer mais alguns testes detalhados, mas é isso que imagino.

Pela densidade do solo, não há como ser um viking ou alguma antiga tumba pagã."

"Nós sabemos disso", disse Elínborg, "há pedaços de roupa..."

"Esta linha verde aqui", disse o geólogo, apontando para um estrato na parte mais baixa da parede. "Isto é argila da era de gelo. Estas linhas em intervalos regulares aqui", continuou, apontando mais para cima, "estas são tufos vulcânicos. A mais elevada é do final do século XV. É a camada mais espessa de tufo na área de Reykjavík desde que o país se estabeleceu. Estas são camadas mais antigas das erupções do Hekla e do Katla. Agora estamos falando de milhares de anos atrás. Não é muito distante do leito da rocha, como você pode ver aqui", disse e apontou para uma camada maior na fundação. "Este é o dolerito de Reykjavík que cobre toda a área ao redor da cidade."

Ele olhou para Elínborg.

"Em relação a toda essa história, o túmulo foi cavado há apenas um milionésimo de segundo."

Os arqueólogos pararam de trabalhar às nove e meia, e Skarphédinn disse a Erlendur que iria voltar bem cedo na manhã seguinte. Não tinham encontrado nada notável no solo e mal haviam começado a desbastar a vegetação da parte de cima. Erlendur perguntou se eles não poderiam acelerar um pouco o procedimento, mas Skarphédinn olhou-o com altivez, perguntando se ele desejava destruir as evidências. Os dois concordaram que não tinham pressa de escavar até chegar ao esqueleto.

A luz fluorescente na tenda estava apagada. Todos os repórteres tinham ido embora. A descoberta do esqueleto foi destaque nos noticiários noturnos. Apareceram fotografias de Erlendur e de sua equipe na fundação, e uma das emissoras mostrou seu repórter tentando entrevistar Erlendur, que acenou e afastou-se depressa.

A calma mais uma vez retornara à propriedade. Os martelos barulhentos haviam silenciado. Todos que estavam trabalhando em suas casas semiconstruídas tinham ido embora. Os que já moravam lá estavam indo dormir. Não se ouvia mais nenhuma criança gritando. Dois policiais em um carro-patrulha foram designados para vigiar a área durante a noite. Elínborg e Sigurdur Óli tinham ido para casa. A equipe da polícia técnica, que estivera ajudando o arqueólogo, também já tinha ido embora. Erlendur havia conversado com Tóti e com a mãe dele sobre o osso encontrado pelo garoto. Tóti estava bastante satisfeito com toda a atenção que recebera. "Que surpresa mais inesquecível", a mãe dele suspirou. O filho encontrando um esqueleto humano enquanto brincava. "Este é o melhor aniversário que eu já tive", Tóti contou a Erlendur. "O melhor de todos."

O estudante de medicina tinha ido para casa, levando seu irmãozinho consigo. Erlendur e Sigurdur Óli haviam conversado brevemente com ele. Ele descreveu como estivera olhando a menininha sem perceber, a princípio, que ela estava mordendo um osso. Quando o examinou mais de perto, viu que era uma costela humana.

"Como você conseguiu distinguir tão depressa que era uma costela humana?", perguntou Erlendur. "Poderia ser de uma ovelha, por exemplo."

"Sim, não seria mais provável que fosse de uma ovelha?", perguntou Sigurdur Óli, um rapaz da cidade que não sabia absolutamente nada sobre animais de fazenda na Islândia.

"Não havia como confundir", disse o estudante. "Já fiz autópsias, e não havia dúvida."

"Você pode nos dizer há quanto tempo calcula que esses ossos estejam enterrados ali?", perguntou Erlendur. Ele sabia que iria acabar sendo informado sobre as descobertas tanto pelo geólogo que Elínborg havia convocado quanto pelo arqueólogo e pelo patologista forense, mas não se importou em ouvir a opinião do estudante.

"Dei uma olhada no solo e, com base na taxa de decomposição, talvez estejamos falando em cerca de setenta anos. Não muito mais que isso. Mas não sou um especialista."

"Não, de fato", disse Erlendur. "O arqueólogo achou a mesma coisa e ele também não é um especialista."

Ele se virou para Sigurdur Óli.

"Precisamos verificar os registros de pessoas desaparecidas naquela época, por volta de 1930 ou 1940. Talvez até antes."

Erlendur parou ao lado da fundação, sob o sol da noite, e olhou para o norte, na direção de Mosfellsbaer, para Kollafjördur e para o monte Esja, e pôde ver as casas do outro lado da baía em Kjalarnes. Ele podia ver os carros na estrada oeste margeando o sopé do Úlfarsfell a caminho de Reykjavík. Ouviu o som de um carro aproximando-se da construção, e um homem desceu dele, mais ou menos da mesma idade de Erlendur, gordo, usando um blusão azul e um boné. Ele bateu a porta do carro e olhou para Erlendur e para a viatura da polícia, a terra revirada ao lado da fundação e a tenda que cobria o esqueleto.

"Você é cobrador de impostos?", perguntou de repente, indo até Erlendur.

"Cobrador de impostos?"

"Vocês não me dão um único momento de paz", disse o homem. "Você tem um mandado ou...?"

"Este terreno é seu?", perguntou Erlendur.

"Quem é você? Que tenda é essa? O que está acontecendo aqui?"

Erlendur explicou o que havia acontecido ao homem, que disse se chamar Jón. Ele era empreiteiro e dono daquele canteiro de obras. Estava à beira da falência e era atormentado por cobradores. Não se trabalhava naquela construção havia algum tempo, mas ele disse que passava por lá regularmente para verificar se a estrutura tinha sofrido algum ato de vandalismo: malditos garotos desses novos bairros que vivem fazendo bagunça nas casas. Ele ainda não sabia sobre a descoberta do esqueleto e olhou cético para a base da fundação, enquanto Erlendur explicava o que a polícia e os arqueólogos estavam fazendo.

"Eu não sabia disso, e os carpinteiros com certeza não devem ter visto esses ossos. É um túmulo antigo então?", perguntou Jón.

"Ainda não sabemos", respondeu Erlendur, relutando em fornecer mais informações. "Você sabe alguma coisa sobre aquele terreno lá?", perguntou ele, apontando para os arbustos de groselha.

"Tudo o que sei é que se trata de um bom terreno para construção", disse Jón. "Eu não pensei que fosse viver o suficiente para ver Reykjavík se espalhar até aqui."

"Talvez a cidade tenha crescido de maneira desproporcional", disse Erlendur. "Por acaso o senhor sabe se na Islândia nascem groselhas silvestres?"

"Groselhas? Não faço a menor ideia. Nunca ouvi falar."

Eles ainda conversaram um pouco antes de Jón ir embora. Erlendur ficou com a impressão de que os credores daquele homem estavam prestes a desapropriar o terreno, mas que havia um lampejo de esperança se ele conseguisse arranjar um novo empréstimo.

Erlendur também pretendia ir para casa. O sol da noite criava um lindo brilho avermelhado no céu, a oeste, espalhando-o do mar para a terra. Começava a esfriar.

Ele examinou a trilha escura. Chutou a terra e caminhou a esmo, sem saber direito por que sentia-se indeciso quanto ao que fazer. Não havia nada esperando por ele em casa, pensou, raspando o pé no chão. Nenhuma família para recebê-lo, nenhuma esposa para contar como fora seu dia. Nenhum filho para lhe contar como tinha se saído na escola. Apenas sua velha televisão, uma poltrona, um carpete gasto, embalagens de refeições para viagem e paredes cobertas pelos livros que ele lia em sua solidão. Muitos eram sobre pessoas desaparecidas na Islândia, as atribulações de viajantes nas regiões ermas de tempos antigos e mortes nas estradas das montanhas.

De repente sentiu uma coisa dura bater em seu pé. Era como um pedregulho preso no chão. Cutucou-o algumas vezes com a ponta do pé, mas o pedregulho não se moveu. Ele se agachou e começou a afastar cuidadosamente a terra ao redor. Skarphédinn lhe dissera para não mexer em nada enquanto os arqueólogos não estivessem lá. Erlendur mexeu na pedra sem muito esforço, mas não conseguiu soltá-la.

Cavou mais fundo, e suas mãos estavam imundas quando finalmente encontrou um pedregulho semelhante, depois um terceiro, e um quarto, e um quinto. Erlendur ficou de joelhos, jogando a terra a seu redor em todas as direções. O objeto foi aparecendo aos poucos e logo Erlendur estava olhando fixo para aquilo que, até onde ele conseguia perceber, era uma mão. Os ossos de cinco dedos e o osso da palma da mão saindo da terra. Ele se levantou lentamente.

Os cinco dedos estavam bem separados, como se a pessoa lá embaixo tivesse estendido uma das mãos para agarrar alguma coisa, ou para se defender, ou, talvez, para pedir clemência, e um calafrio percorreu-lhe o corpo na brisa da noite.

Vivo, pensou Erlendur. Olhou na direção dos arbustos de groselha.

"Você estava vivo?", disse a si mesmo.

Naquele exato momento, seu celular tocou. Em pé no meio da tranquilidade da noite, envolvido em seus pensamentos, levou algum tempo até perceber que o telefone estava tocando. Ele o tirou do bolso do casaco e atendeu. A princípio, só conseguiu ouvir um ruído.

"Me ajuda", disse uma voz que ele reconheceu imediatamente. "Por favor."

Então a chamada foi interrompida.

4.

Ele não sabia dizer de onde vinha a chamada. A tela do celular mostrava "número desconhecido". Era a voz de sua filha, Eva Lind. Ele estremeceu ao olhar para o aparelho, como se uma lasca tivesse perfurado sua mão, mas o telefone não voltou a tocar. Ele não podia retornar a ligação. Eva Lind tinha o número dele, e Erlendur lembrou-se que na última vez em que se falaram ela havia ligado para dizer que nunca mais queria vê-lo. Ele ficou paralisado, aturdido, esperando uma segunda chamada que nunca aconteceu.

Então entrou rapidamente no carro.

Fazia dois meses que ele não falava com Eva Lind. Não havia nada de incomum nisso. A filha vivia sua própria vida sem lhe dar muita oportunidade de interferir. Tinha vinte e poucos anos. Viciada em drogas. O último encontro deles havia terminado em mais uma discussão violenta. Acontecera no bloco de apartamentos dele, e ela fora embora gritando furiosa, dizendo que ele era nojento.

Erlendur também tinha um filho, Sindri Snaer, que tinha pouco contato com o pai. Ele e Eva Lind eram bem pequenos quando Erlendur foi embora, deixando-os com a mãe. A mulher de Erlendur nunca o perdoou depois do divórcio e não permitiu que ele visse os filhos. Cada vez mais se arrependia de ter deixado essa decisão para ela. Eles mesmos procuraram-no quando tiveram idade suficiente para isso.

O silencioso crepúsculo de primavera estendia-se sobre Reykjavík quando Erlendur deixou às pressas o Bairro do Milênio e pegou a estrada principal em direção à cidade. Certificou-se de que o celular estava ligado e o colocou no banco da frente. Erlendur não sabia muita coisa sobre a vida pessoal de sua filha e não fazia ideia de por onde começar a procurá-la, até que se lembrou de um apartamento de porão no bairro Vogar, onde Eva Lind tinha morado um ano atrás.

Primeiro verificou se ela havia passado no apartamento dele, mas Eva Lind não estava lá. Ele deu uma volta em torno do bloco onde morava e subiu as outras escadas. Eva tinha uma chave de seu apartamento. Chamou-a em voz alta no apartamento, mas ela não estava lá. Chegou a pensar em ligar para a mãe dela, porém não conseguiu fazer isso. Eles mal haviam se falado durante vinte anos. Pegou o telefone e ligou para seu filho. Erlendur sabia que os irmãos mantinham contato entre si, ainda que de maneira irregular. Conseguiu o número de Sindri no serviço de auxílio à lista. Acontece que Sindri estava trabalhando fora da cidade e não tinha ideia do paradeiro da irmã.

Erlendur hesitou.

"Que merda", gemeu.

Pegou o telefone novamente e ligou para o número da ex-mulher.

"Aqui é Erlendur", disse, quando ela atendeu. "Acho que Eva Lind está em apuros. Você sabe onde ela pode estar?"

Silêncio.

"Ela me ligou pedindo ajuda, mas a ligação caiu e eu não sei onde ela está. Acho que tem alguma coisa errada."

Nenhuma resposta.

"Halldóra?"

"Você está me telefonando depois de vinte anos?"

Ele sentiu o ódio que ainda havia na voz dela depois de todo aquele tempo e percebeu que tinha cometido um erro.

"Eva Lind precisa de ajuda, mas não sei onde ela está."

"Ajuda?"

"Acho que alguma coisa está errada."

"E isso é culpa minha?"

"Culpa sua? Não. Não é..."

"Você acha que eu não precisei de ajuda? Sozinha com dois filhos. Você não me ajudou."

"Hall..."

"E agora os seus filhos saíram da linha. Os dois! Você está começando a perceber o que fez? O que você fez para nós? O que você fez para mim e para os seus filhos?"

"Você se recusou a me deixar visitar..."

"Você acha que eu não precisei castigá-la um milhão de vezes? Acha que eu nunca precisei ajudá-la? Onde você estava quando isso aconteceu?"

"Halldóra, eu..."

"Seu desgraçado", ela rosnou.

Ela bateu o telefone. Erlendur xingou a si mesmo por ter telefonado. Entrou no carro, dirigiu até o bairro Vogar e parou na frente de um prédio em péssimas condições com apartamentos de porão praticamente submersos no chão. Na porta de um deles, Erlendur tocou uma campainha pendurada pelos fios no batente, mas como não a ouviu soando lá dentro, bateu na porta. Esperou com impaciência pelo som de alguém vindo atender, porém nada aconteceu. Segurou a maçaneta. A porta não estava

trancada e Erlendur entrou com cautela. À medida que avançava pelo corredor estreito, ouviu um chorinho de criança vindo de
algum lugar lá dentro. Um fedor de urina e fezes atingiu-o assim
que se aproximou da sala.

Uma menininha, de cerca de um ano, estava sentada no
chão da sala, exausta de tanto chorar. Ela estremecia com os so-
luços, praticamente sem roupa. O assoalho estava coberto de latas de cerveja vazias, garrafas de vodca, embalagens de fast-food
e laticínios que haviam embolorado, e o fedor acre misturava-se
com o mau cheiro da criança. Não havia muito mais naquela sala
além de um sofá quebrado no qual uma mulher estava deitada,
nua, de costas para Erlendur. A garotinha não lhe deu atenção
quando ele se aproximou do sofá. Ele levantou a mão da mulher
e sentiu-lhe o pulso. Havia marcas de agulha em seu braço.

Uma cozinha se juntava à sala e em um pequeno quarto ao
lado dela Erlendur encontrou um cobertor, que colocou sobre a
mulher no sofá. Dentro do quarto havia outra porta, que levava
a um banheirinho com chuveiro. Erlendur ergueu a menina do
chão, levou-a para o banheiro, lavou-a cuidadosamente com água
morna e envolveu-a em uma toalha. A menina parou de chorar.
A pele entre suas pernas estava assada devido à urina. Ele supôs
que ela devesse estar faminta, mas não conseguiu encontrar nada comestível além de uma pequena barra de chocolate que por
acaso ele trazia no bolso. Deu-lhe um pedaço, enquanto falava
calmamente com ela. Quando percebeu as marcas nos braços
da menina, fez uma careta.

Encontrou um berço, tirou de dentro uma lata de cerveja e
uma embalagem de hambúrguer e delicadamente acomodou a
garotinha nele. Espumando de raiva, voltou para a sala. Não sabia se aquele amontoado no sofá era a mãe da menina. Nem se
importava com isso. Agarrou a mulher e a carregou até o banheiro, deixou-a sentada sob o chuveiro e abriu a água fria sobre ela.

Ela se retorceu, engasgou e gritou enquanto tentava se proteger da água.

Erlendur manteve a mulher sob o chuveiro por um bom tempo antes de fechar a torneira. Jogou o cobertor sobre ela, levou-a de volta para a sala e fez com que se sentasse no sofá. Ela estava desperta porém confusa, e olhou para ele com uma expressão indolente. Olhou ao redor como se alguma coisa estivesse faltando. De repente, ela se lembrou do que era.

"Cadê a Perla?", perguntou, tremendo sob o cobertor.

"Perla?", disse Erlendur, furioso. "Isso é nome que se dá a um cachorro!"

"Onde está a minha menina?", a mulher repetiu. Ela parecia ter uns trinta anos, tinha o cabelo bem curto e usava uma maquiagem que havia escorrido sob o chuveiro e agora manchava todo seu rosto. O lábio superior estava inchado, havia um galo na testa e o olho direito estava machucado e escuro.

"Você não tem direito nem de perguntar sobre ela", disse Erlendur.

"O quê?"

"Apagando cigarros na sua filha?"

"O quê? Não! Quem...? Quem é você?"

"Ou é o troglodita que bate em você que também faz isso?"

"Bate em mim? O quê? Quem é você?"

"Eu vou tirar Perla de você", disse Erlendur. "Eu vou pegar o sujeito que fez isso nela. Então você precisa me dizer duas coisas."

"Você vai tirar ela de mim?"

"Uma garota que morava aqui há alguns meses, talvez há um ano, você sabe alguma coisa sobre ela? O nome dela é Eva Lind. Magra, cabelo preto..."

"Perla é uma peste. Chora. O tempo todo."

"Coitadinha de você..."

"Isso deixa ele louco."

"Vamos começar com Eva Lind. Você a conhece?"

"Não tira ela de mim. Por favor."

"Você sabe onde a Eva Lind está?"

"Eva se mudou há uns meses."

"Você sabe para onde?"

"Não. Ela estava com Baddi."

"Baddi?"

"Ele é segurança. Eu vou aos jornais, se você levar ela embora. E aí? Eu vou contar aos jornais."

"Onde ele trabalha?"

Ela lhe disse. Erlendur levantou, chamou uma ambulância e telefonou para a emergência do Conselho do Bem-Estar Infantil, fazendo um breve relato das circunstâncias.

"E aí tem a segunda coisa", Erlendur disse enquanto esperava a ambulância. "Onde está esse desgraçado que bate em você?"

"Deixa ele fora disso", disse ela.

"Para ele continuar fazendo isso? É isso que você quer?"

"Não."

"Então onde ele está?"

"É que..."

"É o quê? O que é..."

"Se você vai pegar ele..."

"Sim."

"Se você vai pegar ele, vê se mata ele. Porque se você não fizer isso, ele me mata", ela disse, olhando para Erlendur com um leve sorriso.

Baddi era musculoso, com uma cabeça anormalmente pequena e trabalhava como segurança em uma boate de striptease chamada Count Rosso no centro de Reykjavík. Ele não estava na porta quando Erlendur chegou, mas outro segurança de constituição física semelhante disse a Erlendur onde encontrá-lo.

"Ele está tomando conta das particulares", disse o segurança, e Erlendur não entendeu imediatamente.

"As danças privadas", explicou o segurança. "Shows particulares." E em seguida revirou os olhos, resignado.

Erlendur entrou na boate iluminada com luzes vermelhas fracas. Havia um bar no salão, algumas mesas e cadeiras e alguns homens assistindo a uma jovem que deslizava em um cano de metal cromado em uma pista de dança elevada, ao ritmo monótono de uma canção pop. Ela olhou para Erlendur, começou a dançar na frente dele como se estivesse diante de um provável cliente, e tirou lentamente o pequeno sutiã que usava. Erlendur olhou para ela com uma expressão de dó tão profunda que a jovem ficou desconcertada e escorregou. Depois recuperou o equilíbrio e afastou-se dele antes de deixar cair o sutiã no chão despreocupadamente, em uma tentativa de preservar alguma dignidade.

Tentando descobrir em que lugar eram realizados os shows privados, ele viu um corredor comprido do outro lado da pista de dança e foi até lá. O corredor era pintado de preto com degraus que no final conduziam a um porão. Erlendur não conseguia enxergar muito bem, mas desceu devagar as escadas até chegar a um outro corredor escuro. Uma única lâmpada vermelha pendia do teto, e no fim do corredor havia um enorme segurança com os braços musculosos cruzados sobre o peito. Ele encarou Erlendur. No corredor havia seis portas, três de cada lado. Ele ouviu o som de um violino tocando uma música melancólica em um dos quartos.

O segurança musculoso aproximou-se de Erlendur.

"Você é o Baddi?", perguntou Erlendur.

"Onde está a sua garota?", perguntou o segurança, a cabeça pequena projetando-se como uma enorme verruga em cima do pescoço gordo.

"Eu ia exatamente perguntar isso a *você*", disse Erlendur, surpreso.

"Eu? Não, eu não trago as garotas. Você tem que ir lá em cima, pegar uma e trazer aqui para baixo."

"Ah, entendi", disse Erlendur, percebendo o engano. "Estou procurando Eva Lind."

"Eva? Ela se mandou há muito tempo. Você estava com ela?"

Erlendur o encarou.

"Há muito tempo? Como assim?"

"Ela vinha aqui às vezes. Como você conhece ela?"

Uma porta se abriu no corredor e um jovem saiu, fechando o zíper das calças. Erlendur viu uma garota nua abaixando--se para pegar algumas roupas no assoalho do quarto. O jovem se espremeu para passar por eles, deu um tapinha nas costas de Baddi e desapareceu escada acima. A garota no quarto encarou Erlendur e fechou a porta com força.

"Você quer dizer aqui embaixo?", Erlendur perguntou, atônito. "Eva Lind vinha aqui embaixo?"

"Faz muito tempo. Tem uma que se parece bem com ela nesse quarto", disse Baddi apontando para uma das portas com todo o entusiasmo de um vendedor de carros usados. "É uma estudante de medicina da Lituânia. E aquela garota tocando violino. Você ouviu? Ela é de alguma escola famosa na Polônia. Elas vêm para cá. Ganham algum dinheiro. Depois voltam a estudar."

"Você sabe onde posso encontrar Eva Lind?"

"Nós nunca contamos onde as garotas moram", disse Baddi com uma expressão especialmente beatífica no rosto.

"Eu não quero saber onde as garotas moram", disse Erlendur com um tom de voz cansado. Tomou cuidado para não perder a calma, sabia que precisava ser cauteloso, tinha que obter a informação de maneira diplomática, muito embora estivesse realmente com vontade de torcer o pescoço daquele homem. "Acho que Eva Lind está encrencada e me pediu para ajudá-la", disse com o tom de voz mais calmo que conseguiu.

"E quem é você, o pai dela?", perguntou Baddi com uma risadinha sarcástica.

Erlendur olhou para ele, pensando em como atingir aquela cabecinha careca. A risada congelou no rosto de Baddi quando ele percebeu que havia acertado em cheio. Por acaso, como sempre. Lentamente, deu um passo para trás.

"Você é o policial?", perguntou.

Erlendur fez que sim com a cabeça.

"Este estabelecimento é completamente legal."

"Isso não é da minha conta. Você sabe alguma coisa sobre Eva Lind?"

"Ela está desaparecida?"

"Não sei", respondeu Erlendur. "Ela está desaparecida para mim. Ela falou comigo e pediu ajuda, mas eu não sei onde ela está. Disseram que você a conhecia."

"Fiquei com ela por um tempo, ela te contou?"

Erlendur negou com a cabeça.

"É impossível ficar com ela. Completamente doida."

"Você sabe me dizer onde ela está?"

"Faz muito tempo que eu não vejo a Eva. Ela te odeia. Você sabia disso?"

"Quando você saía com a Eva, quem é que conseguia o bagulho pra ela?"

"Você quer dizer, o traficante dela?"

"Sim, o traficante."

"Você vai pôr ele na cadeia?"

"Eu não vou pôr ninguém na cadeia. Tenho que encontrar Eva Lind. Você pode me ajudar ou não?"

Baddi avaliou suas opções. Ele não precisava ajudar aquele homem ou Eva Lind de maneira nenhuma. Por ele, ela podia ir para o inferno. Mas havia uma expressão no rosto do detetive que lhe disse que seria melhor ficar do lado dele e não contra.

"Eu não sei nada sobre a Eva", disse. "Converse com o Alli."

"Alli?"

"E não diga que fui eu que mandei."

5.

Erlendur pegou o carro e seguiu em direção à área mais antiga da cidade, próxima ao porto, pensando em Eva Lind e em Reykjavík. Ele tinha nascido em outro lugar e se considerava um forasteiro, mesmo tendo vivido a maior parte da vida na cidade, vendo-a espalhar-se pelas baías e colinas à medida que as comunidades rurais perdiam população. Uma cidade moderna e repleta de pessoas que não queriam mais morar nas áreas rurais ou nas vilas pesqueiras, ou que não podiam morar lá, e vieram para a cidade construir vidas novas para si mesmas, perdendo, porém, suas raízes, ficando sem passado e com um futuro incerto. Ele nunca se sentira à vontade na cidade.

Sentia-se um estranho.

Alli tinha uns vinte anos, era ruivo e sardento. Ele não tinha os dentes da frente, o rosto era pálido e com uma aparência cansada, e ele tinha uma tosse horrível. Estava onde Baddi disse que estaria, sentado dentro do bar Kaffi Austurstraeti, sozinho em uma mesa com uma garrafa de cerveja à sua frente. Parecia estar dormindo, a cabeça pendente, os braços cruzados sobre o peito.

Usava uma jaqueta de náilon com gola de pele. Baddi dera uma boa descrição dele. Erlendur sentou-se à mesa dele.

"Você é o Alli?", perguntou, sem receber resposta. Olhou ao seu redor no bar. Estava escuro lá dentro e havia apenas umas cinco pessoas em outras mesas. Uma cantora country ruim resmungava, no alto-falante acima deles, uma canção melancólica a respeito de um amor perdido. Um barman de meia-idade estava sentado em um banquinho atrás do balcão, lendo um livro de bolso com dobras nos cantos das folhas.

Erlendur repetiu a pergunta e, por fim, cutucou o ombro do sujeito. Ele acordou e olhou para Erlendur com uma expressão apática.

"Quer outra cerveja?", perguntou Erlendur, tentando dar seu melhor sorriso. Uma careta apareceu-lhe no rosto.

"Quem é você?", perguntou Alli, os olhos vidrados. Ele não fez nenhum esforço para ocultar sua expressão idiótica.

"Estou procurando Eva Lind. Sou o pai dela e estou com pressa. Ela me ligou e pediu ajuda."

"Você é o policial?", perguntou Alli.

"Sim, eu sou o policial."

Alli endireitou o tronco na cadeira e olhou furtivamente ao redor.

"Por que você está perguntando para mim?"

"Eu sei que você conhece Eva Lind."

"Como?"

"Você sabe onde ela está?"

"Você me paga uma cerveja?"

Erlendur olhou para ele e por um instante se perguntou se estava usando a abordagem correta, mas continuou mesmo assim, não tinha muito mais tempo. Ele se levantou e foi até o bar com passadas largas. O barman levantou os olhos de seu livro com relutância, deixou-o de lado com ar desgostoso e levantou-se do banquinho. Erlendur pediu uma cerveja grande. Estava tirando a carteira do bolso quando percebeu que Alli tinha desaparecido. Olhou rapidamente em volta e viu a porta da frente se fechar. Deixando o barman com o copo de cerveja na mão, saiu correndo e viu Alli dirigindo-se para as casas antigas em Grjótathorp.

Alli não corria muito rápido e também não aguentou muito tempo. Olhou para trás, viu Erlendur perseguindo-o e tentou aumentar a velocidade, mas não teve forças para isso. Erlendur em pouco tempo alcançou-o e, com um safanão, jogou-o gemendo no chão. Dois frascos pequenos de comprimidos saíram rolando de dentro de seus bolsos e Erlendur pegou-os. Pareciam ser Ecstasy. Tirou a jaqueta de Alli e ouviu o som de mais frascos. Depois de esvaziar todos os bolsos de Alli, Erlendur tinha em mãos o suficiente para encher um armário de remédios de tamanho considerável.

"Eles... vão... me matar", disse Alli ofegante, enquanto se erguia com dificuldade. Algumas pessoas se aproximaram. Um casal de idosos do outro lado da rua, que tinha assistido a toda a ação, apressou o passo quando viu Erlendur recolhendo os frascos de comprimidos.

"Por mim, tudo bem", disser Erlendur.

"Não tire isso de mim. Você não sabe como eles..."

"Quem?"

Alli encolheu-se contra a parede de uma das casas e começou a chorar.

"É minha última chance", disse, o muco escorrendo-lhe do nariz.

"Eu não quero nem saber que porra de chance é essa. Quando foi a última vez que você viu Eva Lind?"

Alli fungou e de repente olhou para Erlendur, como se visse uma saída.

"Tudo bem."

"O quê?"

"Se eu contar sobre a Eva, você me devolve tudo?", perguntou.

Erlendur pensou um pouco.

"Se você me der informações sobre a Eva, eu devolvo. Se mentir, eu volto e faço você de trampolim."

"Tudo bem, tudo bem. A Eva veio falar comigo hoje. Se você encontrar ela, ela me deve dinheiro. Eu não quis dar mais nada pra ela. Não negocio com garotas grávidas."

"Não", disse Erlendur. "Suponho que você seja um homem de princípios."

"Ela veio com aquela barriga de fora, choramingando, e começou a ficar nervosa quando eu disse que não ia dar nada pra ela, depois foi embora."

"Você sabe pra onde ela foi?"

"Não faço ideia."

"Onde ela mora?"

"A garota não tem dinheiro. Eu preciso de dinheiro, entende? Ou eles me matam."

"Você sabe onde ela mora?"

"Mora? Em lugar nenhum. Ela fica onde dá. Vive de favor. Acha que pode conseguir bagulho sem ter que pagar." Alli bufou com desdém. "Como se a gente andasse distribuindo isso por aí. Como se fosse de graça."

O intervalo que correspondia aos dentes que faltavam fazia com que ele ceceasse um pouco, e de repente ele pareceu um criança vestido com uma jaqueta suja tentando parecer valente.

Muco começou a escorrer de seu nariz novamente.

"Para onde ela pode ter ido?", perguntou Erlendur.

Alli olhou para ele e fungou.

"Você vai devolver as minhas coisas?"

"Onde ela está?"

"Você devolve se eu contar?"

"Se você não mentir. Onde ela está?"

"Tinha uma garota com ela."

"Quem? Qual é o nome?"

"Eu sei onde ela mora."

Erlendur aproximou-se dele.

"Eu devolvo tudo", disse. "Quem é essa garota?"

"Ragga. Ela mora aqui perto. Em Tryggvagata. No último andar daquele prédio grande de frente para as docas." Hesitando, Alli estendeu a mão. "Tudo bem? Você prometeu. Devolve. Você prometeu."

"De jeito nenhum eu vou devolver, seu idiota", disse Erlendur. "Se eu tivesse tempo eu levaria você para a delegacia e te jogava dentro de uma cela. Portanto, você ainda se deu bem."

"Não, eles vão me matar! Não faz isso! Devolve, por favor. Devolve!"

Ignorando-o, Erlendur deixou Alli se lastimando encostado no prédio, onde ele xingou a si mesmo e bateu a cabeça contra a parede com uma raiva débil. Erlendur podia ouvir os xingamentos à distância, mas para sua surpresa Alli não os dirigia a ele, e sim contra si mesmo.

"Idiota do cacete, você é um idiota do cacete..."

Erlendur olhou para trás e viu Alli se estapeando.

Um garotinho, possivelmente de uns quatro anos, com calça de pijama, descalço, o cabelo imundo, abriu a porta e ergueu os olhos para Erlendur, que se agachou para ficar na mesma altura que ele. Quando Erlendur estendeu a mão para acariciar o rosto do menino, ele afastou a cabeça para trás. Erlendur perguntou se a mãe dele estava em casa, mas o garoto apenas lhe devolveu um olhar de interrogação e não respondeu.

"Eva Lind está com você, meu filho?", perguntou.

Erlendur tinha a impressão de que o tempo estava se esgotando. Já haviam se passado duas horas desde o telefonema de Eva Lind. Tentou afastar o pensamento de que já era tarde demais para ajudá-la. Tentou imaginar em que tipo de problema ela teria se metido, mas logo parou de se torturar e concentrou-se em encontrá-la. Agora sabia com quem ela estava quando deixou Alli naquela noite. Sentia que estava chegando perto dela.

Sem responder, o garoto saiu correndo e desapareceu dentro do apartamento. Erlendur foi atrás, mas não conseguiu ver aonde o garoto tinha ido. O apartamento estava completamente escuro e Erlendur tateou até encontrar o interruptor da luz na parede. Depois de tentar vários que não funcionaram, ele continuou tateando até chegar a um pequeno quarto. Por fim, uma lâmpada solitária em um soquete preso no teto acendeu. Não havia nada no chão, apenas concreto frio. Colchões sujos estavam espalhados por todos os lados e em um deles havia uma garota, um pouco mais jovem que Eva Lind, usando jeans surrados e uma camiseta vermelha. Uma caixa de metal com duas agulhas hipodérmicas estava aberta ao lado dela. Um tubo fino de plástico, torcido, no chão. Dois homens dormiam em colchões, um de cada lado dela.

Erlendur ajoelhou-se ao lado da garota e cutucou-a, mas não obteve reação. Ele ergueu a cabeça dela, fez com que ela se sentasse e deu-lhe palmadinhas no rosto. Ela resmungou. Ele se levantou, colocou-a em pé e tentou fazê-la andar um pouco, e não demorou muito a garota pareceu despertar. Abriu os olhos. Erlendur notou uma cadeira de cozinha na escuridão e fez com que ela se sentasse. Ela olhou para ele e a cabeça caiu sobre o peito. Ele bateu de leve em seu rosto e ela acordou novamente.

"Onde está Eva Lind?", ele perguntou.

"Eva", murmurou a garota.

"Você esteve com ela hoje. Para onde ela foi?"

"Eva..."

A cabeça dela caiu de novo. Erlendur viu o garotinho em pé na porta. Segurava uma boneca em uma das mãos e na outra uma mamadeira que estendeu na direção de Erlendur. Em seguida pôs a mamadeira na boca, e Erlendur ouviu-o sugando ar. Ele ficou olhando o menino e rangeu os dentes antes de pegar o celular e pedir ajudar.

Um médico chegou junto com a ambulância, por insistência de Erlendur.

"Preciso lhe pedir que lhe dê uma injeção", disse Erlendur.

"Uma injeção?", estranhou o médico.

"Eu acho que é heroína. O senhor tem naloxona ou narcanti? Na maleta?"

"Sim, eu..."

"Eu tenho que falar com ela. Imediatamente. Minha filha está em perigo. Esta garota sabe onde ela está."

O médico olhou para a garota e depois de novo para Erlendur. Ele concordou.

Erlendur deitara a garota de costas sobre o colchão e demorou um tempo até ela voltar a si. Os paramédicos estavam a postos com a maca. O garotinho estava escondido no quarto. Os dois homens continuavam inconscientes em seus colchões.

Erlendur agachou-se ao lado da garota, que lentamente recuperava a consciência. Ela olhou para Erlendur, para o médico e para os paramédicos.

"O que está acontecendo?", perguntou em voz baixa, como se estivesse falando sozinha.

"Você sabe onde Eva Lind está?", perguntou Erlendur.

"Eva?"

"Ela estava com você esta noite. Acredito que esteja em perigo. Você sabe para onde ela foi?"

"Eva não está bem?", ela perguntou e em seguida olhou ao redor. "Onde está Kiddi?"

"Tem um garotinho naquele quarto", disse Erlendur. "Ele está esperando você. Me diga onde posso encontrar Eva Lind."

"Quem é você?"

"O pai dela."

"O policial?"

"Sim."

"Ela não suporta você."

"Eu sei. Você sabe onde ela está?"

"Ela começou a sentir dores. Eu disse para ela ir para o hospital. Ela estava indo a pé até lá."

"Dores?"

"A barriga estava matando ela."

"De onde ela saiu? Daqui?"

"Nós estávamos na estação rodoviária."

"A estação rodoviária?"

"Ela ia para o Hospital Nacional. Ela não está lá?"

Erlendur levantou-se e o médico lhe disse o número da central telefônica do hospital. Ele telefonou apenas para ouvir que ninguém com o nome Eva Lind tinha dado entrada nas últimas horas. Nenhuma mulher da idade dela estivera lá. A ligação foi transferida para a ala da maternidade e ele tentou descrever a filha da melhor maneira que conseguiu, mas a enfermeira de plantão achou que não a tinha visto.

Ele saiu correndo do apartamento, entrou no carro e foi para a estação rodoviária a toda a velocidade. Não havia uma alma sequer por lá. A estação rodoviária fechava à meia-noite. Saiu do carro, andou apressado pela rua Snorrabraut e se pôs a correr, passando pelas casas em Nordurmýri e vasculhando os jardins

54

à procura da filha. Começou a chamar por ela à medida que se aproximava do hospital, mas ninguém respondeu.

Por fim, encontrou-a deitada sobre uma poça de sangue em um gramado rodeado de árvores, a cerca de cinquenta metros da velha maternidade. Mas ele chegou tarde demais. A grama embaixo dela estava manchada de sangue, e os jeans que ela usava também.

Erlendur ajoelhou-se ao lado da filha, olhou para a maternidade e se viu atravessando aquela porta com Halldóra muitos anos atrás quando a própria Eva Lind tinha nascido. Será que ela ia morrer no mesmo lugar?

Erlendur passou a mão na testa de Eva Lind, sem saber se deveria movê-la.

Pensou que ela estava grávida de sete meses.

Ela tinha tentado fugir dele, mas desistira havia muito tempo.

Ela o abandonara duas vezes. Nas duas ocasiões eles ainda moravam no apartamento de porão em Lindargata. Um ano inteiro havia se passado desde a primeira vez em que ele batera nela, até ele voltar a perder o controle. Era assim que ele chamava o que acontecia. Quando ainda conversava sobre a violência que tinha infligido a ela. Ela nunca considerou aquilo perda de controle. Para ela, parecia que ele nunca exibia mais autocontrole do que quando a espancava sem piedade e a enchia de insultos. Mesmo no auge de seu frenesi, ele era frio e controlado, certo daquilo que estava fazendo. Sempre.

Com o tempo ela percebeu que também precisaria desenvolver aquela qualidade para conseguir triunfar sobre ele.

Sua primeira tentativa de fuga estava fadada ao fracasso. Ela não tinha se preparado, não conhecia as opções disponíveis, não fazia ideia de para onde se voltar, e de repente se viu parada do lado de fora, no vento gelado de uma noite de fevereiro, com seus dois filhos, segurando Símon pela mão e carregando Mikkelína nas costas, sem ter a menor ideia de para onde ir. Tudo o que ela sabia era que precisava sair daquele porão.

Ela estivera com o vigário, que lhe dissera que uma boa esposa não abandona o marido. O casamento era sagrado aos olhos de Deus, e as pessoas tinham que aguentar muitas coisas a fim de mantê-lo.

"Pense em seus filhos", dissera o vigário.

"Eu estou pensando neles", ela respondeu, e o vigário lhe deu um sorriso gentil.

Ela não tentou falar com a polícia. Os vizinhos já haviam feito isso duas vezes quando ele a agredira, e os policiais tinham ido até o porão acabar com uma discussão doméstica e depois foram embora. Quando ela apareceu na frente dos policiais com um olho roxo e o lábio cortado, eles disseram ao casal para se acalmar. Disseram que eles estavam perturbando o sossego dos outros. Na segunda vez, dois anos depois, os policiais o levaram lá fora para conversar. Ela gritara, dizendo que ele a agredira e ameaçara matá-la, e que aquela não tinha sido a primeira vez. Eles perguntaram se ela havia bebido. Ela não entendeu a pergunta. Bebida, eles repetiram. Não, disse ela. Ela nunca bebia. Eles disseram alguma coisa para ele lá fora, ao lado da porta de entrada. Cumprimentaram-se com apertos de mão e foram embora.

Depois que eles se foram, ele cortou o rosto dela com uma navalha.

Naquele mesma noite, quando ele estava dormindo profundamente, ela pôs Mikkelína nas costas e em silêncio tirou Símon do apartamento, fazendo-o andar à sua frente para sair do porão. Ela fizera um carrinho de bebê para Mikkelína usando um berço velho que encontrara no lixo, mas ele o destruíra em

um acesso de raiva, como se estivesse intuindo que ela ia deixá-
-lo e achando que aquilo a impediria.

Não houve nenhum planejamento na fuga dela. No final,
ela acabou indo para o Exército da Salvação e conseguiu um lugar para dormir naquela noite. Ela não tinha parentes em Reykjavík, nem em lugar algum, e, no instante em que ele acordou na
manhã seguinte e viu que ela e os filhos não estavam lá, saiu à
procura deles. Perambulando pela cidade em manga de camisa,
no frio, ele os viu saindo do Exército da Salvação. Ela só percebeu a presença dele quando ele arrancou o menino dela, pegou
a filha e foi para casa sem dizer uma palavra. As crianças estavam
apavoradas demais para se recusarem a ir, mas ela viu Mikkelína
estender os bracinhos na direção dela e começar a chorar em
silêncio.

O que ela estava pensando?

Então ela saiu correndo atrás deles.

Após a segunda tentativa, ele ameaçou matar as crianças,
e depois disso ela não tentou mais fugir. Daquela vez ela estava
mais bem preparada. Imaginou que poderia começar uma vida
nova. Mudar-se para o Norte com as crianças, para uma cidade
pesqueira, alugar um quarto ou um pequeno apartamento, trabalhar em uma fábrica de processamento de peixe e garantir que
não lhes faltasse nada. Na segunda tentativa, ela planejou tudo
devagar. Primeiro, decidiu se mudar para Siglufjördur. Havia muitos empregos lá, agora que os piores anos da depressão tinham
passado, muitos iam até lá em busca de trabalho e ela poderia ficar por ali de um jeito discreto, sozinha com as crianças. Poderia
permanecer algum tempo no dormitório dos operários antes de
encontrar seu próprio quarto.

A viagem de ônibus para ela e as crianças não era barata,
e o marido mantinha um controle rigoroso sobre cada centavo
que ganhava no porto. Durante muito tempo, ela conseguiu jun-

tar algumas moedas até ter o suficiente para a passagem. Pegou todas as roupas das crianças que conseguiu enfiar dentro de uma mala pequena, um punhado de objetos pessoais e o carrinho, que ainda podia carregar Mikkelína depois que ela o consertou. Caminhou depressa até a estação rodoviária, olhando aterrorizada para todos os lados, como se esperasse encontrá-lo na esquina seguinte.

Ele foi para casa na hora do almoço, como sempre, e imediatamente percebeu que ela o havia deixado. Ela sabia que devia estar com o almoço pronto quando ele chegasse, e ele nunca permitira que fosse diferente. Ele viu que o carrinho tinha desaparecido. O guarda-roupa estava aberto. Lembrando-se da tentativa anterior, caminhou a passos largos diretamente para o Exército da Salvação e fez um escândalo quando lhe contaram que ela não estava lá. Ele não acreditou e vasculhou o prédio todo, quartos, porão, e, quando não os encontrou, agrediu o capitão do Exército da Salvação que dirigia o abrigo, derrubando-o no chão e ameaçando matá-lo se ele não dissesse onde eles estavam.

Quando finalmente se deu conta de que ela não tinha ido para o Exército da Salvação, perambulou pela cidade sem encontrá-la. Entrou em lojas e restaurantes, mas ela não estava em lugar nenhum. A fúria e o desespero dele aumentaram à medida que o dia passava, e ele voltou para casa transtornado de raiva. Virou o apartamento do porão de cabeça para baixo em busca de pistas sobre o lugar para onde ela teria ido, depois correu até a casa de duas amigas dela do tempo do comerciante, entrou sem pedir licença, gritou o nome dela e das crianças e depois saiu correndo sem dizer nada e desapareceu.

Ela chegou a Siglufjördur às duas da manhã depois de viajar quase sem parar durante o dia todo. O ônibus tinha feito três paradas para permitir que os passageiros esticassem as pernas, comessem os lanches que levavam embrulhados ou comprassem alguma coisa para comer. Ela levara sanduíches e garrafas de leite, mas eles estavam com fome de novo quando o ônibus entrou no vilarejo de Haganesvík em Fljót, onde um barco esperava para transportar os passageiros para Siglufjördur no frio da noite. Depois de encontrar o dormitório dos operários, o capataz levou-a a um quartinho com uma cama de solteiro e emprestou-lhe um colchão para estender no chão, com dois cobertores, e eles passaram sua primeira noite de liberdade ali. As crianças adormeceram assim que se acomodaram no colchão, mas ela ficou deitada na cama olhando para a escuridão e, incapaz de controlar a tremedeira que atingia todo seu corpo, ela se abateu e começou a chorar.

Ele a encontrou alguns dias depois. Uma possibilidade que lhe ocorrera era de que ela tivesse deixado a cidade, talvez de ônibus, então foi até a estação, perguntou a várias pessoas e descobriu que sua mulher e os filhos tinham tomado o ônibus para Siglufjördur. Ele falou com o motorista, que se lembrou bem da mulher e das crianças, especialmente da garota deficiente. Ele pegou o ônibus seguinte que ia para o Norte e chegou a Siglufjördur pouco depois da meia-noite. Percorrendo todos os dormitórios, acabou encontrando-a dormindo no quartinho, cuja localização lhe fora indicada por um capataz que ele havia acordado. Ele explicou o problema ao capataz. Ela fora para o vilarejo antes que ele, mas eles provavelmente não iriam ficar muito tempo.

Ele entrou bem devagar no quarto. Uma luz baça que vinha da rua penetrava por uma janelinha e ele saltou por cima das crianças no colchão, inclinou-se sobre ela, até que seus rostos quase se tocassem, e sacudiu-a. Ela estava dormindo profundamente e ele a sacudiu de novo, com mais força, até que ela abriu os olhos e ele sorriu ao ver o verdadeiro terror estampado nos olhos dela. Ela estava prestes a gritar pedindo por socorro, mas ele tapou-lhe a boca com a mão.

"Você achava mesmo que ia conseguir?", ele sussurrou ameaçadoramente.

Ela olhou para ele.

"Você achava mesmo que ia ser tão fácil?"

Ela fez que não com a cabeça lentamente.

"Sabe o que eu quero fazer agora?", ele disse entre dentes. "Eu quero levar essa menina para a encosta da montanha e matá-la, e enterrá-la em um lugar onde ninguém jamais vai encontrá-la, e vou dizer que a pobre escrotinha deve ter caído no mar. E sabe de uma coisa? É isso o que eu vou fazer. Vou fazer isso agora mesmo. Se o menino der um pio, mato ele também. Digo que ele caiu no mar porque foi atrás dela."

Ela choramingou baixinho ao olhar para as crianças, e ele sorriu. Tirou a mão da boca da mulher.

"Nunca mais faço isso", ela gemeu. "Nunca, nunca mais. Desculpe. Desculpe. Não sei o que eu estava pensando. Eu sou louca. Eu sei. Eu sou louca. Não faça as crianças pagarem por isso. Me bate. Me bate. Com bastante força. Me bate com toda a força. A gente pode ir embora se você quiser."

O desespero dela o enojava.

"Não, não", disse ele. "Isso é o que você quis. Então vamos fazer do seu jeito."

Ele ameaçou estender a mão na direção de Mikkelína, que dormia ao lado de Símon, mas a mãe da menina segurou-lhe a mão, completamente transtornada de pavor.

"Olha", ela disse, batendo no próprio rosto. "Olha." Ela puxou o próprio cabelo com força. "Olha." Ela sentou com as costas retas e se atirou para trás contra a cabeceira de ferro fundido da cama e, pretendendo ou não fazer isso, ela caiu inconsciente diante dele.

Eles partiram bem cedo no dia seguinte. Ela trabalhara na fábrica de peixe durante alguns dias e ele foi com ela receber o pagamento. Trabalhando no salgamento, ela podia ficar de olho nas crianças, que brincavam ali perto ou ficavam no quarto. Ele explicou ao capataz que eles iam voltar para Reykjavík. Haviam recebido notícias que mudavam os planos e ela tinha que receber pelos dias já trabalhados. O capataz fez uma anotação em um pedaço de papel e apontou para o escritório. Ele olhou para ela ao entregar-lhe o papel. Ela parecia querer dizer alguma coisa. Ele não percebeu que era medo o que ela sentia, achou que fosse timidez.

"Você está bem?", perguntou o capataz.

"Ela está bem", disse o marido, e saiu andando empertigado.

Depois que voltaram para o apartamento de porão em Reykjavík, ele não tocou nela. Ela ficou em pé na sala de visitas com seu casaco puído, segurando a mala e esperando levar a maior surra de sua vida. A pancada que ela dera em si mesma pegara-o de surpresa. Em vez de sair para buscar ajuda, ele tentou cuidar dela e fazê-la recuperar a consciência, o primeiro gesto de atenção que teve com ela desde que haviam se casado. Quando ela recobrou os sentidos, ele disse que ela tinha que entender que nunca poderia abandoná-lo. Ele preferia matá-los, a ela e às crianças. Ela era mulher dele e sempre seria.

Sempre.

Ela nunca mais tentou fugir depois disso.

Os anos se passaram. Os planos dele de se tornar pescador foram abandonados depois de apenas três viagens. Ele tinha um enjoo muito forte de mar do qual não conseguia se livrar. Além disso, descobriu que sentia medo do mar, coisa que nunca superou. Ele tinha medo de que o barco afundasse. Medo de cair no mar. Medo do mau tempo. Em sua última viagem, eles haviam sido atingidos por uma tempestade e, pensando que o barco ia soçobrar, ele sentou-se e começou a chorar no meio da confusão, achando que seus dias estavam contados. Depois disso, nunca mais voltou para o mar.

Ele parecia incapaz de ser terno com ela. Na melhor das hipóteses, a tratava com total indiferença. Nos dois primeiros anos de casamento, ele parecia se arrepender quando batia nela ou a xingava tanto que ela começava a chorar. Mas à medida que o tempo passou, deixou de demonstrar qualquer sinal de culpa, como se o que ele fazia com ela tivesse deixado de ser abominável ou uma desfiguração do relacionamento deles e se tornara algo necessário e certo. Às vezes ocorria a ela algo que, no fundo, ele talvez também soubesse: que a violência com a qual ele a tratava era, acima de tudo, uma manifestação da própria fraqueza dele. Que quanto mais ele batia nela, mais desprezível ele se tornava. Ele a culpava por isso. Aos gritos, dizia que ela era a culpada pelo modo como ele a tratava. Ela é que o fazia agir daquela forma.

Eles tinham poucos amigos, e nenhum em comum, e depois que começaram a viver juntos ela logo se viu isolada. Nas raras ocasiões em que encontrava suas antigas amigas do trabalho, ela nunca falava sobre a violência que tinha que suportar do marido, e com o tempo perdeu o contato com elas. Ela sentia vergonha. Vergonha de ser espancada e surrada quando menos esperava. Vergonha de seus olhos roxos, lábios cortados e lesões por todo o corpo. Vergonha da vida que tinha, que para os outros certamente era incompreensível, abominável. Ela queria esconder aquilo. Queria se esconder na prisão que ele criara para ela. Queria se trancar lá dentro, jogar fora a chave e torcer para que ninguém a encontrasse. Tinha que aceitar os maus-tratos dele. De alguma forma, aquilo era seu destino, absoluto e imutável.

As crianças eram tudo para ela. De fato, elas se tornaram os amigos e confidentes por quem ela vivia, especialmente Mikkelína, mas também Símon quando ficou mais velho e o menino menor, que recebera o nome de Tómas. Ela mesma escolhera o nome dos filhos. O único momento em que ele prestava atenção nas crianças era quando reclamava delas. Dizia que comiam demais. Que faziam barulho à noite. As crianças sofriam com a violência que ele impunha a ela e lhe davam conforto nos momentos de grande carência.

Ele arrancou dela o pouco respeito próprio que lhe restava. Reservada e despretensiosa por natureza, ela estava sempre querendo agradar a todos, gentil, prestativa, até mesmo submissa. Sorria desajeitada quando alguém lhe dirigia a palavra e tinha que se esforçar para não parecer tímida. Essa debilidade encheu-o de uma energia que o levou a abusar dela até não restar mais nada do que ela era. Toda a sua existência girava em torno dele. Dos caprichos dele. Ela existia apenas para servi-lo. Parou de cuidar de si mesma como fazia antes. Parou de se lavar com regularidade. Parou de pensar em sua aparência. Olheiras apareceram, o rosto tornou-se flácido, um tom cinzento cobriu-lhe a pele, ela passou a andar curvada, a cabeça baixa sobre o peito como se não ousasse olhar para a frente. O cabelo, outrora espesso e bonito, tornara-se sem vida e grudento, imundo. Ela o cortava com a tesoura de cozinha quando achava que estava comprido demais.

Ou quando ele achava que estava comprido demais.

Uma coisa velha e horrorosa.

6.

Os arqueólogos continuaram escavando de manhã, depois que os ossos foram encontrados. Os policiais que tinham patrulhado a área à noite mostraram-lhes o local onde Erlendur encontrara a mão, e Skarphédinn ficou furioso quando viu a maneira como Erlendur havia escavado o solo. Malditos amadores, foi o que o ouviram murmurar bem depois do meio-dia. Para ele, uma escavação era um ritual sagrado no qual o solo era descascado, estrato após estrato, até que a história de todas as camadas viesse à luz e todos os segredos fossem revelados. Cada detalhe importava, cada punhado de terra poderia conter evidências vitais e charlatões poderiam destruir dados importantes.

Ele fez uma pregação sobre isso para Elínborg e Sigurdur Óli, que não tinham feito nada de errado, em meio às ordens que dava para sua equipe. O trabalho prosseguia de maneira muito lenta com a aplicação daqueles métodos arqueológicos tão meticulosos. Cordas foram estendidas marcando o comprimento e a largura da área, delimitando zonas segundo um sistema específico. A questão fundamental era manter o esqueleto imóvel durante a escavação: eles se asseguraram de que a mão não sairia do lugar mesmo depois de removerem a terra dela e analisarem cada grão do solo.

"Por que a mão parece que está querendo sair do chão?", Elínborg perguntou a Skarphédinn, segurando-o pelo braço num momento em que ele passava apressado.

"Impossível dizer", respondeu Skarphédinn. "No pior cenário, a pessoa podia estar viva quando foi coberta com a terra e tentou resistir. Tentou cavar para sair."

"Viva!", gemeu Elínborg. "Tentando cavar para sair?"

"Pode não ter acontecido necessariamente assim. Não podemos descartar o fato de a mão ter ficado nessa posição quando o corpo foi posto na terra. É muito cedo para afirmar qualquer coisa."

Sigurdur Óli e Elínborg estavam surpresos por Erlendur ainda não ter aparecido na escavação. Apesar de ser excêntrico e imprevisível, eles também sabiam do fascínio que ele tinha por pessoas desaparecidas, do passado e do presente, e o esqueleto enterrado poderia muito bem ser a chave de algum desaparecimento antigo que Erlendur adoraria desenterrar do meio de velhos documentos. Já passava do meio-dia quando Elínborg tentou ligar para a casa dele e para o celular, sem sucesso.

Por volta das duas da tarde, o celular de Elínborg tocou.

"Vocês estão na escavação?", disse uma voz grave ao telefone, e ela reconheceu o tom de imediato.

"Onde você está?"

"Eu me atrasei. Vocês estão na escavação?"

"Sim."

"Você está vendo os arbustos? Acho que são groselha. A cerca de trinta metros a leste das construções, quase em linha reta em direção ao sul.

"Arbustos de groselha?" Elínborg estreitou os olhos e procurou os arbustos. "Sim", disse, "estou vendo."

"Eles foram plantados muito tempo atrás."

"Sim."

"Descubra por quê. Se havia alguém morando aí. Se antigamente havia uma casa aí. Vá até a Secretaria de Planejamento Urbano e consiga alguns mapas da região, até mesmo fotos aéreas, se eles tiverem. Talvez você precise dar uma olhada em documentos do início do século até pelo menos 1960. Talvez até mesmo depois desse ano."

"Você acha que havia uma casa nesta colina?", perguntou Elínborg, olhando ao redor. Ela não fez nenhuma tentativa de esconder sua descrença.

"Acho que devemos investigar. O que Sigurdur Óli está fazendo?"

"Ele está pesquisando arquivos de pessoas desaparecidas desde a Segunda Guerra Mundial, para começar. Ele estava esperando você. Disse que você gosta desse tipo de coisa."

"Eu acabei de falar com Skarphédinn, e ele disse que se lembra de haver um acampamento aí, do outro lado, na encosta sul de Grafarholt, na época da guerra. Onde hoje fica o campo de golfe."

"Um acampamento?"

"Um acampamento britânico ou norte-americano. Militar. Um quartel. Ele não conseguiu lembrar o nome. Você poderia investigar isso também. Podia verificar se os britânicos relataram o caso de alguma pessoa desaparecida no acampamento. Ou então os norte-americanos, quando assumiram o comando no lugar dos britânicos."

"Britânicos? Norte-americanos? Durante a guerra? Espere um pouco, onde eu vou achar isso?", perguntou Elínborg surpresa. "Quando é que os americanos assumiram o controle?"

"Em 1941. Talvez fosse um depósito de suprimentos. De qualquer forma, é o que Skarphédinn pensa. Além disso, existe a questão dos chalés na colina e nos arredores. Se poderia haver alguma pessoa desaparecida relacionada a eles. Se são apenas histórias ou suspeitas. Precisamos falar com os proprietários dos chalés."

"Isso é muito trabalho só por causa de um monte de ossos velhos", disse Elínborg irritada, chutando a terra no lugar onde estava. "O que você está fazendo?", ela perguntou em um tom quase acusador.

"Não interessa", respondeu Erlendur, desligando.

Ele voltou para a UTI vestindo um avental verde e com uma máscara sobre a boca. Eva Lind estava deitada em uma cama grande no único quarto que havia na ala. Estava ligada a diversos aparelhos que Erlendur nunca tinha visto, e uma máscara de oxigênio cobria-lhe a boca e o nariz. Ela estava em coma. Ainda não recuperara a consciência. Pelo que podia ver de seu rosto, havia nele uma aparência de paz que Erlendur jamais vira. Uma tranquilidade que era incomum para ele. Deitada daquele jeito, os traços dela tornavam-se mais marcados, as sobrancelhas mais finas, a pele do rosto mais esticada, os olhos afundados nas órbitas.

Ele chamara o serviço de emergência ao perceber que não conseguia fazer Eva Lind recobrar a consciência em frente à velha maternidade. Sentiu-lhe o pulso fraco e pôs seu casaco sobre ela, tentando cuidar dela da melhor maneira possível, mas sem ousar movê-la. Pouco depois, a mesma ambulância que fora a Tryggvagata apareceu, com o mesmo médico. Eva Lind foi cuidadosamente posta em uma maca e em seguida no interior da ambulância, que percorreu depressa a curta distância até a ala de emergência.

Ela foi mandada diretamente para uma cirurgia que durou quase o resto da noite. Erlendur andou de um lado para o outro na pequena sala de espera ao lado do centro cirúrgico, tentando decidir se deveria ou não informar Halldóra. Ele não sabia se queria mesmo telefonar para ela. Por fim, acabou encontrando uma espécie de solução. Acordou Sindri Snaer, contou-lhe o que havia acontecido com a irmã e pediu-lhe que entrasse em contato com Halldóra para que ela pudesse visitar a filha. Eles trocaram algumas palavras. Sindri não planejava vir à cidade tão cedo. Não via motivo para viajar só por causa de Eva Lind. A conversa dos dois minguou até acabar.

Erlendur fumou um cigarro atrás do outro embaixo de uma placa que dizia que era proibido fumar, até que um cirurgião usando uma máscara passou-lhe uma descompostura por infringir a proibição. O celular de Erlendur tocou logo depois que o médico foi embora. Era Sindri com um recado de Halldóra: "Ia ser bom para Erlendur assumir a responsabilidade pelo menos uma vez".

O cirurgião que havia liderado a equipe falou com Erlendur nas primeiras horas da manhã. O prognóstico não era bom. Eles não tinham conseguido salvar o bebê, e o que iria acontecer com Eva Lind ainda era incerto.

"Ela está muito mal", disse o cirurgião, um homem alto mas delicado que devia ter uns quarenta anos.

"Entendo", disse Erlendur.

"Subnutrição e vício em drogas. Não havia muita chance de o bebê nascer sadio, então... embora, é claro, não seja agradável dizer isso..."

"Entendo", repetiu Erlendur.

"Ela chegou a pensar em aborto? Em casos assim é..."

"Ela queria ter o bebê", explicou Erlendur. "Ela achava que iria ajudá-la e eu também a incentivei. Ela queria parar. Há uma pequena parte de Eva que quer fugir desse inferno. Uma pequena parte que às vezes sai e quer largar essa vida. Mas, de maneira geral, é uma Eva completamente diferente que está no comando. Mais feroz e impiedosa. Uma Eva que me desconcerta. Uma Eva que busca a destruição, que busca o inferno."

Ao perceber que estava falando com um homem que nem sequer conhecia, Erlendur se calou.

"Posso imaginar o quanto é difícil para os pais passarem por isso", disse o cirurgião.

"O que aconteceu?"

"*Placenta abruptio.* Uma hemorragia interna muito grande que ocorreu quando a placenta descolou, combinada com os efeitos dos tóxicos que ainda estamos analisando. Ela perdeu muito sangue e ainda não conseguimos fazê-la recuperar a consciência. Isso não significa nada de especial. Ela está extremamente fraca."

Depois de uma pausa, o cirurgião disse: "O senhor entrou em contato com o pessoal da sua casa? Para que eles possam estar com o senhor ou...".

"Não existe 'pessoal da minha casa'", disse Erlendur. "Nós somos divorciados, a mãe dela e eu. Ela já foi avisada. E o irmão de Eva. Ele está trabalhando no interior. Eu não sei se a mãe dela virá. Parece que ela não aguenta mais. Tem sido muito duro para ela. O tempo todo."

"Entendo."

"Duvido", disse Erlendur. "Eu mesmo não entendo."

Ele tirou alguns saquinhos plásticos e uma caixa de comprimidos do bolso do paletó e mostrou-os ao médico.

"Talvez ela tenha tomado algum destes", disse.

O cirurgião examinou o conteúdo.

"Ecstasy?"

"Parece que sim."

"Isso explica parcialmente as coisas. Nós identificamos diversas substâncias no sangue dela."

Erlendur hesitou. Ele e o cirurgião ficaram em silêncio por um tempo.

"O senhor sabe quem é o pai?", perguntou o cirurgião.

"Não."

"Acha que ela sabe?"

Erlendur olhou para ele e deu de ombros, resignado. Então os dois ficaram em silêncio novamente.

"Ela vai morrer?", perguntou Erlendur depois de alguns minutos.

"Não sei", respondeu o cirurgião. "Vamos torcer para que tudo corra bem."

Erlendur hesitou para lhe fazer uma pergunta. Estivera remoendo aquilo, por mais horrível que fosse, sem chegar a uma conclusão. Não tinha certeza se queria insistir. Por fim, ele resolveu.

"Posso vê-lo?"

"Vê-lo? O senhor quer dizer..."

"Posso ver o feto? Posso dar uma olhada no bebê?"

O cirurgião olhou para Erlendur sem o menor traço de surpresa no rosto, apenas compreensão. Assentiu com a cabeça e pediu que Erlendur o seguisse. Eles entraram em um corredor e foram até uma sala vazia. O cirurgião acionou um interruptor e lâmpadas fluorescentes no teto piscaram antes de derramar uma luz branco-azulada sobre o ambiente. Aproximou-se de uma mesa de aço escovado e ergueu um pequeno cobertor, revelando o bebê morto.

Erlendur olhou para ele e acariciou-lhe o rosto com o indicador.

Era uma menina.

"Você pode me dizer se minha filha vai sair do coma?"

"Eu não sei", respondeu o médico. "É impossível dizer. Ela vai ter que querer isso. Depende muito dela."

"Pobrezinha", disse Erlendur.

"Dizem que o tempo cura todas as feridas", disse o cirurgião ao sentir que Erlendur ia se descontrolar. "Isso vale tanto para o corpo quanto para o espírito."

"O tempo", disse Erlendur, cobrindo o bebê novamente. "O tempo não cura ferida nenhuma."

7.

Ele ficou sentado ao lado da cama da filha até as seis da tarde. Halldóra não apareceu. Sindri Snaer manteve a palavra e não foi à cidade. Não havia mais ninguém. O estado de Eva Lind continuava o mesmo. Erlendur não tinha comido nem dormido desde o dia anterior e estava exausto. Esteve em contato com Elínborg por telefone durante o dia e decidiu se encontrar com ela e Sigurdur Óli na central de polícia. Ele acariciou o rosto da filha e beijou sua testa antes de sair.

Não comentou os acontecimentos da noite quando se reuniu com Sigurdur Óli e Elínborg naquele fim de tarde. Os dois tinham ouvido rumores na central sobre o que havia acontecido com Eva Lind, mas não ousaram perguntar nada.

"Eles ainda estão cavando para expor o esqueleto inteiro", disse Elínborg. "É demorado demais. Acho que agora eles estão usando palitos de dente. A mão que você encontrou para fora da terra, eles chegaram ao punho. O oficial médico examinou, mas a única coisa definitiva que ele pode dizer é que se trata de um humano de mãos razoavelmente pequenas. Nada de muito relevante nisso. Os arqueólogos não encontraram nada no solo que indique o que aconteceu ou quem está enterrado lá. Eles acham que até o fim da tarde ou começo da noite vão ter cavado até o torso, mas isso não significa que teremos quaisquer respostas satisfatórias sobre a identidade do esqueleto. É claro que teremos que procurar essas respostas em outro lugar."

"Estive analisando as estatísticas sobre pessoas desaparecidas na área de Reykjavík", disse Sigurdur Óli. "Existem mais de quarenta desaparecimentos dos anos 1930 e 1940 não resolvidos até hoje, e esse provavelmente é um deles. Eu classifiquei os relatórios por sexo e idade e só estou esperando o relatório do patologista sobre os ossos."

"Você quer dizer que alguém da colina desapareceu?", perguntou Erlendur.

"Não segundo os endereços nos relatórios da polícia", respondeu Sigurdur Óli, "embora eu não tenha visto todos. Eu não estou reconhecendo alguns nomes de lugares. Quando tivermos escavado o esqueleto e recebermos uma indicação precisa do patologista sobre sexo, tamanho e idade, com certeza poderemos diminuir consideravelmente o grupo. Acho que deve ser alguém de Reykjavík. Não é uma suposição válida?"

"Onde está o patologista?", perguntou Erlendur. "O único patologista que temos."

"De férias", disse Elínborg. "Na Espanha."

"Você verificou se já houve uma casa perto daqueles arbustos?", Erlendur perguntou a ela.

"Que casa?", perguntou Sigurdur Óli.

"Não, eu ainda não cheguei lá", respondeu Elínborg. Ela olhou para Sigurdur Óli. "Erlendur acha que havia casas no lado norte da colina e que militares britânicos ou norte-americanos tinham uma base no lado sul. Ele quer que a gente fale com todo mundo que possui um chalé na área abaixo de Reynisvatn, e com as avós deles também, e em seguida devo ir a uma sessão espírita bater um papo com Churchill."

"E isso é só o começo", disse Erlendur. "Quais são suas teorias sobre o esqueleto?"

"Não é óbvio que foi assassinato?", perguntou Sigurdur Óli.

"Cometido há meio século ou mais. Escondido na terra esse tempo todo e ninguém sabe de nada."

"Para mim está claro que ele, ou melhor", Elínborg corrigiu-se, "essa pessoa foi enterrada para ocultar um crime. Acho que podemos dar isso como certo."

"Não é verdade que ninguém sabe nada", disse Erlendur. "Sempre tem alguém que sabe alguma coisa."

"Sabemos que as costelas estão quebradas", disse Elínborg. "Isso tem que ser um indício de que houve luta."

"Será?", perguntou Sigurdur Óli.

"Ora, e não?"

"O fato de estar dentro da terra não poderia ter causado isso?", argumentou Sigurdur Óli. "O peso do solo. Até mesmo as mudanças de temperatura. O efeito do congelamento. Conversei com aquele geólogo que você chamou e ele falou alguma coisa sobre isso."

"Deve ter havido uma luta, porque alguém foi enterrado. Isso é óbvio, não é?" Elínborg olhou para Erlendur e percebeu que os pensamentos dele estavam a quilômetros dali. "Erlendur?", disse ela. "Você não concorda?"

"Se for assassinato", disse Erlendur voltando à Terra.

"*Se* for assassinato?", perguntou Elínborg.

"Ainda não sabemos nada sobre isso", disse Erlendur. "Talvez seja apenas um velho jazigo familiar. Talvez eles não tivessem recursos para pagar um enterro. Talvez sejam os ossos de algum sujeito que bateu as botas e foi enterrado lá com o conhecimento de todo mundo. Talvez o corpo tenha sido posto lá há cem anos. Talvez cinquenta. Ainda precisamos de uma pista decente. Aí, sim, vamos poder conjecturar o quanto quisermos."

"Não existe uma lei que diz que as pessoas têm que ser enterradas em solo sagrado?", perguntou Sigurdur Óli.

"Acho que você pode ser enterrado onde quiser", respondeu Erlendur, "desde que as pessoas estejam preparadas para tê-lo dentro de seu jardim."

"E quanto à mão saindo da terra?", perguntou Elínborg. "Não seria um sinal de que houve luta?"

"Parece que sim", disse Erlendur. "Acho que alguma coisa foi mantida em segredo durante todos esses anos. Alguém foi levado contra sua vontade e não deveria nunca mais ser encontrado. Mas então a cidade de Reykjavík cresceu e alcançou essa pessoa, e cabe a nós descobrir o que aconteceu."

"Se ele... vamos dizer que seja ele, o Homem do Milênio...", disse Sigurdur Óli, "se ele foi assassinado há tantos anos, não seria quase certo apostar que o assassino a essa altura já morreu de velhice? E se ele ainda não estiver morto, vai estar com um pé na cova, então é ridículo procurá-lo e puni-lo. Todo mundo que tiver alguma ligação com o caso provavelmente já morreu, então não vamos ter testemunhas mesmo que descubramos o que aconteceu. Então..."

"Aonde você quer chegar?"

"A gente não devia estar se perguntando se devemos continuar com essa investigação? Quero dizer, vale a pena?"

"Você quer dizer que deveríamos simplesmente esquecer o assunto?", perguntou Erlendur. Sigurdur Óli deu de ombros com indiferença. "Um assassinato é um assassinato", disse Erlendur. "Não importa há quantos anos ele foi cometido. Se este caso for um assassinato, precisamos descobrir o que aconteceu, quem foi morto, o motivo e quem foi o assassino. Acho que devemos abordar esse caso como qualquer outra investigação. Consigam informações. Falem com as pessoas. Com sorte vamos tropeçar em uma solução."

Erlendur levantou-se.

"Com certeza vamos descobrir alguma coisa. Falem com os proprietários dos chalés e com as avós deles." Olhou para Elínborg. "Descubra se havia uma casa perto daqueles arbustos. Empenhe-se nisso."

Acenou para eles em despedida e saiu para o corredor. Elínborg e Sigurdur Óli entreolharam-se, e Sigurdur Óli assentiu com a cabeça na direção da porta. Elínborg levantou-se e foi atrás de Erlendur.

"Erlendur", disse ela, detendo-o.

"Sim, o que foi?"

"Como está Eva Lind?", perguntou hesitante.

Erlendur olhou para a colega sem dizer nada.

"Nós ficamos sabendo. O jeito como ela foi encontrada. Uma notícia terrível. Se houver alguma coisa que eu ou Sigurdur Óli possamos fazer por você, não hesite em pedir."

"Não há nada para ser feito", disse Erlendur, esgotado. "Ela está lá no hospital e ninguém pode fazer nada." Ele hesitou. "Percorri aquele mundo dela quando a estava procurando. Eu já conhecia uma parte dele porque tive que ir buscá-la naqueles lugares algumas vezes, naquelas ruas, naquelas casas, mas nunca deixo de me surpreender com a vida que ela leva, com a maneira como trata a si mesma, com a maneira como maltrata a si mesma. Eu vi as pessoas com quem ela anda, as pessoas a quem ela recorre no desespero, pessoas para quem ela até mesmo faz coisas indescritíveis." Ele fez uma pausa. "Mas o pior não é isso. Não são os cortiços ou os bandidos sem importância ou os traficantes. O que a mãe dela disse está certo."

Erlendur olhou para Elínborg.

"Eu sou a pior parte disso tudo", disse, "porque quem os abandonou fui eu."

Quando chegou em casa, Erlendur sentou-se, exausto, em uma poltrona. Telefonou para o hospital para saber de Eva Lind e ficou sabendo que o estado dela não havia se alterado. Entrariam em contato com ele assim que houvesse alguma mudança. Ele agradeceu e desligou. Então ficou sentado olhando para o vazio, imerso em pensamentos. Pensou em Eva Lind deitada na unidade de terapia intensiva, pensou em sua ex-mulher e no ódio que ainda marcava a vida dela, pensou no filho com quem falava apenas quando alguma coisa estava errada.

Em meio a esses pensamentos, sentiu o silêncio profundo que reinava em sua vida. Sentiu a solidão a sua volta. O peso de dias e dias monótonos que teciam em torno dele uma corrente inquebrável que o comprimia, que o sufocava.

Quando estava prestes a pegar no sono, os pensamentos se voltaram para sua infância, quando os dias ficavam luminosos de novo depois do inverno escuro e a vida era inocente e despreocupada. Embora fosse raro, ele às vezes conseguia escapar para a quietude do passado, e então, por um breve instante, se sentia bem.

Se ao menos ele conseguisse bloquear a perda.

Acordou sobressaltado com alguém ligando com insistência para ele, primeiro no celular em seu bolso, depois no telefone fixo que estava sobre a velha escrivaninha que era um dos poucos móveis da sala de estar.

"Você estava certo", disse Elínborg quando ele finalmente atendeu. "Ah, desculpe, acordei você?", perguntou ela. "São só dez horas", acrescentou, justificando-se.

"Sobre o que eu estava certo?", perguntou Erlendur, ainda sonolento.

"*Havia* uma construção naquele lugar. Ao lado dos arbustos."

"Arbustos?"

"Os arbustos de groselha. Em Grafarholt. Foi construída na década de 1930 e demolida por volta de 1980. Pedi que o pessoal da Secretaria de Planejamento Urbano me ligasse assim que eles descobrissem alguma coisa, e eles acabaram de ligar, ficaram procurando esse tempo todo."

"Que tipo de construção era?", perguntou Erlendur, cansado. "Uma casa, um estábulo, um canil, um chalé?"

"Uma casa. Um tipo de chalé ou qualquer coisa assim."

"De que época?"

"Antes de 1940."

"E quem era o proprietário?"

"O nome dele era Benjamín. Benjamín Knudsen. Um comerciante."

"Era?"

"Ele morreu. Anos atrás."

8.

Muitos proprietários de chalés no lado norte de Grafarholt estavam ocupados em suas tarefas domésticas da primavera quando Sigurdur Óli contornou a colina procurando um caminho bom o suficiente para subir. Elínborg o acompanhava. Algumas pessoas podavam suas sebes, outras pintavam os chalés ou consertavam cercas, ou tinham selado cavalos e estavam saindo para um passeio.

Passava do meio-dia e o clima estava ameno e agradável. Depois de falar com diversos proprietários de chalés sem obter nenhum resultado, Sigurdur Óli e Elínborg aproximaram-se vagarosamente das casas mais próximas à colina. Com um tempo excelente como aquele, os dois não tinham a menor pressa. Aproveitaram o passeio longe da cidade, caminhando sob o sol e conversando com os donos dos chalés, que estavam surpresos por receber a visita da polícia logo no início do dia. Alguns tinham ouvido a notícia do esqueleto encontrado na colina. Outros não faziam a menor ideia do assunto.

"Será que ela vai sobreviver ou...", perguntou Sigurdur Óli quando entraram pela milésima vez no carro e seguiram até o

79

chalé seguinte. Eles falaram sobre Eva Lind no caminho e voltavam ao assunto em intervalos regulares.

"Não sei", disse Elínborg. "Acho que ninguém sabe. Pobrezinha", disse, suspirando forte. "E pobre dele", acrescentou. "Pobre Erlendur."

"Ela é viciada", disse Sigurdur Óli sério. "Engravida, fica chapada sem dar a mínima para ninguém e acaba matando o bebê. Não consigo ter pena de gente assim. Eu não entendo essa gente, nunca vou entender."

"Ninguém está pedindo para você ter pena", disse Elínborg.

"Ah, é? Quando as pessoas falam dessa gente, tudo o que eu ouço é como é dura a vida para eles. Pelo que eu já vi deles..." Fez uma pausa. "Não consigo sentir pena", repetiu. "Eles são fracassados, nada mais. Uns idiotas."

Elínborg suspirou.

"Como é ser tão perfeito? Sempre muito bem vestido, bem barbeado e penteado, com um diploma de uma universidade americana, unhas bem aparadas, nenhuma preocupação no mundo a não ser a de poder comprar essas roupas vistosas... Você nunca se cansa disso? Nunca se cansa de si próprio?"

"Não", respondeu Sigurdur Óli.

"O que há de errado em mostrar a essas pessoas um pouco de compreensão?"

"Elas são umas fracassadas, e você sabe disso. Só porque ela é a filha do chefe, não significa que seja melhor do que o resto. Ela é como todos os outros vagabundos que andam pelas ruas chapados e depois vão dormir nos abrigos e centros de reabilitação antes de voltar a se entupir de drogas de novo, porque essa é a única coisa que esses marginais querem. Ficar vadiando e se encher de drogas."

"E como andam as coisas entre você e Bergthóra?", perguntou Elínborg, desistindo de mudar as opiniões dele sobre qualquer assunto.

"Tudo bem", disse Sigurdur Óli sem muito entusiasmo, parando o carro na frente de mais um chalé. Bergthóra não o deixava em paz. Ela era insaciável à noite, de manhã, no meio do dia, em todas as posições e lugares possíveis do apartamento, na cozinha, na sala de visitas, até mesmo na área de serviço, deitada, em pé. E embora tivesse gostado disso no início, ele agora começava a perceber que estava cansado daquilo, e tinha começado a desconfiar da motivação dela. Não que a vida sexual deles fosse monótona antes, longe disso. Mas ela nunca demonstrara um desejo tão intenso ou tanto entusiasmo. Eles nunca haviam discutido a sério a questão sobre ter filhos, embora estivessem juntos há bastante tempo. Ele sabia que Bergthóra tomava pílula, mas não conseguia evitar a sensação de que ela queria amarrá-lo por meio de uma gravidez. Não havia necessidade disso, porque ele gostava dela e não desejava viver com mais ninguém. Mas as mulheres são imprevisíveis, pensou. A gente nunca sabe o que elas estão tramando.

"É estranho que a Secretaria Nacional de Estatística não tenha o nome das pessoas que moraram naquela casa, se é que alguém de fato morou lá", disse Elínborg, saindo do carro.

"Os arquivos daquele período estão uma enorme bagunça. Reykjavík recebeu uma inundação de gente durante e depois da guerra, os registros eram feitos sem muito critério, à medida que as pessoas iam chegando. E acho que eles perderam uma parte dos registros da população. É uma bela confusão. O sujeito com quem eu falei disse que não conseguiria encontrar nada muito rápido."

"Talvez ninguém vivesse lá realmente."

"Eles podem não ter ficado lá durante muito tempo. Talvez estivessem listados em algum outro lugar e não comunicaram o novo endereço. Talvez tenham morado na colina por alguns anos, até mesmo meses, durante a crise habitacional, e depois se mudaram para uma das guarnições militares que foram convertidas. O que você acha dessa teoria?"

"Cai como uma luva."

O proprietário do chalé encontrou-os na porta, um homem muito velho, raquítico e de movimentos vagarosos, cabelo branco ralo, usando camisa azul-clara aberta sobre uma camiseta sem mangas, calças de brim cinza e tênis novos. Quando Elínborg viu todo o entulho que havia lá dentro, perguntou a si mesma se ele morava ali o ano todo. E perguntou a ele.

"Acho que podemos dizer que sim", o homem respondeu, sentando-se em uma poltrona e fazendo um gesto para que eles se sentassem em umas cadeiras que estavam no meio da sala. "Comecei a construir este lugar há uns quarenta anos e há uns cinco anos trouxe tudo para cá no meu velho Lada. Ou será que há seis anos? Tudo anda ficando meio nebuloso. Eu não queria mais morar em Reykjavík. Aquela cidade é um lugar terrível, então..."

"O senhor sabe se naquela época havia uma casa no alto da colina, talvez um chalé de verão, mas não necessariamente usado para esse fim?", Sigurdur Óli apressou-se a perguntar, sem disposição para ouvir um discurso. "Quero dizer, há quarenta anos atrás, quando o senhor começou a construir o seu?"

"Um chalé de verão que não é um chalé de verão...?"

"Só havia ele desse lado de Grafarholt", disse Elínborg. "Construído em algum momento antes da guerra." Ela olhou pela janela da sala de visitas. "O senhor poderia vê-lo desta janela."

"Eu me lembro de uma casa ali, não foi pintada, não tinha acabamento. Desapareceu há muito tempo. Era sem dúvida um chalé de bom tamanho, ou deve ter sido bem grande, maior do que o meu, mas completamente em ruínas. Quase desabando. As portas tinham desaparecido e as janelas estavam quebradas.

Eu costumava andar até lá às vezes, quando ainda pescava no lago. Desisti disso anos atrás."

"Então ninguém morava na casa?", perguntou Sigurdur Óli.

"Não, não havia ninguém na casa naquela época. Ninguém poderia ter vivido nela. Estava caindo aos pedaços."

"E, pelo que o senhor sabe, ela nunca foi ocupada?", perguntou Elínborg. "O senhor não se lembra de ninguém naquela casa?"

"Afinal, por que vocês querem saber sobre essa casa?"

"Encontramos um esqueleto humano na colina", respondeu Sigurdur Óli. "O senhor não viu no noticiário?"

"Um esqueleto? Não. Era de gente daquela casa?"

"Não sabemos. Ainda não sabemos a história da casa e das pessoas que moraram lá", disse Elínborg. "Sabemos quem foi o proprietário, mas ele morreu há muito tempo e ainda não encontramos o registro de ninguém que tenha morado lá. O senhor se lembra dos quartéis na época da guerra, os que ficavam do outro lado da colina? Do lado sul. Um depósito ou algo parecido?"

"Havia quartéis por todo o interior", disse o velho. "Britânicos e americanos também. Eu não me lembro de nenhum aqui na colina em especial, mas isso foi antes do meu tempo. Muito antes do meu tempo. Vocês deveriam falar com o Róbert."

"Róbert?", disse Elínborg.

"Se não tiver morrido. Róbert foi uma das primeiras pessoas a construir um chalé nesta colina. Sei que ele estava em um asilo. Róbert Sigurdsson. Vocês vão encontrá-lo, se ele ainda estiver vivo."

Já que não havia campainha na entrada, Erlendur usou a palma da mão para bater com força na grossa porta de carvalho, na esperança de ser ouvido lá dentro. A casa pertencera a Benjamín Knudsen, um negociante de Reykjavík, que morrera no início dos anos 1960. O irmão e a irmã dele herdaram a casa, mudando-se para lá depois que ele morreu, e moraram nela pelo resto de suas vidas. Os dois eram solteiros, até onde Erlendur soube, mas a irmã tinha uma filha. Ela era médica e agora morava no andar do meio da casa e alugava o apartamento de cima e o de baixo. Erlendur falou com ela ao telefone. Iam se encontrar ao meio-dia.

O estado de Eva Lind não sofrera alterações. Ele passou pelo hospital para vê-la antes de ir trabalhar e ficou sentado ao lado da cama por um bom tempo, olhando para os aparelhos que monitoravam os sinais vitais dela, para os tubos em sua boca, e também no nariz e nas veias. Ela não conseguia respirar sem o aparelho, e a bomba fazia um barulho de sucção ao inflar e desinflar. A linha do monitor cardíaco estava constante. Ao sair da unidade de terapia intensiva, ele conversou com um médico que lhe disse que não, eles não haviam notado nenhuma mudança no estado dela. Erlendur perguntou se havia alguma coisa que ele pudesse fazer, e o médico respondeu que, apesar de a filha estar em coma, ele deveria falar com ela o máximo possível. Deixar que ela ouvisse a voz dele. Era bom também para os familiares falarem com um paciente que se encontrava nessas circunstâncias. Ajudava a lidar com o choque. Ele com certeza ainda não havia perdido Eva Lind e deveria tratá-la dessa maneira.

A pesada porta de carvalho finalmente se abriu e uma mulher de uns sessenta anos estendeu a mão e apresentou-se como Elsa. Era elegante, tinha um rosto amigável, com pouca maquiagem, o cabelo curto tingido de preto e repartido do lado. Usava jeans e uma camisa branca, sem anéis, pulseiras ou colares. Ela o conduziu até a sala de visitas e convidou-o a sentar. Era decidida e autoconfiante.

"E o que o senhor acha que são esses ossos?", ela perguntou assim que ele lhe contou o motivo da conversa.

"Ainda não sabemos, mas uma das teorias é que eles têm relação com o chalé que costumava haver ali perto e cujo proprietário era o seu tio Benjamín. Ele passava muito tempo lá em cima?"

"Acho que ele nunca foi ao chalé", disse ela em voz baixa.

"Foi uma tragédia. Mamãe sempre nos contava como ele era bonito e inteligente e como ganhou uma fortuna, mas perdeu a noiva. Certo dia ela simplesmente desapareceu. Estava grávida."

Os pensamentos de Erlendur voltaram-se para sua filha.

"Ele entrou em depressão, perdeu todo o interesse por sua loja e suas propriedades, e acabou perdendo tudo, acho, até que a única coisa que lhe sobrou foi esta casa. Ele morreu no auge da vida, por assim dizer."

"Como a noiva dele desapareceu?"

"Houve rumores de que ela teria se atirado no mar", disse Elsa. "Pelo menos foi o que eu ouvi."

"Ela era depressiva?"

"Ninguém nunca mencionou isso."

"E ela nunca foi encontrada?"

"Não. Ela..."

Elsa parou no meio da fala. De repente pareceu acompanhar a linha de raciocínio dele e o encarou, a princípio cética, depois magoada, chocada e brava, tudo ao mesmo tempo. Ela corou.

"Não acredito no senhor."

"O quê?", disse Erlendur, vendo ela se tornar hostil de repente.

"O senhor acha que é ela. O esqueleto dela!"

"Eu não acho nada. Esta é a primeira vez que ouço falar nessa mulher. Nós não temos a menor ideia de quem está enterrado lá. É muito cedo para dizer quem pode ou não pode ser."

"Então por que está interessado nela? O que o senhor sabe que eu não sei?"

"Nada", disse Erlendur, confuso. "Não lhe ocorreu, quando lhe contei sobre o esqueleto? Seu tio tinha um chalé ali perto. A noiva dele desapareceu. Nós encontramos um esqueleto. Não é uma equação difícil de imaginar."

"O senhor está louco? Está sugerindo..."

"Eu não estou sugerindo nada."

"... que ele a matou? Que o tio Benjamín assassinou a própria noiva e a enterrou sem contar nada a ninguém até morrer, falido?"

Elsa tinha se levantado e andava de um lado para o outro.

"Espere aí, eu não falei isso", disse Erlendur, pensando se deveria ter sido mais diplomático. "Nada disso."

"O senhor acha que é ela? O esqueleto que vocês encontraram? É ela?"

"Definitivamente não", respondeu Erlendur, sem de fato saber. Ele queria acalmá-la a qualquer custo. Faltou-lhe um certo tato. Sugeriu algo que não estava baseado em nenhuma evidência, e lamentou ter feito isso. Foi tudo muito repentino para ela.

"A senhora sabe alguma coisa sobre o chalé?", perguntou, tentando mudar de assunto. "Se alguém morou lá há uns cinquenta ou sessenta anos? Durante a guerra ou pouco depois? Não estamos conseguindo encontrar registros no sistema."

"Meu Deus, que ideia!", gemeu Elsa, com os pensamentos em outro lugar. "Desculpe. O que o senhor estava dizendo?"

"Ele talvez tenha alugado o chalé", disse Erlendur depressa. "O seu tio. Houve uma escassez de moradias em Reykjavík logo depois da guerra, o preço dos aluguéis subiu demais. E me ocorreu que ele pode ter alugado mais barato. Ou mesmo vendido. Sabe alguma coisa a respeito?"

"Sim, acho que alguém comentou sobre ele ter alugado o chalé, mas não sei para quem, se é o que quer dizer. Desculpe-me pela minha reação. É tudo tão... Que tipo de ossos são? Um esqueleto inteiro, de homem, mulher ou criança?"

Ela estava mais calma. Centrada. Sentou-se novamente e encarou-o com curiosidade.

"Parece ser um esqueleto intacto, mas ainda não escavamos tudo", explicou Erlendur. "O seu tio tinha algum tipo de registro ou anotações sobre seus negócios ou propriedades? Alguma coisa que não tenha sido jogada fora?"

"O porão está cheio de coisas dele. Todo tipo de papéis e caixas, nunca joguei fora nem me dei ao trabalho de olhar. A escrivaninha dele e alguns arquivos estão lá embaixo. Em breve vou ter tempo para olhar tudo aquilo com calma."

Ela disse isso com um tom de pesar, e Erlendur se perguntou se ela estaria insatisfeita com o que lhe coubera na vida, vivendo sozinha em uma casa enorme que era um legado de um tempo passado. Ele olhou ao redor e teve a impressão de que, de alguma forma, toda a vida dela era um legado.

"A senhora acha que..."

"Fique à vontade. Olhe o quanto quiser", disse ela com um sorriso vago.

"Eu estava pensando em uma coisa", disse Erlendur, levantando-se. "A senhora sabe por que Benjamín teria alugado o chalé? Ele estava precisando de dinheiro? Não parece que ele precisasse tanto de dinheiro. Com esta casa. E com os negócios que tinha. A senhora disse que ele perdeu tudo no final, mas durante a guerra ele deve ter ganho o suficiente para viver bem."

"Não, eu não acho que ele precisasse de dinheiro."

"Então qual teria sido o motivo?"

"Acho que alguém lhe pediu isso. Quando as pessoas começaram a se mudar para Reykjavík vindas do interior durante a guerra. Acho que ele deve ter tido pena de alguém."

"Então ele não teria necessariamente cobrado o aluguel?"

"Eu não sei nada sobre isso. Não posso acreditar que o senhor ache que Benjamín...

Ela parou no meio da frase, como se estivesse relutante em expressar o que pensava.

"Eu não acho nada", Erlendur tentou sorrir. "Ainda é cedo demais para achar alguma coisa."

"Eu simplesmente não acredito."

"Diga-me uma outra coisa."

"Sim?"

"Ela ainda tem parentes vivos?"

"Quem?"

"A noiva de Benjamín. Existe alguém com quem eu possa falar?"

"Por quê? Por que o senhor quer investigar isso? Ele nunca teria feito nada a ela."

"Eu entendo isso. Mesmo assim, achamos esses ossos, eles pertencem a alguém e não vão desaparecer. Preciso investigar todas as possibilidades."

"Ela tinha uma irmã que ainda está viva. O nome dela é Bára."

"Quando foi que essa garota desapareceu?"

"Foi em 1940", disse Elsa. "Eles me contaram que foi num lindo dia de primavera."

9.

Róbert Sigurdsson ainda estava vivo, mas por pouco tempo, pensou Sigurdur Óli. Ele estava sentado com Elínborg no quarto do velho, dizendo a si mesmo, enquanto olhava o rosto pálido de Róbert, que não queria chegar aos noventa anos. Ele estremeceu. O velho era banguela, com lábios anêmicos, o rosto enrugado, tufos de cabelo erguendo-se para todos os lados de seu crânio cadavérico. Ele estava ligado a um cilindro de oxigênio preso a um carrinho a seu lado. Sempre que precisava dizer alguma coisa, tirava a máscara do rosto com a mão trêmula e falava algumas palavras antes de recolocá-la.

Róbert tinha vendido seu chalé muitos anos atrás, e o imóvel mudara de mãos outras duas vezes antes de acabar sendo demolido e um novo ter sido construído nos arredores. Sigurdur Óli e Elínborg acordaram o proprietário do novo chalé pouco antes do meio-dia para ouvir essa narrativa vaga e incoerente.

Pediram à central de polícia que localizasse o velho enquanto eles desciam a colina de carro. Descobriram que ele estava no Hospital Nacional e que tinha acabado de fazer noventa anos.

Foi Elínborg quem falou no hospital, explicando o caso para Róbert, enquanto ele se contraía em uma cadeira de rodas, engolindo oxigênio puro de um cilindro. Fumara a vida inteira. Ele parecia em pleno comando de suas faculdades mentais, apesar do péssimo estado físico, e balançou a cabeça afirmativamente para mostrar que entendera cada palavra e que estava consciente do assunto trazido pelos detetives. A enfermeira levou-os até ele e ficou atrás da cadeira de rodas, dizendo-lhes que não deveriam cansá-lo ficando tempo demais com ele.

"Eu me lembro...", disse ele com a voz baixa e rouca. A mão tremeu quando recolocou a máscara no rosto e inalou o oxigênio. Em seguida tirou a máscara novamente.

"... daquela casa, mas..."

Recolocou a máscara.

Sigurdur Óli olhou para Elínborg e depois para o relógio, sem tentar esconder sua impaciência.

"O senhor não quer...", começou ela, mas a máscara saiu novamente.

"... eu só me lembro...", interrompeu Róbert, arrasado pela falta de ar.

Recolocou a máscara.

"Por que você não vai até a cantina buscar alguma coisa para comer?", Elínborg disse a Sigurdur Óli, que olhou de novo para o relógio, para o velho e para ela, suspirou, levantou-se e desapareceu do quarto.

Tirou a máscara.

"... de uma família que morava lá."

Recolocou a máscara. Elínborg esperou um momento para ver se ele iria continuar, mas Róbert não disse nada, e ela pensou em uma maneira de formular as perguntas de forma que ele apenas precisasse dizer "sim" ou "não", e que pudesse usar a cabeça sem ter que falar. Ela lhe disse que queria tentar isso e ele concordou. Simples e fácil, pensou ela.

"O senhor foi dono de um chalé durante a guerra?"

Róbert assentiu com a cabeça.

"Essa família de quem o senhor falou morou lá durante a guerra?"

Róbert assentiu com a cabeça.

"O senhor se lembra dos nomes das pessoas que moravam na casa naquela época?"

Róbert balançou a cabeça. Não.

"Era uma família grande?"

Róbert balançou a cabeça outra vez. Não.

"Um casal com dois, três filhos, ou mais?"

Róbert assentiu com a cabeça e estendeu três dedos anêmicos.

"Um casal com três filhos. O senhor chegou a conhecer essas pessoas? Teve algum contato com eles ou não?" Elínborg esqueceu-se de sua regra de sim e não, e Róbert tirou a máscara.

"Eu não os conheci." Recolocou a máscara. A enfermeira estava ficando impaciente em pé atrás da cadeira de rodas e olhava furiosa para Elínborg, como se quisesse mandá-la parar imediatamente e estivesse pronta para interferir a qualquer instante. Róbert tirou a máscara.

"... morrer."

"Quem? Essas pessoas? Quem morreu?" Elínborg aproximou-se mais dele, esperando que tirasse a máscara de novo. De novo ele pousou a mão trêmula sobre a máscara e tirou-a.

"Inútil..."

Elínborg percebeu que ele estava tendo problemas para falar e desejou com todas as forças que ele continuasse. Olhou fixamente para ele e esperou que o velho dissesse mais alguma coisa.

A máscara desceu de novo.

"... vegetal."

Róbert soltou a máscara, seus olhos se fecharam e a cabeça afundou no peito.

"Ah", disse a enfermeira, ríspida, "agora você acabou com ele pra valer." Ela pegou a máscara e pôs sobre o nariz de Róbert com uma força desnecessária, enquanto ele permanecia sentado com a cabeça caída sobre o peito e os velhos olhos fechados como se tivesse adormecido. Talvez ele realmente estivesse morrendo, pelo que Elínborg podia ver. Ela se levantou e ficou olhando a enfermeira empurrar Róbert até a cama, levantá-lo da cadeira como se fosse uma pena e fazê-lo deitar.

"Você está tentando matar o pobrezinho com toda essa bobagem?", disse a enfermeira, uma mulher robusta de uns cinquenta anos, cabelo amarrado em um coque, que usava jaleco branco, calças e sapatos brancos. Ela olhou furiosa para Elínborg. "Eu nunca deveria ter permitido isso", murmurou, recriminando-se. "Ele dificilmente vai viver até amanhã", disse em voz alta, dirigindo-se a Elínborg com um óbvio tom de acusação.

"Desculpe", disse Elínborg, sem ter muita certeza do que estava se desculpando. "Achamos que ele poderia nos ajudar na investigação de uns ossos antigos. Espero que ele não esteja se sentindo muito mal."

Deitado, Róbert de repente abriu os olhos. Olhou ao redor como se percebesse aos poucos onde estava e tirou a máscara de oxigênio, apesar dos protestos da enfermeira.

"Vinham com frequência", ele disse ofegante, "... mais tarde. Verde... mulher... arbustos."

"Arbustos?", disse Elínborg. Ela pensou um instante. "O senhor está falando das groselhas?"

A enfermeira recolocou a máscara em Róbert, mas Elínborg pensou ter percebido um aceno afirmativo em sua direção.

"Quem era?" Era o senhor? O senhor se lembra de arbustos de groselha? O senhor ia lá? O senhor foi até os arbustos?"

Róbert balançou a cabeça lentamente. Não.

"Saia daqui e deixe-o em paz", a enfermeira ordenou a Elínborg, que havia se inclinado sobre Róbert, mas não muito perto, para não provocar ainda mais a mulher.

"O senhor pode me contar sobre isso?", prosseguiu Elínborg. "O senhor sabia quem era? Quem costumava ir até os arbustos de groselha?"

Róbert tinha fechado os olhos.

"Mais tarde?", prosseguiu Elínborg. "O que isso quer dizer?"

Róbert abriu os olhos e ergueu as mãos ossudas para indicar que queria um lápis e um pedaço de papel. A enfermeira fez que não com a cabeça e lhe disse para descansar, ele já se esforçara demais. Ele apertou-lhe a mão e olhou-a com uma expressão de súplica.

"De jeito nenhum", insistiu a enfermeira. "A senhora pode sair, por favor?", disse ela a Elínborg.

"Será que não devemos deixá-lo decidir isso? Se ele morrer esta noite..."

"Nós?", disse a enfermeira. "Nós quem? A senhora por acaso cuidou desses pacientes por trinta anos?", rosnou. "Vai sair ou vou precisar mandar tirá-la daqui?"

Elínborg olhou para Róbert, que tinha fechado os olhos novamente e parecia estar dormindo. Olhou para a enfermeira e com relutância começou a se encaminhar para a porta. A enfermeira seguiu-a e fechou a porta assim que Elínborg chegou ao corredor. Elínborg pensou em chamar Sigurdur Óli para discutir com a enfermeira e lhe explicar como era importante que Róbert lhes dissesse o que queria dizer. Desistiu da ideia. Sigurdur Óli com certeza a deixaria ainda mais irritada.

Elínborg seguiu pelo corredor e viu Sigurdur Óli na cantina devorando uma banana com uma expressão simiesca no rosto. Antes de se juntar a ele, ela parou. Havia um nicho vazio no fim do corredor e ela entrou ali e se escondeu atrás de uma árvore com galhos que chegavam ao teto e que fora plantada em um vaso enorme. Esperou ali, vigiando a porta, como uma leoa escondida na grama.

Pouco depois a enfermeira saiu do quarto de Róbert, passou rapidamente pelo corredor e atravessou a área da cantina em direção à outra ala. Ela não notou a presença de Elínborg nem Sigurdur Óli mastigando sua banana.

Elínborg saiu furtivamente de seu esconderijo e voltou pé ante pé ao quarto de Róbert. Ele estava dormindo, a máscara sobre o rosto, na mesma posição em que ela o havia deixado. A cortina estava fechada, mas o brilho fraco de um abajur lançava uma luz melancólica no interior do quarto. Ela se aproximou dele, hesitou por um momento e olhou ao redor antes de se apoiar para cutucar de leve o homem.

Róbert não se mexeu. Ela tentou de novo, mas ele estava dormindo pesado. Elínborg supôs que o sono dele estivesse muito profundo, se é que não estava morto, e ela roeu as unhas se perguntando se deveria cutucá-lo com mais força ou apenas desaparecer e esquecer tudo aquilo. Ele não tinha dito muita coisa. Apenas que alguém havia surgido perto dos arbustos na colina. Uma mulher de verde.

Estava se virando para ir embora quando Róbert de repente abriu os olhos e olhou para ela. Elínborg não teve certeza se ele a reconheceu, mas ele fez que sim com a cabeça e ela percebeu o esboço de sorriso por trás da máscara de oxigênio. Ele fez o mesmo sinal de antes pedindo lápis e papel, e ela procurou o bloco de anotações e a caneta nos bolsos do casaco. Colocou-os nas mãos dele, e Róbert começou a escrever com enormes letras maiúsculas e mão trêmula. Levou muito tempo naquilo, e Elínborg olhava aterrorizada para a porta, achando que a enfermeira fosse entrar a qualquer momento e começar a xingar. Quis pedir a Róbert que se apressasse, mas não ousou pressioná-lo.

Quando ele terminou de escrever, suas mãos pálidas caíram bruscamente sobre a colcha, o bloco e a caneta foram junto, e ele fechou os olhos. Elínborg pegou o bloco e ia ler o que o velho tinha escrito quando o monitor cardíaco ao qual ele estava ligado começou de repente a emitir um sinal sonoro. Ao perfurar o silêncio do quarto, o som foi ensurdecedor e assustou Elínborg de tal forma que ela deu um pulo para trás. Olhou para Róbert por um momento, sem saber o que fazer, então saiu correndo do quarto, passando pelo corredor e entrando na cantina onde Sigurdur Óli ainda estava sentado, depois de ter comido a banana. Um alarme soou em algum lugar.

"Conseguiu alguma coisa com o velhote?", perguntou Sigurdur Óli a Elínborg quando ela se sentou ao lado dele, ofegante. "Ei, você está bem?", ele acrescentou ao perceber a respiração anormal da colega.

"Sim, estou bem", respondeu Elínborg.

Uma equipe de médicos, enfermeiras e paramédicos passou correndo pela cantina e entrou no corredor na direção do quarto de Róbert. Pouco depois um homem de avental branco surgiu empurrando um equipamento que Elínborg achou ser um reanimador cardíaco e também entrou no corredor. Sigurdur Óli ficou olhando as pessoas desaparecerem por ali.

"Que diabos você andou aprontando?", perguntou ele, olhando para Elínborg.

"Eu?", murmurou Elínborg. "Nada. Eu? Como assim?"

"Por que você está transpirando tanto?", perguntou Sigurdur Óli.

"Eu não estou transpirando."

"O que aconteceu? Por que todo mundo está correndo?"

"Não faço a menor ideia."

"Você tirou alguma coisa dele? É ele quem está morrendo?"

"Ora, demonstre um pouco de respeito", disse ela olhando ao redor.

"O que você tirou dele?"

"Eu ainda não olhei", disse Elínborg. "Será que a gente não devia ir embora daqui?"

Os dois se levantaram, saíram da cantina e do hospital e entraram no carro de Sigurdur Óli. Ele deu a partida.

"Então, o que você tirou dele?", perguntou Sigurdur Óli com impaciência.

"Ele me escreveu um bilhete", suspirou Elínborg. "Pobre homem."

"Escreveu um bilhete para você?"

Ela tirou o bloco do bolso e o folheou até achar a folha em que Róbert tinha escrito. Uma única palavra estava rabiscada ali, na caligrafia trêmula de um moribundo, um rabisco praticamente incompreensível. Ela precisou de algum tempo para entender o que ele tinha escrito, então acabou se convencendo do que era, embora não entendesse o significado. Ficou olhando para a última palavra de Róbert em vida: DEFORMADA.

Naquela noite foram as batatas. Ele não achou que elas estivessem bem cozidas. Elas também poderiam estar cozidas demais, cozidas até desmancharem, cruas, descascadas, mal descascadas, descascadas demais, inteiras, sem molho, com molho, fritas, assadas, em purê, cortadas finas demais, cortadas grossas demais, doce demais, não doces o suficiente...

Ela não conseguia entendê-lo.

Essa era uma das armas mais fortes dele. Os ataques sempre aconteciam sem aviso e quando ela menos esperava, na mesma frequência quando as coisas estavam tranquilas e quando ela percebia que alguma coisa o aborrecia. Ele era especialista em deixá-la ansiosa, e ela nunca conseguia se sentir segura. Estava sempre tensa na presença dele, pronta para estar à sua disposição. A comida já devia estar preparada na hora certa. As roupas dele, prontas de manhã. Os meninos tinham que ser mantidos sob controle. Mikkelína precisava ficar longe dele. Tinha que servi--lo de todas as maneiras, mesmo que soubesse que era inútil.

Havia muito tempo ela desistira de esperar que as coisas melhorassem. Seu lar era sua prisão.

Depois de terminar de jantar, ele pegou o prato, rude como sempre, e largou-o na pia. Então voltou para a mesa como se fosse sair da cozinha, mas parou perto de onde ela estava sentada. Sem se atrever a olhar para cima, ela olhou para os dois meninos sentados à mesa e continuou jantando. Cada músculo de seu corpo estava em alerta. Talvez ele fosse embora sem tocar nela. Os meninos olharam para ela e abaixaram os garfos.

Um silêncio mortal desceu sobre a cozinha.

De repente ele a segurou pela nuca e bateu a cabeça dela no prato, quebrando-o. Em seguida agarrou-a pelo cabelo e puxou-a para trás, fazendo-a cair no chão. Com um único movimento, varreu com as mãos a louça em cima da mesa e chutou a cadeira contra a parede. Ela estava tonta devido à queda. Toda a cozinha parecia estar girando. Tentou se levantar, embora soubesse por experiência própria que era melhor ficar imóvel, mas algum espírito perverso dentro dela queria provocá-lo.

"Fique quieta, sua vaca", ele gritou para ela, e quando ela conseguiu ficar de joelhos, ele se inclinou sobre ela e berrou:

"Então você quer levantar, é?" Ele a puxou pelo cabelo e bateu o rosto dela contra a parede, chutando-lhe as coxas até que ela perdeu toda a força nas pernas, soltou um grito agudo e caiu de novo no chão. Sangue esguichava-lhe do nariz, e ela mal conseguia ouvi-lo gritando de tanto que seus ouvidos zumbiam.

"Tenta levantar agora, sua puta nojenta!", ele gritou.

Dessa vez ela ficou imóvel, o corpo contorcido e as mãos protegendo a cabeça, esperando os chutes que iriam desabar sobre ela. Ele levantou o pé e acertou-a com toda força no dorso do corpo, e ela quase não conseguia respirar de tanta dor no peito. Curvando-se de novo, ele agarrou-a pelo cabelo, ergueu-lhe o rosto e cuspiu nele antes de bater a cabeça dela contra o chão.

"Puta nojenta", ele disse entre os dentes. Então ele levantou o corpo e olhou para a confusão causada por seu ataque. "Olha a bagunça que você vive fazendo, sua escrota", berrou para ela. "Limpa tudo agora mesmo ou eu te mato!"

Ele se afastou lentamente e tentou cuspir nela mais uma vez, mas a boca estava seca.

"Vagabunda do caralho!", disse. "Você é uma inútil. Será que você nunca consegue fazer nada certo, sua vaca inútil do caralho? Será que nunca vai entender isso? Nunca vai entender isso?"

Ele não se importava se ela ficava com marcas. Sabia que ninguém iria interferir. Visitantes eram raros. Havia uns poucos chalés espalhados nas áreas mais baixas, mas poucas pessoas subiam a colina, embora a estrada principal entre Grafarvogur e Grafarholt passasse ali perto, e ninguém tinha nada a tratar com aquela família.

A casa em que eles moravam era um chalé grande que ele alugara de um homem em Reykjavík. Estava parcialmente construído quando o proprietário perdeu o interesse pelo chalé e concordou em alugá-lo para ele por um preço baixo, se o terminasse. No começo se entusiasmou com a ideia de trabalhar na casa e tinha quase terminado a obra quando se deu conta de que o proprietário não se importava mais com aquilo, e depois disso ela começou a deteriorar. A casa era de madeira e consistia de uma sala e cozinha conjugadas com um fogão a carvão, dois quartos com fogareiros a carvão para o aquecimento e um corredor entre os quartos. De manhã eles recolhiam água do poço perto da casa, dois baldes todos os dias, que eram postos em cima de uma mesa na cozinha.

Tinham se mudado para lá um ano antes. Depois da ocupação britânica da Islândia, as pessoas afluíram para Reykjavík em busca de trabalho. A família perdeu seu apartamento no porão. Não podiam mais pagá-lo. Essa afluência representou uma diminuição na oferta de moradia e o preço dos aluguéis subiu demais. Quando tomou posse do chalé semiconstruído em Grafarholt, e a família se mudou para lá, ele começou a procurar um trabalho que se adequasse a sua nova situação, e conseguiu um emprego de entregador de carvão para as fazendas nos arredores de Reykjavík. Todas as manhãs caminhava até o trevo para Grafarholt onde o caminhão de carvão ia pegá-lo e o deixava novamente à noite. Às vezes ela achava que o único motivo de eles terem se mudado de Reykjavík era que ninguém iria ouvi-la gritando por ajuda quando ele a atacasse.

Uma das primeiras coisas que ela fez depois que eles se mudaram para a colina foi plantar os arbustos de groselha. Por achar que era uma área sem interesse, ela plantou os arbustos no lado sul da casa. Eles deveriam marcar um dos limites do jardim que ela planejava plantar. Quis plantar mais arbustos, mas ele achou que era perda de tempo e proibiu que ela o fizesse.

Ela ficou deitada imóvel no chão, esperando que ele se acalmasse ou fosse para a cidade encontrar os amigos. Às vezes ele ia a Reykjavík e só voltava no dia seguinte. O rosto dela estava inflamado de dor e ela sentia a mesma queimação no peito que sentira quando ele havia quebrado suas costelas dois anos antes.

Ela sabia que não era por causa das batatas. Nem pela mancha que ele vira em sua camisa recém-lavada. Nem pelo vestido que ela fizera para si mesma, mas que ele havia achado escandaloso e tinha rasgado em pedaços. Nem pelas crianças chorando à noite, algo pelo qual ele a culpava. "Que mãe incompetente! Faça eles ficarem quietos ou eu mato os três!" Ela sabia que ele era capaz disso. Sabia que podia chegar a esse ponto.

Os meninos saíram correndo da cozinha quando o viram atacar a mãe, mas Mikkelína, como sempre, não se moveu. Ela mal conseguia se mexer sem ajuda. Havia um divã na cozinha onde ela dormia e também passava o dia, porque ali era o lugar mais fácil para ficarem de olho nela. Geralmente ela permanecia imóvel quando ele entrava, e quando começava a bater em sua mãe ela, com a mão boa, cobria a cabeça com um cobertor, como se tentasse ficar invisível.

Ela não via o que acontecia. Não queria ver. Através do cobertor ouviu os berros dele e a mãe gritando de dor, e estremeceu quando ouviu o som do corpo da mãe batendo na parede e caindo no chão. Encolhida sob o cobertor, começou a recitar para si mesma:

> Meninas, menininhas,
> Lindas, com trancinhas,
> Loiras menininhas,
> Subindo na caixinha.

Quando ela parou, a cozinha estava novamente em silêncio. Durante um bom tempo a garota não ousou tirar o cobertor da cabeça. Espiou por baixo do pano, com cuidado, mas não o viu mais. Pelo corredor, viu que a porta da frente estava aberta. Ele devia ter saído. A garota sentou-se e viu a mãe estendida no chão. Ela jogou o cobertor para o lado, desceu do divã e foi se arrastando pelo chão, passando debaixo da mesa, até chegar na mãe, que ainda estava encolhida e imóvel.

Mikkelína aconchegou-se à mãe. A menina era magra como um caniço e fraca, e teve dificuldade para rastejar pelo chão. Normalmente, quando precisava se mover, os irmãos ou a mãe a carregavam. Ele nunca fizera isso. Por diversas vezes ele ameaçara "matar essa idiota". "Estrangular esse monstro nesse divã nojento! Aleijada horrorosa!"

A mãe não se mexeu. Sentiu Mikkelína tocar-lhe as costas e depois acariciar sua cabeça. A dor no tórax a impedia de se levantar e seu nariz continuava sangrando. Não sabia se tinha desmaiado. Achava que ainda estava na cozinha, mas como Mikkelína estava ali, isso não seria possível. Mikkelína temia o padrasto mais do que tudo na vida.

Bem devagar, a mãe endireitou o corpo, gemendo de dor e apertando com a mão o lugar onde ele havia chutado. Ele devia ter lhe quebrado algumas costelas. Rolou para ficar de costas e olhou para Mikkelína. A menina estivera chorando e tinha no rosto uma expressão aterrorizada. Chocada diante da visão do rosto ensanguentado da mãe, ela desatou a chorar novamente.

"Está tudo bem, Mikkelína", suspirou a mãe. "Nós vamos ficar bem."

Lentamente e com grande dificuldade, ela ficou de pé, apoiando-se na mesa.

"Nós vamos sobreviver."

Passou a mão no corpo e sentiu a dor perfurando-lhe como uma espada.

"Onde estão os meninos?", perguntou, olhando para Mikkelína no chão. Mikkelína apontou para a porta e fez um som que transmitia agitação e terror. A mãe sempre a tratara como uma criança normal. O padrasto nunca a tinha chamado de outra coisa que não "a retardada" ou de nomes piores. Mikkelína contraíra meningite com três anos e não se esperava que sobrevivesse. Durante dias a menina estivera a um passo da morte no hospital de Landakot, administrado por freiras, e a mãe não pôde ficar com ela, por mais que chorasse e implorasse do lado de fora da ala onde a garota estava internada. Quando a febre de Mikkelína cedeu, ela havia perdido toda a capacidade de movimentar o braço direito e as pernas, e também os músculos da face, o que lhe dava uma expressão deformada, um dos olhos semicerrados e a boca tão retorcida que ela não conseguia evitar que a baba escorresse permanentemente.

Os meninos sabiam que eram incapazes de defender a mãe: o mais novo tinha sete anos e o mais velho doze. Àquela altura, conheciam o estado de espírito do pai quando a atacava, todas as injúrias de que se valia para ofendê-la e toda a fúria que se apossava dele quando a xingava. Então fugiam para não ver a cena. Símon, o mais velho, era o primeiro a correr. Agarrava o irmão, puxando-o como se fosse um cordeirinho assustado, apavorados por imaginar que o pai pudesse voltar sua ira contra eles.

Um dia ele conseguiria levar Mikkelína junto.

E um dia ele ia conseguir defender sua mãe.

Os irmãos aterrorizados saíram correndo de casa e dirigiram-se para os arbustos de groselha. Era outono, e os arbustos estavam exuberantes, com folhagem espessa e as frutinhas vermelhas cheias de suco que lhes explodiam nas mãos quando eles as colhiam para encher as latas e potes que a mãe lhes dava.

Eles se jogaram no chão do outro lado dos arbustos, ouvindo os xingamentos e as pragas do pai, o som dos pratos sendo quebrados e os gritos da mãe. O menino mais novo tampou os ouvidos, mas Símon continuou olhando através da janela da cozinha, cujo brilho amarelado misturava-se ao crepúsculo, e se forçou a ouvir os uivos dela.

Ele tinha parado de tampar os ouvidos. Tinha que escutar, se fosse fazer o que precisava fazer.

10.

Elsa não havia exagerado sobre o porão da casa de Benjamín. O lugar estava lotado de lixo e por um momento Erlendur achou assustadora a perspectiva de vasculhar tudo aquilo. Ele se perguntou se não deveria chamar Elínborg e Sigurdur Óli, mas decidiu esperar. O porão tinha cerca de noventa metros quadrados e era dividido em várias saletas de tamanhos diferentes, sem portas ou janelas, cheias de caixas e mais caixas, algumas etiquetadas, mas a maioria sem nenhuma indicação de seu conteúdo. Havia caixas de papelão que tinham servido para armazenar vinhos e cigarros, e também caixas de madeira, de todos os tamanhos concebíveis, cheias de uma quantidade interminável de papéis e coisas sem valor. No porão também havia armários velhos, cômodas, malas e diversos itens acumulados ao longo do tempo: bicicletas empoeiradas, cortadores de grama, uma velha grelha de churrasco.

"O senhor pode remexer o quanto quiser aqui", disse Elsa enquanto descia junto com ele. "Se eu puder ajudar em alguma coisa, é só chamar." Sentiu um pouco de pena daquele detetive carrancudo que parecia um tanto distraído, malvestido, com seu cardigã puído sob um velho paletó com remendos gastos nos cotovelos. Havia percebido um certo pesar nele quando conversaram e ela olhou nos olhos dele.

Erlendur deu um sorriso vago e agradeceu. Duas horas depois, encontrou os primeiros documentos de Benjamín Knudsen, o comerciante. Teve muita dificuldade de trabalhar naquela bagunça. Estava tudo desorganizado. Papelada mais velha e coisas mais recentes misturavam-se em grandes pilhas que ele teve que ir examinando e pondo de lado para poder vencer cada uma. No entanto, quanto mais avançava, ainda que lentamente, mais antigo parecia ser o material que ele estava verificando. Sentiu vontade de tomar um café e de fumar, e pensou se deveria incomodar Elsa ou fazer um intervalo e encontrar um café ali perto.

Eva Lind não saía do seu pensamento. Ele estava com o celular no bolso e esperava uma chamada do hospital a qualquer instante. Sua consciência o atormentava por não estar com ela. Talvez devesse tirar alguns dias de folga para ficar sentado ao lado da filha, conversando com ela, como o médico recomendara. Para estar com ela, em vez de deixá-la inconsciente na unidade de terapia intensiva, sem família ou palavras de conforto, totalmente sozinha. Mas ele sabia que jamais poderia ficar sentado sem fazer nada, esperando ao lado da cama da filha. O trabalho era uma forma de salvação. Erlendur precisava dele para ocupar a mente. Para evitar que pensasse o pior. O impensável.

Tentou se concentrar enquanto vasculhava o porão. Em uma velha escrivaninha, encontrou algumas faturas de fornecedores, endereçadas à loja de Knudsen. Estavam escritas à mão e eram difíceis de serem decifradas, mas pareciam referir-se a entregas de mercadorias. Havia outras notas semelhantes no armário, e a primeira impressão de Erlendur foi que Knudsen tinha uma mercearia. Café e açúcar eram mencionados nas faturas, com números ao lado dos lançamentos.

Nada sobre obras em um chalé fora de Reykjavík, onde o Bairro do Milênio da cidade estava sendo construído.

Por fim, a vontade de fumar tomou conta dele, e Erlendur encontrou uma porta no porão que dava para um jardim muito bem cuidado. Os botões das flores estavam começando a aparecer depois do inverno, embora Erlendur não estivesse prestando muita atenção, fumando avidamente. Em um instante terminou dois cigarros. O celular tocou no bolso do paletó quando ele estava prestes a voltar para o porão. Era Elínborg.

"Como está Eva Lind?", ela perguntou.

"Ainda inconsciente", respondeu Erlendur, lacônico. Não estava querendo conversa fiada. "Descobriram alguma coisa?", ele perguntou.

"Eu falei com o velho, Róbert. Ele teve um chalé lá na colina. Não tenho muita certeza do que ele estava falando, mas ele se lembrou de alguém perambulando perto dos seus arbustos."

"Arbustos?"

"Perto dos ossos."

"Os arbustos de groselha? Quem?"

"E depois acho que ele morreu."

Erlendur ouviu Sigurdur Óli dar uma risadinha no fundo.

"A pessoa nos arbustos?"

"Não, Róbert", disse Elínborg. "Portanto não vamos conseguir tirar mais nada dele."

"E quem era? Nos arbustos?"

"Nada está muito claro", disse Elínborg. "Havia alguém que com frequência costumava ir lá mais tarde. Foi tudo que consegui dele. Então ele começou a dizer algumas coisas. Disse 'mulher verde' e mais nada."

"Mulher verde?"

"É. Verde."

"Com frequência, mais tarde e verde", repetiu Erlendur.

"Mais tarde do que o quê? O que ele quis dizer?"

"Como eu disse, estava tudo muito incoerente. Acho que pode ter sido... acho que ela era...", Elínborg hesitou.

"Era o quê?"

"Deformada."

"Deformada?"

"Essa foi a única descrição que ele deu da pessoa. Ele não conseguiu mais falar e escreveu uma única palavra, 'deformada'. Então caiu no sono, e eu acho que alguma coisa deve ter acontecido com ele, porque a equipe médica foi correndo até o quarto dele e..."

A voz de Elínborg desapareceu. Erlendur pensou nas palavras dela durante alguns minutos.

"Então parece que uma mulher costumava ir com frequência até os arbustos de groselha um tempo mais tarde."

"Talvez depois da guerra", disse Elínborg.

"Ele se lembrou de alguém que morava na casa?"

"Uma família", disse Elínborg. "Um casal com três filhos. Não consegui tirar mais nada dele sobre isso."

"Então havia realmente pessoas morando por ali, perto dos arbustos."

"É o que parece."

"E ela era deformada. O que significa ser deformada? Quantos anos tem o Róbert?"

"Ele tem... ou tinha... não sei... mais de noventa."

"Impossível saber o que ele quis dizer com essa palavra", disse Erlendur, como se para si mesmo. "Uma mulher deformada nos arbustos de groselha. Alguém ainda mora no chalé de Róbert? O chalé ainda existe?"

Elínborg contou-lhe que ela e Sigurdur Óli tinham conversado com os atuais proprietários, mas que não houve menção de nenhuma mulher. Erlendur lhes disse para voltarem lá e perguntarem aos proprietários se alguma pessoa, especificamente uma mulher, tinha sido vista alguma vez na área próxima aos arbustos de groselha. E também que tentassem localizar quaisquer parentes vivos que Róbert pudesse ter, para descobrir se alguma vez ele chegou a falar com a família que morava na colina. Erlendur disse que iria passar mais algum tempo revirando a papelada no porão e depois iria ao hospital visitar a filha.

Voltou a remexer nas coisas de Benjamín, pensando, ao olhar em volta, se não levaria muitos dias para analisar tudo que havia ali dentro. Espremeu-se para chegar novamente à escrivaninha de Benjamín, que, até onde ele sabia, continha apenas documentos e faturas relacionadas à loja. Erlendur não lembrava, mas ela aparentemente ficava em Hverfisgata.

Duas horas mais tarde, depois de tomar café com Elsa e de fumar mais dois cigarros no jardim dos fundos, ele viu um baú pintado de cinza no chão. Estava trancado, mas a chave continuava na pequena fechadura. Erlendur teve alguma dificuldade para girá-la e abrir o baú. Lá dentro havia mais documentos e envelopes presos com um elástico, mas nenhuma fatura. Algumas fotografias estavam misturadas com as cartas, algumas em molduras, outras soltas. Erlendur examinou-as. Não fazia a menor ideia de quem eram as pessoas nas fotos, mas supôs que o próprio Benjamín estivesse em algumas. Uma delas mostrava um homem alto e bem-apessoado, começando a criar barriga, parado do lado de fora de uma loja. A ocasião era óbvia. Uma placa estava sendo instalada acima da porta: LOJA KNUDSEN.

Ao examinar outras fotografias, Erlendur viu o mesmo homem. Em algumas ele estava com uma mulher mais jovem e os dois sorriam para a câmera. Todas as fotografias haviam sido tiradas ao ar livre e sempre durante o dia.

Deixou-as de lado, pegou um pacote de envelopes e descobriu que eles continham cartas de amor de Benjamín para sua futura noiva. O nome dela era Sólveig. Algumas eram apenas recados rápidos e declarações de amor, outras eram mais detalhadas, com relatos de incidentes cotidianos. Todas demonstravam o grande afeto dele por sua amada. As cartas pareciam estar organizadas em ordem cronológica, e Erlendur leu uma delas, ainda que com alguma relutância. Tinha a impressão de estar investigando alguma coisa sacrossanta, e se sentiu um pouco envergonhado. Como parar na frente de uma janela para espionar.

Minha querida,

Que saudades sinto de você, minha adorada! Pensei em você o dia todo e estou contando os minutos até a sua volta. A vida sem você é como um inferno gelado, muito cinzenta e vazia. Imagine só, você longe de mim por duas semanas inteiras. Para ser sincero, não sei como eu aguento.

Com muito amor, do seu
Benjamín K.

Erlendur recolocou a carta no envelope e tirou outra, mais adiante no maço, que era um relato detalhado da intenção do comerciante de abrir uma loja em Hverfisgata. Ele tinha grandes planos para o futuro. Tinha lido que nas grandes cidades dos Estados Unidos havia lojas enormes que vendiam todo tipo de mercadorias, roupas e também comida, onde as pessoas tiravam de prateleiras os artigos que queriam comprar. Em seguida colocavam as compras em carrinhos, que levavam por toda a loja.

Ele foi ao hospital no começo da noite, pretendendo ficar sentado ao lado de Eva Lind. Primeiro ligou para Skarphédinn, que contou que a escavação estava progredindo bem, mas se recusou a prever quando chegariam aos ossos. Eles ainda não tinham encontrado nada no solo que indicasse a causa da morte do Homem do Milênio.

Erlendur também ligou para o médico de Eva Lind antes de ir e ficou sabendo que o estado dela continuava inalterado. Quando chegou à ala de terapia intensiva, viu uma mulher de casaco marrom sentada ao lado da cama da filha, e já estava quase dentro do quarto quando percebeu quem era ela. Ficou tenso, parou e foi recuando devagar, passando pela porta até chegar ao corredor, olhando a ex-mulher à distância.

Ela estava de costas para ele, mas Erlendur sabia que era ela. Uma mulher mais ou menos da mesma idade que ele, sentada com o corpo curvado, roliça dentro um conjunto de moletom roxo sob um casaco marrom, pondo um lenço no nariz e falando em voz baixa com Eva Lind. Ele não conseguia ouvir o que ela estava dizendo. Reparou que ela havia tingido o cabelo, mas aparentemente já fazia algum tempo, porque uma faixa branca estava visível nas raízes onde ela o dividia. Calculou a idade que ela deveria ter agora. Três anos mais velha do que ele.

Ele não a via tão de perto assim fazia décadas. Desde que fora embora e a deixara com os dois filhos. Ela, assim como Erlendur, não se casara novamente, mas tinha vivido com vários homens, alguns melhores do que outros. Eva Lind contou-lhe sobre eles quando ficou mais velha e procurou ter contato com ele.

Embora no início a garota se mostrasse desconfiada em relação a ele, mesmo assim os dois tinham chegado a um certo entendimento, e ele tentava ajudá-la sempre que possível. O mesmo valia para o rapaz, que era muito mais distante dele. Erlendur tinha pouco contato com o filho.

Erlendur observou a ex-mulher e afastou-se ainda mais pelo corredor. Perguntou a si mesmo se deveria ou não juntar-se a ela, mas não conseguiu tomar uma decisão. Poderia haver problemas e ele não queria uma cena naquele lugar. Nem em sua vida, se pudesse evitar. Eles nunca tinham chegado de fato a um acordo quanto ao relacionamento fracassado, o que, segundo Eva Lind lhe contou, era o que mais a magoava.

A maneira como ele tinha ido embora.

Erlendur deu meia-volta e percorreu lentamente o corredor, pensando nas cartas de amor no porão de Benjamín K. Não conseguia se lembrar direito, e a pergunta permaneceu sem resposta. Quando ele chegou em casa, desabou sobre a poltrona e permitiu que o sono a tirasse de sua mente.

Será que Halldóra em algum momento fora sua amada?

11.

Ficou decidido que Erlendur, Sigurdur Óli e Elínborg iriam se encarregar sozinhos do "Mistério dos Ossos", que é como a mídia estava chamando o caso. O DIC não podia destacar mais detetives para um caso que não era prioritário. Uma extensa investigação sobre drogas corria a todo vapor, usando uma boa quantidade de tempo e mão de obra, e o departamento não podia empregar mais ninguém em "pesquisa histórica", como disse o chefe Hrólfur. Nem ninguém sabia se era realmente um caso criminal.

No dia seguinte, Erlendur passou cedo pelo hospital a caminho do trabalho e ficou sentado ao lado da cama da filha por duas horas. A condição dela era estável. Não havia sinal de Halldóra. Durante um bom tempo, ficou sentado em silêncio, olhando o rosto esquelético da filha, e pensou no passado. Tentou se lembrar do tempo que havia passado com ela quando era pequena. Eva Lind tinha acabado de fazer dois anos quando seus pais se separaram, e ele se lembrou da filha dormindo entre os dois na cama deles. Não queria dormir no berço, embora ele ficasse no quarto do casal, porque o apartamento onde moravam era pequeno, com um único quarto, uma sala e uma cozinha. Ela saía do berço, subia na cama de casal e se aninhava entre os dois.

Lembrou-se dela em pé na porta do apartamento dele, pouco mais que uma adolescente, depois que descobrira onde o pai estava. Halldóra recusara-se a permitir que ele visse os filhos. Sempre que tentava arranjar uma maneira de encontrá-los, ela começava a lançar uma lista de acusações contra ele, e Erlendur sentia que cada palavra que ela dizia era a mais absoluta verdade. Aos poucos parou de ligar para eles. Tinha ficado sem ver Eva Lind durante todo aquele tempo, e de repente lá estava ela, parada diante de sua porta. O semblante dela parecia familiar. Os traços de seu rosto vinham da família dele.

"Não vai me convidar para entrar?", perguntou Eva Lind depois que ele ficou bastante tempo olhando para ela. Estava usando uma jaqueta preta de couro, jeans surrados e batom preto. As unhas estavam pintadas de preto. Fumava, soltando a fumaça pelo nariz.

O rosto dela ainda tinha uma aparência adolescente, quase pura.

Ele ficou indeciso. Pego de surpresa. Então convidou-a para entrar.

"A mãe quase pirou quando eu disse que vinha te ver", disse passando por ele, deixando um rastro de fumaça e jogando-se sobre a poltrona dele. "Disse que você era um fracassado. Ela sempre diz isso. Pra mim e pro Sindri. 'Um fracassado de merda, aquele pai de vocês.' E aí: 'Vocês são como ele, uns fracassados de merda'."

Eva Lind riu. Procurou um cinzeiro para apagar o cigarro, mas ele pegou o toco e apagou para ela.

"Por que...", ele começou a dizer, mas não conseguiu acabar a pergunta.

"Eu só queria te ver", disse ela. "Só queria ver como você se parece."

"E como eu pareço?"

Ela olhou para ele.

"Como um fracassado", disse.

"Então não somos diferentes."

Ela olhou para ele durante um bom tempo e ele teve a impressão de haver notado um sorriso.

Quando Erlendur chegou ao escritório, Elínborg e Sigurdur Óli sentaram-se com ele e lhe contaram que não haviam descoberto mais nada com os atuais proprietários do chalé de Róbert. Segundo os proprietários, eles nunca tinham visto nenhuma mulher deformada em lugar algum da colina. A esposa de Róbert morrera havia dez anos. Eles tiveram dois filhos, um casal. O filho morreu mais ou menos na mesma época, com sessenta anos, e a filha, uma mulher de setenta anos, esperava uma visita de Elínborg.

"E quanto a Róbert? Vamos conseguir mais alguma coisa com ele?", perguntou Erlendur.

"Róbert faleceu na noite passada", disse Elínborg com um traço de culpa na voz. "Estava cansado da vida. É sério. Acho que ele queria encerrar tudo. Um maldito vegetal. Foi o que ele disse. Meu Deus, odeio ter que me acabar em um hospital desse jeito."

"Ele escreveu algumas palavras em um caderno pouco antes de morrer", disse Sigurdur Óli. "Ela me matou."

"Belo senso de humor, hein?", gemeu Elínborg.

"Você não precisa mais ficar com ele hoje", disse Erlendur, fazendo um gesto na direção de Sigurdur Óli. "Vou mandá-lo procurar pistas no porão de Benjamín."

"O que você espera que a gente encontre lá?", perguntou Sigurdur Óli, o sorriso no rosto transformando-se em uma careta.

"Se ele alugou o chalé, deve ter deixado alguma anotação. Não há dúvida disso. Precisamos dos nomes das pessoas que moravam lá. A Secretaria Nacional de Estatística provavelmente não vai encontrar nada para nós. Assim que tivermos os nomes, poderemos verificar o registro de pessoas desaparecidas e ver se alguma ainda está viva. E precisamos de uma análise para determinar o sexo e a idade assim que o esqueleto estiver completamente exposto."

"Róbert mencionou três crianças", disse Elínborg. "Pelo menos uma delas ainda deve estar viva."

"Bem, isso é o que temos para prosseguir", disse Erlendur. "E não é muito: uma família de cinco pessoas morava em um chalé em Grafarholt, um casal com três filhos, em algum momento antes, durante ou depois da guerra. São as únicas pessoas que sabemos que moraram na casa, mas outras pessoas podem ter estado lá também. Não parece haver registro algum dizendo que elas moraram lá. Então, por enquanto, podemos supor que uma delas está enterrada ali, ou alguém ligado a elas. E alguém ligado a elas, a mulher de quem Róbert se lembrou, costumava ir até lá..."

"Com frequência, e mais tarde, e era deformada", Elínborg terminou a frase para ele. "Será que deformada significa que ela era manca?"

"E por que ele não teria escrito 'manca' de uma vez?", perguntou Sigurdur Óli.

"O que aconteceu com aquela casa?", perguntou Elínborg. "Não há nenhum sinal dela na colina."

"Talvez você descubra isso para nós no porão de Benjamín ou com a sobrinha dele", disse Erlendur a Sigurdur Óli. "Eu esqueci completamente de perguntar."

"Só precisamos dos nomes dos moradores para depois verificar em uma lista de pessoas desaparecidas daquela época, aí fica tudo certo. Não é óbvio?", disse Sigurdur Óli.

"Não necessariamente", disse Erlendur.

"Por que não?"

"Você só está falando das pessoas cujo desaparecimento foi oficialmente informado."

"E sobre que outros tipos de desaparecimentos eu deveria estar falando?"

"Os desaparecimentos não informados. Não se pode ter certeza de que todos contam à polícia quando alguém desaparece de sua vida. Uma pessoa se muda para o interior e nunca mais é vista. Outra se muda para o exterior e nunca mais é vista também. Alguém foge do país e é esquecido aos poucos. E ainda há os viajantes que morrem congelados. Se tivermos uma lista das pessoas dadas como desaparecidas e como mortas na região naquela época, também devemos examiná-la."

"Acho que todos aqui concordam que não é esse o caso", disse Sigurdur Óli com um tom impositivo que estava começando a enervar Erlendur. "Não há dúvida de que esse homem, ou seja lá de quem for o esqueleto, não morreu congelado. Foi algo intencional. Alguém o enterrou."

"É exatamente isso o que eu quero dizer", contrapôs Erlendur, uma enciclopédia ambulante quando o assunto eram as dificuldades de se enfrentar regiões ermas sob más condições. "Vamos supor que alguém sai de uma fazenda. É o meio do inverno e a previsão do tempo é ruim. Todo mundo tenta dissuadir a pessoa. Ela ignora os conselhos, convencida de que pode dar conta do recado. A coisa mais estranha a respeito de histórias de pessoas que morreram congeladas é que elas nunca ouvem os conselhos que lhes dão. É como se a morte as atraísse. Elas parecem estar condenadas. Como se quisessem desafiar seu destino. Enfim, essa pessoa acha que vai conseguir. Só que, quando a tempestade começa, acaba sendo muito mais forte do que ela imaginava. A pessoa fica desorientada. Se perde. No final, acaba coberta por um monte de neve e morre congelada. A essa altura, ela está a quilômetros de onde deveria estar. Por isso o corpo nunca é encontrado. A pessoa é dada como desaparecida."

Elínborg e Sigurdur Óli entreolharam-se, sem muita certeza sobre aonde Erlendur queria chegar.

"Esse é o cenário típico da pessoa desaparecida na Islândia, e podemos explicá-lo e entendê-lo porque moramos neste país e sabemos como o tempo de repente fica ruim e como a história desse homem se repete em intervalos regulares sem ninguém questionar nada. Isso é a Islândia, as pessoas pensam e balançam a cabeça. Claro que isso era muito mais comum antigamente, quando quase todo mundo viajava a pé. Séries inteiras de livros foram escritos a esse respeito. Eu não sou o único que se interessa pelo assunto. A maneira de viajar só mudou realmente nos últimos sessenta ou setenta anos. As pessoas costumavam desaparecer e, embora a gente não se conformasse com isso, dava para entender o que tinha acontecido. Raramente havia motivos para tratar esses desaparecimentos como assuntos de polícia ou relacionados a crimes."

"O que você quer dizer?", perguntou Sigurdur Óli.

"Qual é o motivo dessa palestra?", perguntou Elínborg.

"E se, para começo de conversa, alguns desses homens ou mulheres nunca tivessem saído da fazenda?"

"Aonde você quer chegar?", perguntou Elínborg.

"E se essas pessoas tivessem ido para o cais, ou para uma outra fazenda, ou tivessem ido jogar uma rede de pesca e nunca mais se tivesse ouvido falar delas? Uma busca é realizada, mas elas jamais são encontradas e acabam sendo dadas como desaparecidas."

"Então a família inteira conspirou para matar essa pessoa?", perguntou Sigurdur Óli, cético em relação à hipótese de Erlendur.

"Por que não?"

"Então ela é esfaqueada, ou espancada, ou leva um tiro e é enterrada no jardim?", acrescentou Elínborg.

"Até que, em um belo dia, Reykjavík cresceu tanto que ela não pode mais descansar em paz", disse Erlendur.

Sigurdur Óli e Elínborg entreolharam-se e voltaram a olhar para Erlendur.

"Benjamín Knudsen teve uma noiva que desapareceu sob circunstâncias misteriosas", disse Erlendur. "Mais ou menos na época em que o chalé foi construído. Disseram que ela se jogou no mar e que Benjamín nunca mais foi o mesmo depois disso. Parecia ter planos de revolucionar o comércio varejista de Reykjavík, mas ficou arrasado quando a garota desapareceu e suas nascentes ambições evaporaram."

"Só que, de acordo com a sua nova teoria, ela realmente não desapareceu?", perguntou Sigurdur Óli.

"Ah, sim, ela desapareceu."

"Mas ele a assassinou."

"Na verdade, acho difícil imaginar isso", disse Erlendur. "Li algumas cartas que ele escreveu para ela e, a julgar pelos textos, ele não teria tocado em um fio de cabelo dela."

"Foi ciúmes então", disse Elínborg, uma ávida leitora de histórias de amor. "Ele a matou por ciúmes. O amor dele por ela parece ter sido verdadeiro. Enterrou-a lá e nunca mais voltou. *Finito!*"

"O que eu penso é o seguinte", disse Erlendur. "Não seria uma reação exagerada um jovem se deixar arruinar quando sua amada morre antes dele? Mesmo que ela tenha cometido suicídio. Acho que Benjamín faliu depois que ela desapareceu. Poderia haver mais alguma coisa?"

"Será que ele não guardou uma mecha do cabelo dela?", ponderou Elínborg, e Erlendur achou que ela ainda estava com a cabeça nos textos de literatura barata. "Talvez dentro de um porta-retratos ou em um medalhão", ela acrescentou. "Se a amava tanto assim."

"Uma mecha de cabelo?", repetiu Sigurdur Óli.

"Ele é tão lento para entender as coisas", disse Erlendur, que tinha entendido aonde Elínborg queria chegar.

"O que você quer dizer com 'uma mecha de cabelo'?", insistiu Sigurdur Óli.

"Isso, no mínimo, a deixaria fora."

"Quem?" Sigurdur Óli olhava de um para o outro. "Vocês estão falando sobre DNA?"

"E tem também a mulher da colina", disse Elínborg. "Seria bom investigá-la."

"A mulher verde", disse Erlendur pensativo, aparentemente para si próprio.

"Erlendur", disse Sigurdur Óli.

"Sim?"

"É óbvio que ela não pode ser verde."

"Sigurdur Óli."

"Sim?"

"Você acha que eu sou um completo idiota?"

O telefone na mesa de Erlendur tocou. Era Skarphédinn, o arqueólogo.

"Estamos quase lá", disse Skarphédinn. "Poderemos expor o resto do esqueleto em mais ou menos dois dias."

"Dois dias!", rugiu Erlendur.

"Por aí. Ainda não encontramos nada parecido com uma arma. Você pode pensar que estamos sendo muito meticulosos, mas acho que é melhor fazer o serviço de maneira adequada. Quer vir até aqui dar uma olhada?"

"Sim, eu já estava indo", disse Erlendur.

"Talvez você possa trazer uns *kringles* para nós", disse Skarphédinn, e em sua mente Erlendur podia ver as presas amarelas dele.

"*Kringles?*"

"É, aqueles *pretzels* dinamarqueses", disse Skarphédinn.

Erlendur bateu o telefone, pediu que Elínborg fosse com ele a Grafarholt e disse a Sigurdur Óli para ir até o porão de Benjamín tentar encontrar alguma coisa sobre o chalé que o comerciante construiu, mas pelo qual perdeu todo o interesse depois que sua vida se tornou um mar de tristeza.

A caminho de Grafarholt, Erlendur, ainda pensando em pessoas desaparecidas que haviam se perdido em tempestades de neve, lembrou-se da história de Jón Austmann. Ele morrera congelado, provavelmente em Blöndugil, em 1780. Seu cavalo tinha sido achado com a garganta cortada, mas tudo que se encontrou de Jón foi uma de suas mãos.

Dentro de uma luva de tricô azul.

O pai de Símon era o monstro em todos os pesadelos dele.

Sempre tinha sido assim. Ele temia o monstro mais do que qualquer outra coisa em sua vida, e quando ele atacava sua mãe tudo em que Símon conseguia pensar era em defendê-la. Ele imaginava a inevitável batalha como uma história de aventuras na qual o cavaleiro derrota o dragão cuspidor de fogo, mas em seus sonhos Símon nunca vencia.

O monstro nos sonhos de Símon se chamava Grímur. Nunca era seu pai, ou papai, apenas Grímur.

Símon estava acordado quando Grímur os achou no dormitório da fábrica de peixe em Siglufjördur, e ouviu quando ele sussurrou para sua mãe como iria levar Mikkelína para o alto da montanha e matá-la. Viu o terror que a mãe sentiu e viu quando ela de repente pareceu perder o controle, batendo a cabeça sozinha na cabeceira da cama e ficando inconsciente. Então Grímur foi mais devagar. Ele viu quando Grímur a fez acordar batendo-lhe no rosto repetidas vezes. O garoto sentia o fedor acre de Grímur e enterrou o rosto no colchão, sentindo tanto medo que pediu a Jesus que o levasse para o céu naquele exato momento.

Não ouviu Grímur sussurrar mais nada para ela. Apenas o choro dela. Reprimido, como o som de um animal ferido, misturando-se com os xingamentos de Grímur. Abrindo apenas uma minúscula fresta nos olhos, ele viu Mikkelína olhando através da escuridão com um terror indescritível.

Símon tinha parado de rezar para seu Deus e parado de falar com seu "bom irmão Jesus", muito embora sua mãe nunca tenha perdido a fé nele. Embora convencido do contrário, Símon não falava mais com a mãe sobre o assunto porque sabia, pela expressão dela, que as coisas que dizia a desagradavam. Ele sabia que ninguém, especialmente Deus, ajudaria sua mãe a derrotar Grímur. Por tudo que lhe haviam contado, Deus era o criador onipotente e onisciente do céu e da terra, Deus havia criado Grímur como criara todas as outras criaturas, Deus mantinha o monstro vivo e Deus fazia-o atacar sua mãe e arrastá-la pelo chão da cozinha pelos cabelos, fazia-o cuspir nela. E às vezes Grímur atacava Mikkelína, "aquela retardada do caralho", como ele a chamava, batendo nela e zombando dela, e às vezes atacava Símon, chutando-o e esmurrando-o, uma vez com tanta força que o garoto perdeu um dos dentes superiores e cuspiu sangue.

"Meu bom irmão Jesus, amigo de toda criança..."

Grímur estava errado sobre Mikkelína ser retardada. Símon tinha a impressão de que ela era mais inteligente do que todos eles juntos. Tinha certeza de que ela sabia falar, mas que não queria fazer isso. Tinha certeza de que escolhera o silêncio, pela maneira como ela se assustava, como os outros, com Grímur, talvez mais ainda porque, às vezes, Grímur falava sobre como eles deviam jogá-la no lixão junto com aquele carrinho desengonçado dela, que ela era inútil e ele estava cansado de vê-la comer sua comida sem fazer nada na casa, que ela era um fardo. Dizia que ela o transformava em motivo de riso, ele e a família toda, porque ela era uma retardada.

Grímur fazia questão que Mikkelína o ouvisse quando ele falava daquele jeito, e ria das tentativas ineficazes da mãe da menina de reduzir os insultos. Mikkelína não se importava com as coisas que ele dizia sobre ela nem com os xingamentos, mas não queria que a mãe sofresse por ela. Símon sabia disso só de olhar para ela. O relacionamento de Mikkelína com ele sempre fora muito próximo, mais próximo do que com o pequeno Tómas, que era um enigma, um solitário.

A mãe sabia que Mikkelína não era retardada. Fazia exercícios regulares com a menina, mas apenas quando Grímur não estava por perto. Ajudava-a a conseguir mais agilidade com as pernas. Levantava-lhe o braço doente, que era torcido para dentro e rijo, e esfregava o lado paralisado com um unguento que ela mesma preparava com ervas silvestres da colina. Achava, inclusive, que um dia Mikkelína voltaria a andar. Passava um braço em volta do corpo da menina e andava cambaleando para a frente e para trás com ela, dando-lhe incentivo e encorajamento.

Ela sempre falava com Mikkelína como se ela fosse uma criança normal e saudável, e dizia a Símon e Tómas para fazerem o mesmo. Incluía a menina em tudo o que faziam juntos quando Grímur não estava em casa. Mãe e filha entendiam-se bem. E seus irmãos a entendiam também. Cada movimento, cada expressão em seu rosto. As palavras eram supérfluas, mesmo que Mikkelína conhecesse as palavras e nunca as usasse. A mãe lhe ensinara a ler, e uma das coisas de que ela gostava mais do que ser levada ao sol era quando liam para ela.

Então, um dia, as palavras começaram a sair, no verão, depois que o mundo entrou em guerra e o exército britânico estabeleceu um acampamento na colina. Quando Símon estava carregando Mikkelína de volta para dentro de casa. Ela estivera excepcionalmente alegre durante o dia, mexendo nas orelhas e abrindo a boca e pondo a língua para fora. Símon já ia acomodá-la no divã na cozinha, porque estava começando a anoitecer e esfriando, quando Mikkelína de repente fez um barulho que assustou sua mãe a tal ponto que ela deixou cair um prato dentro da tina usada para lavar a louça, quebrando-o. Esquecendo por um instante o terror que geralmente tomava conta dela depois de fazer alguma coisa desastrada, ela se virou e olhou para Mikkelína.

"EMAAEMAAA", repetiu Mikkelína.

"Mikkelína!", exclamou a mãe, quase sem fôlego.

"EMAAEMAAA", gritou Mikkelína, balançando a cabeça com força, exultante com sua proeza.

A mãe caminhou lentamente na direção dela, como se incapaz de acreditar no que estava ouvindo, e então olhou boquiaberta para a filha, e Símon pensou ter visto lágrimas inundando os olhos dela.

"Maammmmaa", disse Mikkelína, e sua mãe tirou-a dos braços de Símon, deitando-a lenta e cuidadosamente em sua cama, acariciando-lhe a cabeça. Símon nunca tinha visto a mãe chorar. Não importava o que Grímur fizesse com ela, ela nunca chorava. Gritava de dor, pedia ajuda, implorava para que ele parasse ou levava as pancadas em silêncio, mas Símon nunca a vira chorar. Achando que ela devia estar aflita, passou o braço sobre ela, mas ela lhe disse para não se preocupar. Aquilo era a melhor coisa que poderia lhe ter acontecido na vida. Ele sabia que ela estava chorando não apenas por causa do estado de Mikkelína, mas também por aquilo que a filha acabara de alcançar, o que lhe proporcionou uma alegria maior do que ela jamais se permitira sentir.

Isso fora dois anos antes, e Mikkelína continuara a ampliar seu vocabulário e agora conseguia dizer frases inteiras, o rosto ficando vermelho como uma beterraba pela tensão, pondo a língua para fora e balançando a cabeça para a frente e para trás em espasmos tão furiosos por causa do esforço, que eles achavam que iria deslocar seu corpo mirrado. Grímur não sabia que ela conseguia falar. Mikkelína recusava-se a dizer qualquer coisa ao alcance do ouvido dele, e a mãe escondia dele o fato porque tentava não atrair a atenção dele para a menina, nem mesmo para seus triunfos. Eles fingiam que nada havia acontecido ou mudado. Umas poucas vezes Símon ouviu a mãe mencionar a Grímur com muita cautela que deveriam tentar procurar ajuda para Mikkelína. Que ela poderia adquirir mais mobilidade e ficar mais forte com a idade, e que parecia capaz de aprender. Ela sabia ler e estava aprendendo a escrever com a mão boa.

"Ela é uma retardada", disse Grímur. "Não pense que ela é mais do que uma retardada. E pare de me falar sobre ela."

Então ela parou, porque obedecia a Grímur em tudo. A única ajuda que Mikkelína recebera viera de sua mãe, e do que Símon e Tómas faziam por ela, carregando-a para o sol e brincando com ela.

Símon evitava o pai tanto quanto possível, mas de vez em quando era forçado a sair com ele. Depois que cresceu, Símon mostrou-se mais útil para Grímur, que o levava a Reykjavík e o fazia carregar provisões de volta para a colina. A viagem até a cidade levava duas horas, descendo até Grafarvogur, atravessando a ponte sobre Ellidaár e margeando os distritos de Sund e Laugarnes. Às vezes eles subiam até Háaleiti e atravessavam a área de Sogamýri. Símon mantinha-se a quatro ou cinco de seus passos curtos atrás de Grímur, que nunca falava com ele ou lhe dava qualquer tipo de atenção até carregá-lo com os suprimentos e mandar que os transportasse para casa. A viagem de volta poderia levar três ou quatro horas, dependendo do quanto Símon tinha que carregar. Às vezes Grímur ficava na cidade e não voltava para a colina durante dias.

Quando isso acontecia, uma certa felicidade reinava no ambiente doméstico.

Em suas viagens a Reykjavík, Símon descobriu um aspecto de Grímur que ele levou algum tempo para assimilar e que nunca entendeu completamente. Em casa, Grímur era mal-humorado e violento. Odiava que falassem com ele. Quando falava, era grosseiro e extremamente rude no modo como depreciava os filhos e a mãe deles. Obrigava-os a atender a todos os seus desejos, e ai de quem fizesse corpo mole! Mas ao tratar com qualquer outra pessoa, o monstro parecia mudar de pele e se tornar quase humano. Nas primeiras viagens de Símon à cidade, ele esperava ver Grímur agindo da mesma forma que em casa, rosnando palavrões ou dando murros. Temeu que isso acontecesse, mas não foi o caso. Pelo contrário. De repente, Grímur queria agradar a todo mundo. Tagarelou alegremente com o comerciante e se desfez em mesuras para as pessoas que entravam na loja. Dirigia-se a elas formalmente, até sorria. Apertava-lhes as mãos. Às vezes, quando encontrava algum conhecido, ele gargalhava — não aquela risada seca, rouca e estranha que às vezes soltava quando estava molestando a mulher. Quando as pessoas apontavam para Símon, Grímur pousava a mão sobre a cabeça do garoto e dizia que sim, era seu filho, tinha crescido muito. Símon a princípio se retraía, como se esperasse levar uma pancada, e Grímur fazia brincadeiras sobre isso.

Símon levou muito tempo para entender essa incompreensível duplicidade de Grímur. A nova postura de seu pai era irreconhecível. Não conseguia entender como Grímur podia ser uma pessoa em casa e um homem completamente diferente no momento em que saía de casa. Símon não conseguia entender como ele conseguia ser bajulador, subserviente e se curvar diante dos outros, cheio de respeito, quando em casa era o senhor supremo da vida e da morte. Quando Símon discutiu isso com a mãe, ela balançou a cabeça com ar cansado e lhe disse, como sempre, para ter cuidado com Grímur. Ter cuidado para não provocá-lo. Não importava quem o tivesse irritado, se Símon, Tómas ou Mikkelína, ou se alguma coisa o tinha enraivecido quando estava fora, Grímur quase invariavelmente descontava na mãe das crianças.

Às vezes passavam-se meses entre uma agressão e outra, até mesmo um ano inteiro, mas elas nunca cessaram realmente e às vezes eram bastante frequentes. Quase de uma semana para a outra. A intensidade de sua fúria variava. Às vezes era só um murro inesperado, às vezes tinha um ataque de raiva incontrolável, derrubando a mulher no chão e chutando-a impiedosamente.

E não era apenas a violência física que oprimia a família e o lar. A linguagem que ele usava era como um açoite no rosto. Os comentários ofensivos sobre Mikkelína, aquela aleijada idiota. As observações sarcásticas sobre o fato de Tómas fazer xixi na cama quase todas as noites. Ou quando Símon se comportava como um desgraçado preguiçoso. E tudo mais que a mãe deles era forçada a ouvir e que eles tentavam ignorar.

Grímur não se importava se os filhos o vissem espancando a mãe deles ou humilhando-a com palavras que feriam como facas afiadas.

No restante do tempo ele não lhes dava a menor atenção. Agia como se eles não existissem. Muito ocasionalmente jogava cartas com os meninos e até mesmo deixava Tómas ganhar. Às vezes, aos domingos, todos iam a pé até Reykjavík e ele comprava doces para os garotos. Mikkelína os acompanhava raras vezes, e Grímur conseguia uma carona no caminhão de carvão para que não precisassem carregá-la colina abaixo. Nesses passeios, que eram poucos e demoravam para ocorrer de novo, Símon sentia que seu pai era quase humano. Quase como um pai.

Nas raras ocasiões em que Símon via o pai como outra coisa que não um tirano, ele era misterioso e insondável. Certa vez, estava sentado à mesa da cozinha, bebendo café e olhando Tómas brincar no chão, e alisou o tampo da mesa com a palma da mão e pediu a Símon, que estava prestes a se esgueirar para fora da cozinha, que lhe trouxesse outra xícara de café. E enquanto Símon servia-lhe o café, ele disse:

"Eu fico furioso só de pensar nisto."

Símon ficou imóvel ao lado dele, segurando o bule com as mãos.

"Fico furioso", disse, ainda alisando a superfície da mesa.

Símon recuou lentamente e colocou o bule de novo no fogão.

Olhando para Tómas que brincava no chão, Grímur disse: "Fico furioso de pensar que eu não devia ser muito mais velho do que ele".

Símon jamais imaginara o pai mais jovem do que era naquela ocasião, ou que em algum momento ele pudesse ter sido diferente. Agora, de repente, ele se tornara uma criança como Tómas, e um lado completamente novo da personalidade do pai se revelava.

"Você e Tómas são amigos, não são?"

Símon assentiu com a cabeça.

"Não são?", ele repetiu, e Símon disse que sim.

O pai continuou alisando a mesa.

"Nós também éramos amigos."

Então ele ficou em silêncio.

"Aquela mulher", disse Grímur por fim. "Fui mandado para lá. Eu tinha a idade de Tómas. Passei anos lá."

Ficou em silêncio novamente.

"E o marido dela."

Parou de esfregar a mesa com a mão e cerrou o punho.

"Aquele filho da puta desgraçado. Aquele maldito filho da puta desgraçado."

Símon recuou lentamente. Então o pai pareceu recuperar a calma.

"Eu mesmo não entendo", disse. "E não consigo controlar."

Terminou o café, levantou-se, foi para o quarto e fechou a porta. No caminho, levantou Tómas do chão e o levou consigo.

Símon percebeu uma mudança na mãe à medida que os anos passavam e ele crescia, amadurecia e adquiria uma noção de responsabilidade. Não era uma mudança tão rápida quanto a de Grímur, quando ele de repente se transformava e se tornava quase humano. Ao contrário, sua mãe mudou de maneira gradual e sutil, durante um longo período, de muitos anos, e ele percebeu o significado por trás daquilo com uma sensibilidade de que poucos dispunham. Tinha a sensação crescente de que era uma mudança perigosa, não menos perigosa do que Grímur, e que inexplicavelmente seria responsabilidade dele intervir antes que fosse tarde demais. Mikkelína era fraca demais e Tómas, pequeno demais. Somente ele poderia ajudá-la.

Símon achava difícil entender aquela mudança ou o que ela significava, mas tornou-se mais consciente dela por volta da época em que Mikkelína gritou sua primeira palavra. O progresso de Mikkelína deixava a mãe imensamente alegre. Por um momento era como se a tristeza dela tivesse sido varrida, ela sorria e abraçava a menina e os dois meninos, e durante as semanas e os meses seguintes ajudou Mikkelína a aprender a falar, delician-do-se com cada um de seus pequenos avanços.

Mas não demorou para que a mãe voltasse à velha rotina, como se a tristeza que se afastara dela tivesse voltado muito mais intensa. Às vezes sentava-se na beirada da cama e ficava olhando fixamente para o vazio durante horas, depois de ter limpado ca-da partícula de poeira da casinha. Em um estado de amargura silenciosa, encarava o ar, os olhos semicerrados, a expressão infi-nitamente triste, perdida no mundo. Certa vez, depois que Grí-mur a esmurrara no rosto e saíra esbravejando de casa, Símon a encontrou segurando a faca de trinchar, com a palma da mão virada para cima, passando a lâmina lentamente sobre o punho. Quando o viu, ela deu um sorriso estranho e guardou a faca na gaveta.

"O que você está fazendo com essa faca?", perguntou Símon.

"Estou vendo se está afiada. Ele gosta que as facas fiquem sempre afiadas."

"Ele é completamente diferente na cidade", disse Símon. "Ele não é detestável quando está lá."

"Eu sei."

"Ele fica feliz lá. Ele sorri."

"Sim."

"Por que ele não é assim aqui em casa? Com a gente?"

"Eu não sei. Ele não se sente bem."

"Eu queria que ele fosse diferente. Eu queria que ele mor-resse."

A mãe olhou para ele.

"Nada disso. Não fale como ele. Você não deve pensar as-sim. Você não é como ele e nunca vai ser. Nem você nem Tómas. Nunca. Está ouvindo? Eu proíbo você de pensar assim. Você não deve pensar assim."

Símon olhou para a mãe.

"Fale sobre o pai de Mikkelína", disse. Símon ouvira-a algumas vezes falando sobre ele para Mikkelína e tentou imaginar como o mundo dela teria sido se ele não tivesse morrido e a deixado. Imaginava-se como filho desse homem em uma família na qual seu pai não era um monstro, mas um amigo e companheiro que amava os filhos.

"Ele morreu", disse a mãe com um leve tom de acusação na voz. "Só isso."

"Mas ele era diferente", disse Símon. "Você seria diferente."

"Se ele não tivesse morrido? Se Mikkelína não tivesse ficado doente? Se eu não tivesse conhecido o seu pai? De que adianta pensar nisso?"

"Por que ele é tão detestável?"

Ele sempre perguntava isso a ela, às vezes a mãe respondia, às vezes simplesmente não dizia nada, como se ela mesma tivesse buscado responder a essa pergunta durante anos sem nem haver chegado perto de conseguir. Ela apenas olhava além de Símon, sozinha no mundo, e falava consigo mesma, triste e desligada, como se nada do que dissesse ou fizesse importasse mais.

"Eu não sei. Só sei que não é culpa nossa. Não é culpa nossa. É alguma coisa dentro dele. No começo eu me culpava. Tentava encontrar alguma coisa que eu estivesse fazendo de errado que o deixava bravo, e tentava mudar isso. Mas eu nunca sabia o que era e nada do que eu mudasse fazia qualquer diferença. Parei de me culpar há muito tempo e não quero que você, Tómas ou Mikkelína achem que o jeito de agir dele é culpa de vocês. Mesmo quando ele xinga e maltrata vocês. Não é culpa de vocês."

Ela olhou para Símon.

"A pequena porção de poder que ele tem neste mundo, seu pai tem sobre nós, e não pretende renunciar ao que tem. Ele nunca vai fazer isso."

Símon olhou para a gaveta onde ficavam as facas.

"Não há nada que a gente possa fazer?"

"Não."

"O que você ia fazer com a faca?"

"Eu lhe disse. Estava vendo se ela estava afiada. Ele gosta das facas afiadas."

Símon perdoou a mãe por mentir porque sabia que ela tentava, como sempre, protegê-lo, defendê-lo, procurando garantir que a terrível vida familiar deles tivesse um mínimo efeito sobre ele.

Quando Grímur voltou para casa naquela noite, imundo de tanto mexer com carvão, ele estava excepcionalmente de bom humor, e começou a conversar com a mulher sobre algo que ouvira em Reykjavík. Ele se sentou em um banco na cozinha, mandou que ela lhe servisse café e disse que o nome dela havia surgido em uma conversa durante o trabalho. Ele não sabia o motivo, mas os carvoeiros estavam falando dela, dizendo que ela era uma daquelas. Uma das crianças do dia do juízo final concebidas na Companhia de Gás.

Ela manteve-se de costas para Grímur e não disse uma palavra. Símon sentou-se à mesa. Tómas e Mikkelína estavam lá fora.

"Na Companhia de Gás!?"

Então Grímur riu, uma risada feia e gorgolejante. Às vezes ele tossia um catarro preto devido ao pó do carvão, e ao redor dos olhos, boca e orelhas ficava tudo preto.

"Na orgia do dia do juízo final, dentro da porra do gasômetro!", gritou.

"Isso não é verdade", disse ela baixinho, e Símon ficou surpreso, porque raramente ele a via contestando qualquer coisa que Grímur dissesse. Ele olhou para a mãe e um calafrio percorreu-lhe a espinha.

"Eles treparam e beberam a noite toda porque acharam que o fim do mundo estava próximo, e foi daí que você veio, sua vaca."

"É mentira", disse ela, com mais firmeza do que antes, mas ainda sem levantar os olhos do que estava fazendo na pia. As costas permaneciam voltadas para Grímur e a cabeça dela afundou ainda mais sobre o peito e os pequenos ombros arquearam como se ela quisesse se esconder entre eles.

Grímur tinha parado de rir.

"Você está me chamando de mentiroso?"

"Não", respondeu ela, "mas não é verdade. É um engano."

Grímur levantou-se.

"É um engano", disse imitando a voz dela.

"Eu sei quando o gasômetro foi construído. Eu nasci antes disso."

"Não foi o que eu ouvi. Falaram que a sua mãe era uma puta e seu pai um vagabundo e que eles te jogaram na lata de lixo quando você nasceu."

A gaveta estava aberta e ela olhou dentro dela, e Símon a viu olhando fixamente para a grande faca de trinchar. Ela olhou para Símon e de novo para a faca, e pela primeira vez ele acreditou que ela seria capaz de usá-la.

12.

Skarphédinn tinha conseguido que uma enorme tenda branca fosse armada sobre o local da escavação, e quando Erlendur
entrou nela, saindo do sol da primavera, viu o progresso incrivel-
mente lento que eles tinham feito. Pela fundação haviam recor-
tado uma área de dez metros quadrados e o esqueleto estava em-
butido em uma das paredes. O braço ainda apontava para cima,
como antes, e dois homens estavam ajoelhados com escovas e colheres nas mãos, escavando cautelosamente a terra e jogando-a
em panelas.

"Isso não é um pouco de excesso de zelo?, perguntou Erlendur quando Skarphédinn aproximou-se para cumprimentá-lo.
"Desse jeito vocês não vão terminar nunca."

"Em uma escavação zelo nunca é demais", disse Skarphédinn, mais pomposo do que nunca, orgulhoso por seus métodos
estarem produzindo resultados. "E você, mais do que ninguém,
deveria ter consciência disso", acrescentou.

"Você não está usando isso apenas como treinamento de
campo?"

"Treinamento de campo?"

"Para os arqueólogos? Não é essa a disciplina que você ministra na universidade?"

"Escute, Erlendur. Estamos trabalhando metodicamente. Não há outra maneira de fazer isso. Pode acreditar em mim."

"Sim, talvez não haja pressa", disse Erlendur.

"Vamos acabar chegando lá", disse Skarphédinn, passando a língua nas presas.

"Me disseram que o patologista está na Espanha", comentou Erlendur. "Ele ainda deve demorar alguns dias. Então temos bastante tempo, acho."

"Quem pode ser, enterrado aí?", perguntou Elínborg.

"Não podemos determinar se é homem ou mulher, um corpo jovem ou velho", disse Skarphédinn. "E talvez não seja tarefa nossa dizer isso. Mas não creio que haja mais a menor dúvida de que foi assassinato."

"Poderia ser uma mulher jovem, grávida?", perguntou Erlendur.

"Vamos ter isso determinado em breve", disse Skarphédinn.

"Em breve?", disse Erlendur. "Não se continuarmos nesse ritmo."

"A paciência é uma virtude", disse Skarphédinn. "Lembre-se disso."

Erlendur teria lhe dito onde enfiar a virtude se Elínborg não tivesse interrompido.

"O assassinato não precisa ter ligação com este lugar", disse ela de repente. Ela havia concordado com a maior parte do que Sigurdur Óli dissera no dia anterior, quando eles começaram a criticar a excessiva preocupação de Erlendur com sua primeira intuição sobre os ossos: a de que a pessoa enterrada ali tinha morado na colina, até mesmo em um dos chalés. Na opinião de Sigurdur Óli, era estupidez concentrar-se em uma casa que havia lá e em pessoas que poderiam ter vivido ou não nessa casa. Erlendur estava no hospital quando Sigurdur Óli apresentou esses argumentos, e Elínborg decidiu ouvir a opinião de Erlendur a respeito.

"Ele poderia ter sido assassinado, digamos, na região oeste da cidade e ter sido trazido para cá", disse ela. "Não podemos ter certeza de que o assassinato foi realmente cometido na colina. Eu estava discutindo isso com Sigurdur Óli ontem."

Erlendur remexeu ostensivamente os bolsos do paletó até encontrar o isqueiro e o maço de cigarros. Skarphédinn lançou-lhe um olhar de desprezo.

"Não se fuma dentro da tenda", disse com rispidez.

"Vamos lá para fora", propôs Erlendur para Elínborg. "Não queremos fazer a virtude perder a paciência."

Eles saíram da tenda e Erlendur acendeu um cigarro.

"É claro que você está certa", disse ele. "De forma alguma está definido que o assassinato, se de fato foi um assassinato, foi cometido aqui. Até onde consigo perceber", prosseguiu, exalando uma espessa nuvem de fumaça, "temos três teorias igualmente plausíveis. A primeira, é a noiva de Benjamín Knudsen, que ficou grávida, desapareceu, e que todos pensaram ter se atirado no mar. Por algum motivo, possivelmente ciúme, como você diz, ele matou a garota e escondeu o corpo aqui ao lado de seu chalé; e nunca mais foi o mesmo depois disso. A segunda, alguém assassinado em Reykjavík, talvez até mesmo em Keflavík ou Akranes, enfim, em algum lugar próximo à cidade, foi trazido para cá, enterrado e esquecido. Terceira, existe a possibilidade de pessoas terem morado nesta colina, terem cometido o assassinato e enterrado o corpo bem perto da própria casa por não terem outro lugar para ir. Pode ter sido um viajante, um visitante, talvez um dos ingleses que vieram para cá na guerra e montaram acampamento do outro lado da colina, ou os americanos que assumiram depois, ou talvez um membro da própria família."

Erlendur jogou o toco do cigarro a seus pés e pisou nele com força.

"Não sei explicar por quê, mas sou a favor da última teoria. Aquela sobre a noiva de Benjamín seria a mais fácil, se pudermos ligar o DNA dela ao esqueleto. A terceira seria a mais difícil para nós, porque estaríamos falando de uma pessoa que desapareceu, supondo que isso tenha sido relatado, em uma área grande e populosa, sabe-se lá quantos anos atrás. Essa opção está completamente aberta."

"Se encontrarmos os restos de um embrião junto com o esqueleto, não teremos mais ou menos a resposta?", perguntou Elínborg.

"Seria uma solução excelente. A gravidez foi documentada?", perguntou Erlendur.

"Como assim?"

"Sabemos se ela realmente ocorreu?"

"Você está dizendo que Benjamín pode ter mentido? E que ela não estava grávida?"

"Não sei. Ela poderia estar grávida, mas não necessariamente dele."

"Ela o traiu?"

"Podemos especular sobre isso até o fim dos tempos antes que esses arqueólogos nos apresentem alguma coisa."

"O que pode ter acontecido com essa pessoa?", suspirou Elínborg, pensando nos ossos que estavam na terra.

"Talvez ela tenha merecido", disse Erlendur.

"O quê?"

"Essa pessoa. De toda forma, vamos esperar que sim. Vamos esperar que não tenha sido uma vítima inocente."

Seus pensamentos voltaram-se para Eva Lind. Ela merecia estar internada na unidade de terapia intensiva, mais morta do que viva? Aquilo era culpa dele? Alguém, além dela mesma, era o culpado? O estado em que ela se encontrava não era consequência do próprio comportamento dela? O vício em drogas não era um assunto todo dela? Ou será que ele tinha alguma parte naquilo? Ela estava convencida de que sim, e lhe dizia isso quando achava que ele estava sendo injusto com ela.

"Você nunca deveria ter nos deixado", ela gritou para ele certa vez. "Tudo bem, você me despreza. Mas você não é melhor do que eu. Você também é um maldito fracassado!"

"Eu não desprezo você", ele dissera, mas ela nem sequer ouviu o que ele falou.

"Você me despreza como se eu fosse um pedaço de bosta", ela gritou. "Como se você fosse mais importante do que eu. Como se fosse mais inteligente e melhor. Como se você fosse melhor do que eu, a mamãe e o Sindri! Abandonando a gente como se fosse um figurão, e depois ignorando a gente. Como se você fosse... como se você fosse um Deus Todo-Poderoso do caralho..."

"Eu tentei..."

"Tentou merda nenhuma! O que você tentou? Nada. Fodeu com tudo. Fugiu como o covarde que é."

"Eu nunca desprezei você", disse ele. "Isso não é verdade. Não entendo por que você está dizendo isso."

"Ah, entende, sim. Foi por isso que você foi embora. Porque a gente é comum demais. Tão comum que você não conseguiu aguentar a gente. Pergunta pra mamãe! Ela sabe. Ela diz que é tudo culpa sua. Tudo. Sua culpa. O estado em que eu estou também. O que você acha disso, senhor Deus Todo-Poderoso do caralho?"

"Nem tudo o que a sua mãe diz é verdade. Ela está com raiva, amargurada e..."

"Com raiva e amargurada! Se você soubesse realmente o quanto ela está com raiva, o quanto ela está amargurada e o quanto ela te odeia e odeia os filhos dela porque não foi culpa dela você ter ido embora, porque ela é a porra da Virgem Maria. Foi culpa NOSSA. Minha e do Sindri. Você não entende, seu idiota do cacete? Não entende, seu idiota do cacete...”

“Erlendur?”

“O quê?”

“Você está bem?”

“Estou bem. Perfeitamente bem.”

“Vou ver a filha de Róbert.” Elínborg agitou a mão na frente do rosto de Erlendur como se ele tivesse entrado em transe. “Você vai à embaixada britânica?”

“Hein?” Erlendur voltou a si. “Sim, vamos fazer desse jeito”, disse, distante. “Vamos fazer desse jeito. E mais uma coisa, Elínborg.”

“O que é?”

“Peça que o oficial médico volte aqui para dar uma olhada nos ossos assim que estiverem expostos. Skarphédinn não sabe distinguir um traseiro de um cotovelo. Cada vez mais ele me faz pensar em alguma monstruosidade saída das histórias dos irmãos Grimm.”

13.

Antes de ir para a embaixada britânica, Erlendur foi de carro até o bairro Vogar e estacionou a pouca distância do apartamento de porão onde Eva Lind havia morado e onde ele começara a busca por ela. Lembrou-se da criança que encontrou ali, com as queimaduras de cigarro no corpo. Erlendur sabia que a garota tinha sido tirada da mãe e estava sob custódia, e sabia que o homem com quem ela morava era o pai. Uma rápida investigação revelou que a mãe tinha estado duas vezes no pronto-socorro no ano passado: em uma das ocasiões, com um braço quebrado e, na outra, com múltiplos ferimentos que ela declarou terem sido causados por um acidente de carro.

Outra verificação simples mostrou que o companheiro da mulher tinha uma ficha criminal, embora nada constasse em relação à violência. Ele estava aguardando sentença por acusações de roubo e tráfico de drogas. Já estivera na prisão por causa de uma série de crimes menores. Um deles foi um malsucedido roubo a uma loja.

Erlendur ficou sentado no carro durante um bom tempo, observando a porta do apartamento. Evitou fumar e estava prestes a ir embora quando a porta se abriu. Um homem saiu, envolto na fumaça de um cigarro, cujas cinzas ele bateu no jardim da frente. Tinha altura mediana, corpulento, cabelo comprido preto, completamente vestido de preto. Sua aparência se encaixava na descrição dos relatórios policiais. Assim que o homem virou a esquina, Erlendur deu a partida no carro e saiu discretamente.

A filha de Róbert recebeu Elínborg na porta. Elínborg tinha telefonado antes. A mulher, cujo nome era Harpa, estava confinada em uma cadeira de rodas, as pernas mirradas e inertes, mas o tronco e os braços eram fortes. Elínborg ficou um tanto surpresa, porém não disse nada. Harpa sorriu e a convidou para entrar. Deixou a porta aberta, e Elínborg entrou e fechou-a atrás de si. O apartamento era pequeno mas aconchegante, adaptado para sua proprietária.

"Lamento por seu pai", disse Elínborg, seguindo Harpa até a sala de estar.

"Obrigada", disse a mulher na cadeira de rodas. "Ele era muito velho. Espero que eu não viva tanto tempo. Não há nada que eu odiaria mais do que me tornar paciente de um asilo, à espera da morte. Desaparecendo aos poucos."

"Estamos fazendo uma investigação sobre pessoas que podem ter morado em um chalé em Grafarholt, no lado norte", disse Elínborg. "Não muito longe do seu. Na época da guerra, mais ou menos. Falamos com seu pai brevemente antes de ele morrer, e ele nos contou que sabia sobre uma família que morava lá, mas infelizmente não pôde nos contar muito mais que isso."

Elínborg pensou na máscara sobre o rosto de Róbert. Na falta de ar e nas mãos anêmicas dele.

"Você mencionou que encontraram alguns ossos", disse Harpa, afastando o cabelo que lhe caíra sobre a testa. "Aqueles que apareceram no noticiário."

"Sim, encontramos um esqueleto lá e estamos tentando descobrir de quem pode ser. Você se lembra dessa família sobre a qual seu pai falou?"

"Eu tinha sete anos quando a guerra chegou à Islândia", disse Harpa. "Eu me lembro dos soldados em Reykjavík. Nós morávamos no centro da cidade, mas eu não tinha a menor ideia do que era aquilo tudo. Eles estavam na colina também. Do lado sul. Construíram um alojamento para os soldados e uma casamata. Havia uma enorme abertura nela de onde saía o cano enorme de um canhão. Tudo muito impressionante. Nossos pais nos disseram para ficar longe daquele lugar, meu irmão e eu. Eu tenho uma vaga lembrança de cercas ao redor. Arame farpado. A gente não ia muito para lá. Passávamos muito tempo no chalé que papai construiu, a maior parte das vezes durante o verão, e naturalmente acabamos conhecendo um pouco os vizinhos."

"Seu pai disse que havia três crianças naquela casa. Elas deveriam ter mais ou menos a sua idade." Elínborg olhou para a cadeira de rodas de Harpa. "Talvez você não saísse muito."

"Ah, não", disse Harpa, batendo com os nós dos dedos na cadeira de rodas. "Isto aconteceu depois. Um acidente de carro. Eu tinha trinta anos. Não me lembro de crianças na colina. Lembro-me de crianças em outros chalés, mas não lá em cima."

"Há alguns arbustos de groselha plantados perto do lugar da antiga casa, onde encontramos os ossos. Seu pai mencionou uma mulher que ia lá, mais tarde, acho. Ela ia muito lá... pelo menos eu acho que ele disse isso... provavelmente vestida de verde, e ela era deformada."

"Deformada?"

"Foi o que ele disse, ou melhor, escreveu."

Elínborg tirou o papel em que Róbert havia escrito e entregou-o a ela.

"Parece que isso foi quando vocês ainda tinham o chalé", continuou Elínborg. "Pelo que sei, vocês o venderam depois de 1970."

"Em 1972", disse Harpa.

"Você chegou a ver essa mulher?"

"Não, e nunca ouvi papai falar dela. Lamento não poder ajudar, mas nunca vi essa mulher e não sei nada sobre ela, embora eu me lembre que havia pessoas no lugar ao qual você se refere."

"Você faz ideia do que seu pai quis dizer com essa palavra? Deformada?"

"Exatamente isso. Ele sempre falava exatamente o que queria dizer, nada além. Era um homem bastante categórico. Um bom homem. Bom para mim. Depois do meu acidente. E quando meu marido me deixou — ele ainda ficou durante três anos depois do acidente, depois foi embora."

Elínborg pensou ter notado um sorriso, mas não havia sorriso nenhum no rosto dela.

O funcionário da embaixada britânica cumprimentou-o com tamanha polidez e respeito que Erlendur quase agradeceu com uma mesura. Disse que era o secretário. Vestido com um terno impecável e sapatos de couro preto que brilhavam de tão engraxados, era muito alto e magro e falava islandês de maneira precisa, para deleite de Erlendur, que falava mal inglês e entendia muito pouco essa língua. Suspirou aliviado ao perceber que se um dos dois iria dar uma impressão levemente afetada na conversa, seria o secretário.

O escritório era tão impecável quanto o próprio secretário, e Erlendur pensou em seu próprio local de trabalho, que sempre parecia ter sido atingido por uma bomba. O secretário — "Pode me chamar de Jim", disse ele — ofereceu-lhe uma cadeira.

"Eu adoro o modo informal que vocês adotam aqui na Islândia", disse Jim.

"Você mora aqui há muito tempo?", perguntou Erlendur, sem saber bem por que estava se comportando como uma velha dama em um chá da tarde.

"Sim, há quase vinte anos", respondeu Jim. "Obrigado por perguntar. Acontece que tenho um interesse especial pela Segunda Guerra Mundial. Quero dizer, pela Segunda Guerra Mundial na Islândia. Fiz meu mestrado sobre isso na London School of Economics. Quando o senhor telefonou a respeito do quartel, achei que poderia ajudá-lo."

"O seu domínio da língua é ótimo."

"Obrigado, minha mulher é islandesa."

"E quanto aos quartéis?", perguntou Erlendur, indo ao ponto.

"Bem, não tive muito tempo, mas encontrei alguns relatórios na embaixada sobre os quartéis que construímos durante a guerra. Talvez precisemos buscar mais informações. O senhor é quem vai decidir isso. Havia um quartel no local onde hoje é o campo de golfe de Grafarholt."

Jim pegou algumas folhas de papel que estavam sobre a mesa e as folheou.

"Havia também uma fortificação ali. Ou uma casamata? Uma torre. Um canhão enorme. Um pelotão do 12º Batalhão Escocês de Tyneside operava o canhão, porém ainda não descobri quem estava no quartel. A mim me parece um depósito. O porquê de sua localização na colina, eu não sei, mas havia acampamentos e casamatas por toda a parte lá, no caminho para Mosfellsdalur, em Kollafjördur e Hvalfjördur.

"Estávamos nos perguntando se não haveria alguma pessoa desaparecida na colina, como eu lhe disse pelo telefone. Você sabe se algum soldado que estava lá se perdeu ou foi dado como desaparecido?"

"O senhor acha que o esqueleto que encontraram pode ser de um soldado britânico?"

"Talvez não seja muito provável, mas achamos que o corpo foi enterrado durante a guerra, e se os britânicos estavam na área, seria uma boa ideia poder, pelo menos, descartá-los."

"Vou verificar para o senhor, mas não sei por quanto tempo eles mantêm esses registros. Acho que os americanos assumiram o acampamento, como tudo o mais, depois que saímos, em 1941. A maior parte das nossas tropas foi enviada para outros países, mas não todas."

"Então os americanos é quem cuidavam do acampamento?"

"Vou verificar isso também. Posso falar com a embaixada americana a respeito e ver o que eles dizem. Isso pode lhe economizar o tempo de ir até lá."

"Vocês tinham uma polícia militar aqui."

"Exatamente. Seria o melhor lugar por onde começar. Vai levar alguns dias. Talvez semanas."

"Nós temos muito tempo", disse Erlendur, pensando em Skarphédinn.

Sigurdur Óli estava completamente entediado de remexer na papelada de Benjamín. Elsa o recebera na porta, mostrara-lhe o caminho para o porão e o deixara lá, e ele passou quatro horas lá, revirando armários, gavetas e inúmeras caixas, sem saber exatamente o que estava procurando. Bergthóra ocupava seus pensamentos. Ele se perguntava se, quando chegasse em casa, ela se mostraria a mesma ninfomaníaca que vinha sendo nas últimas semanas. Estava decidido a perguntar-lhe sem rodeios se havia algum motivo especial para aquele repentino apetite por ele, e se esse motivo poderia ser apenas o fato de ela querer um bebê. Mas ele sabia que essa questão significaria entrar em um outro assunto que eles já tinham discutido algumas vezes sem chegar a nenhuma conclusão: será que não era hora de eles se casarem com toda a cerimônia de praxe?

Essa era a pergunta que queimava nos lábios dela entre os beijos apaixonados com os quais ela o cobria. Ele ainda não estava seguro sobre esse assunto e sempre esquivava-se da resposta. Sua linha de raciocínio era: a vida em comum deles ia muito bem, o amor estava florescendo, por que estragar tudo com um casamento? Toda aquela agitação. Despedida de solteiro. Entrar na igreja. Todos aqueles convidados. Preservativos cheios de ar como bexigas na suíte nupcial. De um mau gosto indescritível. Bergthóra não queria a conversa mole de uma cerimônia civil. Ela falava de fogos de artifício e belas lembranças para acalentá-la na velhice. Sigurdur Óli resmungava. Achava cedo demais pensar em velhice. O problema estava sem solução, era óbvio que ele é quem deveria resolvê-lo e Sigurdur Óli não tinha a menor ideia do que queria, embora soubesse que não desejava um casamento na igreja e também não queria magoar Bergthóra.

Da mesma forma que Erlendur, ao ler as cartas, ele percebeu o verdadeiro amor e o carinho de Benjamín pela garota que um dia havia desaparecido nas ruas de Reykjavík e que teria se atirado no mar. *Minha adorada. Querida. Que saudades sinto de você.*

Quanto amor, pensou Sigurdur Óli.

Seria algo capaz de matar?

A maior parte dos papéis se referia à loja de Knudsen, e Sigurdur Óli já tinha perdido a esperança de encontrar qualquer coisa remotamente útil, quando tirou um pedaço de papel de um dos velhos arquivos e leu:

Höskuldur Thórarinsson.
Adiantamento de aluguel por Grafarholt.
8 coroas.
Assinado *Benjamín Knudsen.*

Erlendur estava saindo da embaixada quando seu celular tocou.

"Encontrei um inquilino", disse Sigurdur Óli. "Acho."

"De quê?", perguntou Erlendur.

"Do chalé. Estou saindo do porão de Benjamín. Nunca vi tanta bagunça na minha vida. Encontrei um papel que indica que um certo Höskuldur Thórarinsson pagou aluguel em Grafarholt."

"Höskuldur?"

"Sim, Thórarinsson."

"Qual é a data no papel?"

"Sem data. Sem ano. Na verdade é uma nota fiscal da loja de Knudsen. O recibo do aluguel está escrito no verso. E também encontrei as notas do que podem ser materiais de construção para o chalé. Tudo foi cobrado da loja e as notas são de 1938. Ele pode ter começado a construir o chalé nessa época ou já estar trabalhando nele."

"Em que ano ele disse que a noiva desapareceu?"

"Espera um pouco, eu tenho anotado aqui." Erlendur esperou enquanto Sigurdur Óli verificava. Ele fazia anotações durante as reuniões, uma prática que Erlendur nunca conseguira dominar. Podia ouvir Sigurdur Óli folheando papéis e voltando ao telefone.

"Ela desapareceu em 1940. Na primavera."

"Então Benjamín está construindo seu chalé até esse momento, depois desiste e aluga o local."

"E Höskuldur é um dos inquilinos."

"Você descobriu mais alguma coisa sobre esse tal de Höskuldur?"

"Não, ainda não. A gente não deveria investigar esse sujeito?", perguntou Sigurdur Óli, na esperança de escapar do porão.

"Eu vou investigar", disse Erlendur, e para desapontamento de Sigurdur Óli acrescentou: "Veja se você consegue encontrar mais alguma coisa sobre ele ou sobre qualquer outra pessoa no meio dessa bagunça. Se apareceu um recibo, pode ser que haja outros."

14.

Erlendur ficou sentado ao lado da cama de Eva Lind por um bom tempo depois que voltou da embaixada, e pensou bem sobre o que queria falar. Ele não tinha ideia do que dizer a ela. Fez diversas tentativas, em vão. Desde o momento em que o médico disse que ajudaria conversar com ela, Erlendur se viu repetidamente pensando no que dizer, mas nunca chegava a uma conclusão.

Começou a falar sobre o tempo, mas logo desistiu disso. Então descreveu Sigurdur Óli e disse a ela como ele parecia cansado ultimamente. Mas não havia muito mais a contar sobre ele. Tentou encontrar alguma coisa para dizer sobre Elínborg, mas desistiu disso também. Então contou a ela sobre a noiva de Benjamín Knudsen, que supostamente havia se afogado, e sobre as cartas de amor que ele encontrara no porão do comerciante.

Contou a Eva Lind que tinha visto a mãe dela ali, sentada ao lado da cama.

Então ficou em silêncio.

"Qual é o problema entre você e a mamãe?", Eva Lind perguntou certa vez quando fora visitá-lo. "Por que vocês não conversam?"

Sindri Snaer tinha ido com ela, mas não ficou muito tempo, deixando os dois sozinhos assim que a noite caiu. Era dezembro e havia canções de Natal no rádio, que Erlendur desligou e Eva Lind ligou novamente, dizendo que queria ouvi-las. Ela já estava com a gravidez adiantada e sem se drogar por algum tempo, e como de costume, quando se sentava com ele, começava a falar sobre a família que não teve. Sindri Snaer nunca falava sobre isso, nem sobre a mãe ou a irmã, ou sobre tudo que nunca aconteceu. Ficava quieto ou era evasivo quando Erlendur conversava com ele. Não se importava com o pai. Essa era a diferença entre irmã e irmão. Eva Lind queria conhecer o pai e não desistia da ideia de considerá-lo responsável.

"Sua mãe?", disse Erlendur. "Não podemos desligar essas musiquinhas de Natal?"

Ele estava tentando ganhar tempo. A sondagem que Eva fazia do passado sempre o deixava em um dilema. Ele não sabia que respostas dar a ela sobre o casamento que durou pouco, os filhos que tiveram, o porquê de ele ter ido embora. Não tinha respostas para todas as perguntas dela, e às vezes isso a enfurecia. Ela tinha o pavio curto para assuntos que diziam respeito a sua família.

"Não, eu quero ouvir canções de Natal", disse Eva Lind, e Bing Crosby continuou sonhando com um Natal com neve. "Eu nunca, jamais a ouvi dizer uma única coisa boa sobre você, mas mesmo assim ela deve ter visto alguma coisa em você. No começo. Quando vocês se conheceram. O que foi?"

"Você perguntou a ela?"

"Perguntei."

"E o que ela disse?"

"Nada. Isso significaria que ela seria obrigada a dizer alguma coisa positiva a seu respeito, e isso ela não aguenta. Ela não aguenta a ideia de haver alguma coisa boa a seu respeito. O que foi, hein? Por que vocês dois se juntaram?"

"Eu não sei", respondeu Erlendur, e estava sendo sincero. Tentou ser honesto. "Nós nos conhecemos em um baile. Eu não sei. Não foi nada planejado. Simplesmente aconteceu."

"O que se passava pela sua cabeça?"

Erlendur não respondeu. Pensou em crianças que nunca haviam conhecido seus pais, que nunca haviam descoberto quem eles realmente eram. Tinham entrado na vida deles no meio do caminho e não faziam a menor ideia de quem eles eram. Nunca chegaram a conhecê-los, a não ser como pai, mãe, autoridade e proteção. Nunca descobriram seus segredos partilhados e particulares, o que resultara em pais tão desconhecidos quanto qualquer outra pessoa que os filhos viessem a conhecer na vida. Pensou em como os pais conseguiam manter o controle sobre os filhos até só restar comportamento educado adquirido, com uma sinceridade artificial que se originava na experiência comum e não no amor verdadeiro.

"O que se passava pela sua cabeça?" As perguntas de Eva Lind abriam feridas que ela cutucava constantemente.

"Eu não sei", respondia Erlendur, mantendo-a à distância como sempre. Ela sentia isso. Talvez agisse daquela maneira para provocar essa reação. Para obter mais uma confirmação. Para sentir como ele estava afastado dela e como ela estava longe de entendê-lo.

"Você deve ter visto *alguma coisa* nela."

Como ela poderia entender se ele mesmo às vezes não entendia?

"Nós nos conhecemos em um baile", ele repetiu. "Acho que não poderia haver nenhum futuro nisso."

"E daí você simplesmente foi embora."

"Eu não fui simplesmente embora", disse Erlendur. "Não foi assim. Mas no final eu fui embora e tudo acabou. Nós não conseguimos... eu não sei. Talvez não haja uma maneira certa. Se há, nós não encontramos."

"Mas não tinha acabado", disse Eva Lind.

"Não", disse Erlendur. Ele ouvia Bing Crosby no rádio. Pela janela via os grandes flocos de neve voando sobre a terra. Olhou para a filha. As argolas que perfuravam suas sobrancelhas. O piercing de metal no nariz. Suas botas militares em cima da mesa do café. A sujeira sob as unhas. A barriga, que estava começando a aumentar, aparecendo sob a camiseta preta.

"Nunca acaba", disse ele.

Höskuldur Thórarinsson morava em um apartamento no porão da elegante casa de sua filha em Árbaer e dava a impressão de estar de bem com a vida. Era um homem pequeno e ágil, com cabelo prateado e uma barba grisalha ao redor da boca pequena, que vestia uma camisa xadrez e calças de veludo bege. Foi Elínborg quem o encontrou. Não havia muitas pessoas no registro de cidadãos com o nome Höskuldur que tivessem passado da idade da aposentadoria. Ela telefonou para a maioria delas, em todos os lugares da Islândia, e esse Höskuldur de Árbaer lhe disse que sim, que ele havia tido um locador chamado Benjamín Knudsen, pobre e velho amigo. Ele se lembrava bem, embora não tivesse passado muito tempo no chalé da colina.

Eles se sentaram na sala de estar, Erlendur e Elínborg, e Höskuldur fizera café e eles conversaram sobre várias coisas. Ele lhes contou que nascera e fora criado em Reykjavík, depois começou a reclamar de como os malditos conservadores estavam acabando com a vida dos pensionistas como se estes fossem um bando de preguiçosos que não pudessem cuidar de si mesmos. Erlendur decidiu encurtar as divagações do velhinho.

"Por que o senhor se mudou para a colina? Não era um ambiente muito rural para alguém de Reykjavík?"

"Pode apostar que sim", disse Höskuldur enquanto lhes servia café. "Mas não havia alternativa. Não para mim. Naquela época não se encontravam casas em lugar algum de Reykjavík. As pessoas se amontoaram em lugares minúsculos durante a guerra. De uma hora para a outra, todos os caipiras podiam vir para a cidade e ganhar muito dinheiro, em vez de receberem como pagamento uma tigela de coalho e uma garrafa de bebida. Dormiam em barracas se fosse preciso. O preço dos aluguéis subiu demais e eu me mudei para a colina. O que são aqueles ossos que vocês encontraram lá?"

"Quando o senhor se mudou para a colina?", perguntou Elínborg.

"Deve ter sido por volta de 1943, acho. Ou 44. Acho que foi no outono. No meio da guerra."

"Durante quanto tempo o senhor morou lá?"

"Fiquei lá durante um ano. Até o outono seguinte."

"O senhor morava sozinho?"

"Com minha mulher. Minha querida Ellý. Ela já faleceu."

"Quando ela morreu?"

"Há três anos. Você acha que eu a enterrei lá na colina? Acha que eu sou esse tipo de pessoa, querida?"

"Não conseguimos encontrar registros de ninguém que tenha morado naquela casa", disse Elínborg sem responder. "Nem do senhor, nem de qualquer outra pessoa. O senhor não registrou domicílio lá."

"Eu não me lembro de como foi. Nós nunca nos registramos. Éramos sem-teto. Os outros podiam pagar mais do que nós, então fiquei sabendo do chalé de Benjamín e falei com ele.

Os inquilinos dele tinham acabado de sair e ele ficou com pena de mim."

"Sabe quem eram esses inquilinos? Os que moraram lá antes do senhor?"

"Não, mas lembro que o lugar estava impecável quando nos mudamos." Höskuldur terminou sua xícara de café, serviu-se de mais e tomou um gole. "Nos trinques."

"Como assim, nos trinques?"

"Bom, eu me lembro de Ellý comentando especificamente sobre isso. Ela gostou muito. Tudo limpo e arrumado, sem um único cantinho empoeirado. Era como se estivéssemos nos mudando para um hotel. Não que a gente fosse desleixado, veja bem. Mas é que aquele lugar estava excepcionalmente bem cuidado. A minha Ellý disse que aquilo era sinal de uma dona de casa que entendia muito bem do que fazia."

"Então o senhor nunca viu sinais de violência ou coisa parecida?", perguntou Erlendur, que até então tinha ficado em silêncio. "Manchas de sangue nas paredes, por exemplo."

Elínborg olhou para ele. Será que ele estava provocando o velhinho?

"Sangue? Nas paredes? Não, não havia sangue nenhum."

"Tudo estava em ordem então?"

"Tudo em ordem. Sem dúvida."

"Havia arbustos perto da casa quando o senhor esteve lá?"

"Havia alguns arbustos de groselha, sim. Eu me lembro bem, porque eles estavam carregados de frutos naquele outono, e fizemos geleia com eles."

"Não foi o senhor quem os plantou? Ou sua mulher, Ellý?"

"Não, não fomos nós. Já estavam lá quando nos mudamos."

"O senhor não consegue imaginar de quem podem ter sido os ossos que encontramos enterrados lá?", perguntou Erlendur.

"Esse é o motivo de vocês estarem aqui? Para descobrir se eu matei alguém?"

"Nós achamos que um corpo humano foi enterrado lá em algum momento durante a guerra, ou perto disso", disse Erlendur. "Mas o senhor não é suspeito de assassinato. Longe disso. O senhor alguma vez conversou com Benjamín sobre as pessoas que moraram no chalé antes de vocês?"

"Por acaso, sim", respondeu Höskuldur. "Uma vez, quando eu estava pagando o aluguel e elogiando a condição impecável em que os inquilinos anteriores tinham deixado a casa. Mas ele não pareceu interessado. Um homem misterioso. Perdeu a mulher. Ela se jogou no mar, foi o que eu ouvi dizer."

"Noiva. Eles não eram casados. O senhor se lembra das tropas britânicas acampadas na colina? Ou melhor, dos americanos, àquela altura da guerra?"

"Estava lotado de britânicos depois da ocupação em 1940. Eles montaram um quartel do outro lado da colina e tinham um canhão para defender Reykjavík contra um ataque. Sempre achei uma piada, mas Ellý me dizia para não zombar. Então os britânicos foram embora e os americanos assumiram. Eles estavam acampados na colina quando me mudei para lá. Os britânicos tinham partido anos antes."

"O senhor chegou a conhecê-los?"

"Muito mal. Eles eram muito reservados. Não fediam tanto quanto os britânicos, é o que a minha Ellý dizia. Muito mais limpos e inteligentes. Muito mais elegantes do que os outros. Como nos filmes. Clark Gable. Ou Cary Grant."

Cary Grant era inglês, pensou Erlendur, mas não se deu ao trabalho de corrigir o sabe-tudo. Reparou que Elínborg também ignorou o engano.

"Construíram quartéis melhores também", continuou Höskuldur sem se abalar. "Muito melhores do que os dos britânicos.

Os americanos concretavam os pisos, não usavam pranchas podres como os britânicos. Lugares muito melhores para se morar. Os americanos davam um toque em tudo. Tudo muito melhor e mais inteligente."

"Sabe quem foi morar no chalé quando o senhor e Ellý saíram?", perguntou Erlendur.

"Sim, nós mostramos o lugar a eles. Ele trabalhava em uma fazenda em Gufunes, tinha mulher, dois filhos e um cachorro. Pessoas encantadoras, mas não consigo lembrar o nome deles de jeito nenhum."

"O senhor sabe alguma coisa sobre as pessoas que moraram lá antes, que deixaram a casa em boas condições?"

"Apenas o que Benjamín me contou quando eu comecei a falar sobre como a casa tinha sido bem cuidada, dizendo-lhe que Ellý e eu iríamos manter o padrão de cuidado."

Erlendur aguçou os ouvidos e Elínborg endireitou o corpo. Höskuldur ficou em silêncio.

"E o que foi?", perguntou Erlendur.

"O que ele disse? Foi sobre a esposa." Höskuldur fez outra pausa e tomou um gole de café. Erlendur esperou com impaciência ele terminar a história. Sua ansiedade não passou despercebida a Höskuldur, que sabia que o detetive iria implorar para que ele continuasse.

"Foi uma coisa muito interessante, pode ter certeza", disse Höskuldur. A polícia não iria embora de mãos vazias. Não com Höskuldur ali. Ele bebericou o café mais uma vez, sem se apressar.

Meu Deus, pensou Elínborg. Será que o velhote nunca vai dizer o que sabe? Ela já estava farta de velhos fósseis que ou morriam na frente dela ou se davam ares de importância.

"Ele achava que o marido dava umas tundas nela."

"Tundas?", repetiu Erlendur.

"Como é que se chama hoje em dia? Violência doméstica?"

"Ele batia na mulher?", perguntou Erlendur.

"Foi o que Benjamín disse. Um desses que batem na mulher e nos filhos também. Eu nunca ergui um dedo contra a minha Ellý."

"Ele lhe disse o nome deles?"

"Não, e se disse eu esqueci há muito tempo. Mas ele me contou outra coisa em que eu tenho pensado bastante desde aquele tempo. Ele disse que ela, a mulher do sujeito, foi concebida no velho gasômetro em Raudarárstígur. Perto de Hlemmur. Pelo menos era o que eles diziam. Do mesmo jeito que diziam que Benjamín tinha matado a esposa, quero dizer, a noiva."

"Benjamín? O gasômetro? Do que o senhor está falando?" Erlendur estava completamente perdido. "As pessoas diziam que Benjamín tinha matado a noiva?"

"Algumas achavam que sim. Naquela época. Ele mesmo dizia."

"Que tinha matado a noiva?"

"Que as pessoas achavam que ele tinha feito alguma coisa com ela. Ele não dizia que a tinha matado. Nunca me disse isso. Eu o conhecia muito pouco. Mas ele tinha certeza de que as pessoas desconfiavam dele e eu me lembro de que houve alguns falatórios sobre ciúmes."

"Fofoca?"

"Tudo fofoca, claro. A gente adora isso. Adora dizer coisas desagradáveis sobre as pessoas."

"Mas espere um pouco, que história é essa do gasômetro?"

"Esse é o melhor boato de todos. Você não sabe? As pessoas acharam que o fim do mundo estava próximo então fizeram uma orgia no gasômetro que durou a noite toda. Várias crianças nasceram depois desse dia, e essa mulher era uma delas, ou pelo menos era isso o que Benjamín pensava. Eram chamadas de crianças do dia do juízo final."

Erlendur olhou para Elínborg e de novo para Höskuldur.

"O senhor está brincando comigo?"

Höskuldur fez que não com a cabeça.

"Foi por causa do cometa. As pessoas achavam que ele ia colidir com a Terra."

"Que cometa?"

"O cometa Halley, é claro!", quase gritou o sabe-tudo, ultrajado pela ignorância de Erlendur. "O cometa Halley! As pessoas achavam que a Terra iria colidir com ele e ser consumida pelo fogo do inferno!"

15.

Um pouco antes, nesse mesmo dia, Elínborg tinha localizado a irmã da noiva de Benjamín, e quando ela e Erlendur deixaram Höskuldur, ela lhe disse que queria visitar a mulher. Erlendur concordou, dizendo que iria até a Biblioteca Nacional tentar encontrar artigos em jornais sobre o cometa Halley. É que, como acontece com a maioria dos sabichões, Höskuldur não sabia muito sobre o que realmente havia acontecido. Ele começou a fazer rodeios até que Erlendur perdeu a paciência e foi embora de maneira bastante abrupta.

"O que você acha do que Höskuldur disse?", Erlendur perguntou a ela quando voltaram ao carro.

"Aquela história do gasômetro é absurda", disse Elínborg. "Vai ser interessante ver o que você consegue descobrir. Mas, é claro, o que ele disse sobre fofoca é perfeitamente verdadeiro. Temos um prazer especial em contar histórias desagradáveis das outras pessoas. O boato não diz nada sobre Benjamín ser realmente um assassino, e você sabe disso."

"Sim, mas como é mesmo aquele ditado? Onde há fumaça há fogo?"

"Ditados", murmurou Elínborg. "Vou perguntar para a irmã dela. Diga-me uma outra coisa: como está Eva Lind?"

"Está lá na cama. Parece que está dormindo calmamente. O médico me falou para conversar com ela."

"Conversar com ela?"

"Ele acha que ela consegue ouvir vozes mesmo em coma, e que isso é bom para ela."

"E sobre o que você conversa com ela?"

"Pouca coisa", disse Erlendur. "Não tenho a menor ideia do que dizer."

A irmã da noiva de Benjamín tinha ouvido os boatos, mas negou de modo categórico que houvesse qualquer fundo de verdade neles. O nome dela era Bára e ela era consideravelmente mais jovem do que a que havia desaparecido. Morava em uma casa enorme em Grafarvogur, ainda era casada com um rico atacadista e vivia de maneira suntuosa, que se expressava em uma mobília extravagante, nas joias caras que usava e em sua atitude condescendente com a detetive que agora estava em sua sala de visitas. Elínborg, que por telefone havia adiantado o assunto sobre o qual queria conversar, achou que aquela mulher nunca tinha tido problemas com dinheiro, sempre dando a si própria tudo o que quisesse e que nunca precisara se associar com ninguém que não fossem pessoas de seu próprio tipo. Provavelmente havia desistido de se preocupar com qualquer coisa fazia muito tempo. Teve a sensação de que essa era a vida que aguardava a irmã de Bára na época em que ela desapareceu.

"Minha irmã gostava muito de Benjamín, algo que eu realmente nunca entendi. Ele me parecia terrivelmente enfadonho. Não era um problema de origem, é claro. Os Knudsen são a família mais antiga de Reykjavík. Mas ele não era do tipo que entusiasmasse."

Elínborg sorriu. Ela não sabia o que aquela mulher queria dizer. Bára percebeu.

"Um sonhador. Raras vezes punha os pés no chão, com seus grandes projetos de varejo, que, é claro, vieram a acontecer anos atrás, embora ele não tivesse vivido para aproveitá-los. E era gentil com as pessoas comuns. Suas empregadas não precisavam tratá-lo por 'senhor'. As pessoas agora pararam com isso. Nada mais de cortesias. E nada mais de empregadas também."

Bára limpou um cisco imaginário da mesa de café. Elínborg notou alguns quadros enormes em um dos cantos da sala, retratos separados de Bára e do marido. O marido parecia bastante taciturno e abatido, perdido em pensamentos. Bára parecia ter um sorriso insinuante no rosto perfeito, e Elínborg não pôde deixar de pensar que ela fora a vitoriosa daquele casamento. Teve pena do homem no quadro.

"Se você acha que ele matou a minha irmã, está batendo na porta errada", disse Bára. "Aqueles ossos que você disse ter sido encontrados perto do chalé não são dela."

"Como pode ter certeza disso?"

"Eu simplesmente sei. Benjamín não machucaria uma mosca. Era um banana. Um sonhador, como eu disse. Isso ficou óbvio quando ela desapareceu. O homem desmoronou. Parou de se preocupar com os negócios. Desistiu da vida social. Desistiu de tudo. Nunca superou o que aconteceu. Minha mãe lhe devolveu as cartas de amor que ele mandou para a minha irmã. Ela leu algumas, são muito bonitas."

"Você e sua irmã eram íntimas?"

"Não, não posso dizer isso. Eu era muito mais jovem. Ela já parecia uma adulta nas minhas primeiras lembranças dela. Nossa mãe sempre disse que ela era como nosso pai. Excêntrica e sensível. Depressiva. Ele foi pelo mesmo caminho."

"Mesmo caminho?", perguntou Elínborg.

"Sim", disse Bára irritada. "O mesmo caminho. Cometeu suicídio." Disse isso com absoluto desinteresse. "Mas ele não desapareceu como ela. Ah, não. Ele se enforcou na sala de jantar. Em um dos ganchos do lustre. À vista de todo mundo. Essa é a medida do quanto ele se importava com a família."

"Deve ter sido difícil para você", comentou Elínborg, apenas para dizer alguma coisa. Bára encarou Elínborg de maneira acusadora, como se a culpasse por ter que se lembrar daquilo.

"Foi mais difícil para a minha irmã. Eles eram muito próximos. Esse tipo de coisa deixa marcas nas pessoas. Ela era muito querida."

Durante um instante houve um sinal de compaixão em sua voz.

"Isso foi...?"

"Alguns anos antes de ela desaparecer", disse Bára, e Elínborg percebeu que ela estava escondendo alguma coisa. Que aquela história era ensaiada. Purgada de toda emoção. Mas talvez aquela mulher fosse simplesmente daquele jeito. Dominadora, insensível e vazia.

"A favor dele, havia o fato de Benjamín tratá-la muito bem", continuou Bára. "Escrevia-lhe cartas de amor, esse tipo de coisa. Naquele tempo, as pessoas em Reykjavík faziam longas caminhadas quando estavam noivas. Foi um namoro realmente simples. Eles se conheceram no hotel Borg, que era *o lugar* naquela época, visitaram-se algumas vezes, saíam para caminhadas e viajaram, e tudo se desenvolveu a partir daí, como acontece com jovens de qualquer lugar. Ele a pediu em casamento e a cerimônia iria se realizar dali a uns quinze dias, acho, quando ela desapareceu."

"Fiquei sabendo que as pessoas disseram que ela se jogou no mar", disse Elínborg.

"Sim, as pessoas fizeram um tumulto com essa história. Procuraram por ela em toda Reykjavík. Várias pessoas participaram das buscas, mas não encontraram um fio de cabelo sequer. Foi minha mãe quem me deu a notícia. Minha irmã tinha nos deixado naquela manhã. Ela ia fazer compras e a outros lugares também, não havia muitas lojas naquela época, mas ela não comprou nada. Encontrou-se com Benjamín na loja dele, foi embora e depois nunca mais foi vista. Ele disse para a polícia, e para nós, que eles tiveram uma discussão. Por isso se culpou pelo que aconteceu e encarou tão mal a situação."

"Por que essa história sobre o mar?"

"Algumas pessoas acharam que tinham visto uma mulher indo para a praia, no final da rua Tryggvagata. Ela usava um casaco semelhante ao de minha irmã. Tinham mais ou menos a mesma altura. Só isso."

"Sobre o que eles discutiram?"

"Alguma coisa boba. Tinha a ver com o casamento. Os preparativos. Pelo menos foi o que Benjamín disse."

"Você não acha que foi alguma outra coisa?"

"Não tenho a menor ideia."

"E não acha que seja possível que o esqueleto que encontramos na colina seja o dela?"

"De jeito nenhum. Eu não tenho nada em que basear minha afirmação, é claro, e não posso prová-la, mas acho uma coisa muito forçada. Simplesmente não consigo pensar nisso como uma possibilidade."

"Você sabe alguma coisa sobre os inquilinos do chalé de Benjamín em Grafarholt? Talvez sobre as pessoas que estiveram lá durante a guerra? Possivelmente uma família de cinco pessoas, um casal com três filhos. Isso lhe traz alguma coisa à lembrança?"

"Não. Mas sei que pessoas moraram no chalé durante todo o período da guerra. Por causa da escassez de moradia."

"Você tem alguma lembrança de sua irmã, por exemplo, uma mecha de cabelo? Em um medalhão, talvez?"

"Não, mas Benjamín tinha um mecha do cabelo dela. Eu vi quando ela cortou para dar a ele. Ele pediu uma lembrança em um verão em que minha irmã ia para o Norte, para Fljót, passar algumas semanas visitando parentes."

Quando entrou no carro, Elínborg ligou para Sigurdur Óli. Ele estava saindo do porão de Benjamín depois de um longo e tedioso dia, e ela lhe disse para procurar uma mecha de cabelo da noiva de Benjamín. Poderia estar dentro de algum medalhão, disse. Elínborg ouviu Sigurdur Óli suspirar no telefone.

Ela desligou e estava prestes a ir embora quando teve uma ideia repentina e desligou o motor do carro. Depois de refletir por um momento, mordendo nervosamente o lábio inferior, decidiu agir.

Quando Bára abriu a porta, ficou surpresa por ver Elínborg de novo.

"Esqueceu alguma coisa?", ela perguntou.

"Não, só mais uma pergunta", disse Elínborg constrangida. "E então vou embora."

"Ora, e o que é?", disse Bára com impaciência.

"Você disse que sua irmã estava usando um casaco no dia em que desapareceu."

"E daí?"

"Que tipo de casaco era?"

"Que tipo? Só um casaco comum que minha mãe deu a ela."

"Eu me refiro à cor. Você sabe?"

"Por que a pergunta?"

"Sou curiosa", disse Elínborg, sem querer dar explicações.

"Não me lembro."

"Não, é claro que não", disse Elínborg. "Eu entendo. Obrigada e desculpe por incomodá-la."

"Mas minha mãe dizia que era verde."

Muitas coisas haviam mudado durante aqueles anos estranhos. Tómas tinha parado de fazer xixi na cama. Tinha parado de enfurecer seu pai de alguma maneira que escapava a Símon. Grímur havia começado a dar mais atenção ao menino mais novo. Ele achava que Grímur poderia ter mudado depois da chegada das tropas. Ou talvez Tómas estivesse mudando.

A mãe de Símon nunca falava sobre a história do gasômetro que Grímur usara para provocá-la tanto, então ele acabou se entediando com a brincadeira. Sua pequena bastarda, costumava dizer, e a chamava de "Cabeça de Gás" e falava sobre o grande tanque de gás e a orgia que aconteceu ali na noite em que a Terra supostamente iria desaparecer, esmagada em pedacinhos em uma colisão com um cometa. Embora entendesse pouco do que seu pai dizia, Símon reparou que aquilo aborrecia a mãe. Ele sabia que as palavras de Grímur a machucavam tanto quanto as pancadas que dava nela.

Certa vez, quando foi à cidade com o pai, eles passaram pelo gasômetro e Grímur apontou para o enorme tanque, rindo e dizendo que a mãe de Símon tinha vindo dali. Em seguida riu ainda mais. O gasômetro era uma das maiores construções de Reykjavík, e Símon achava o lugar perturbador. Decidiu perguntar à mãe sobre o prédio e o grande tanque de gás que lhe despertavam a curiosidade.

"Não dê ouvidos a essa besteira que ele fala", ela dissera. "Você já deveria saber como ele gosta de falar. Você não deve acreditar em uma só palavra do que ele diz. Nem uma única palavra."

"O que aconteceu no gasômetro?"

"Até onde eu sei, nada. Ele inventou tudo isso. Eu não sei de onde ele tirou essa história."

"Mas onde estão a sua mãe e o seu pai?"

Ela olhou para o filho em silêncio. Durante toda sua vida ela se debatera com essa pergunta e agora seu filho inocentemente a fazia, e ela não sabia o que lhe dizer.

Nunca conhecera os pais. Quando mais jovem, havia perguntado sobre eles, mas nunca fez nenhum progresso. Sua primeira lembrança era estar em uma casa cheia de crianças em Reykjavík, e à medida que crescia lhe diziam que ela não era filha de ninguém nem irmã de ninguém: a Câmara pagava para ela estar lá. Pensou naquelas palavras, mas só muito mais tarde descobriu o que elas significavam. Um dia a tiraram de lá e a levaram para morar com um casal idoso como uma espécie de empregada doméstica e, quando atingiu a idade adulta, foi trabalhar para o comerciante. Essa foi toda a sua vida antes de conhecer Grímur. Ela se ressentia por não ter pais ou um lugar que pudesse chamar de lar, uma família com primos, tias e tios, avôs e avós, irmãos e irmãs, e no período entre a adolescência e a idade adulta passou por uma fase de pensar seriamente sobre quem ela era e quem eram seus pais. Não sabia onde procurar as respostas.

Imaginava que eles haviam morrido em um acidente. Esse era o consolo dela, porque não conseguia suportar a ideia de que a tivessem abandonado, sua própria filha. Fantasiava que eles tinham salvado sua vida e morrido ao fazerem isso. E que até mesmo haviam sacrificado suas vidas por ela. Sempre pensava neles assim. Como heróis lutando por suas vidas e pela dela também. Não podia pensar em seus pais vivos. Para ela, era inconcebível.

Quando conheceu o pescador, o pai de Mikkelína, ela o convenceu a ajudá-la a encontrar a resposta, e os dois visitaram diversas repartições públicas sem descobrir nada sobre ela, a não ser que era órfã. Os nomes de seus pais não constavam nas informações de seu registro civil. Ela era declarada órfã. Sua certidão de nascimento não foi localizada. Ela e o pescador visitaram a família com a qual ela vivera com todas as outras crianças, conversaram com a mulher que fora sua mãe adotiva, em busca de tudo o que ela pudesse se lembrar, mas as respostas também não vieram. "Eles pagaram para você", disse ela. "Nós precisávamos do dinheiro." Ela nunca tinha feito nenhuma pergunta sobre o passado ou a origem da menina.

Fazia muito tempo que ela havia desistido de pensar em seus pais, quando Grímur chegou em casa afirmando ter descoberto quem eles eram e como ela tinha vindo ao mundo, e ela percebeu o prazer mórbido no rosto dele ao falar sobre a orgia no tanque de gás.

Todos esses pensamentos passaram pela cabeça dela enquanto olhava para Símon e, por um momento, ela pareceu estar na iminência de lhe contar alguma coisa importante antes de, repentinamente, lhe dizer que parasse de fazer aquelas perguntas intermináveis.

A guerra assolava boa parte do mundo e tinha chegado ao outro lado da colina, onde as forças britânicas de ocupação haviam começado a levantar construções com o formato de caixas de sapato, que eles chamavam de quartel. Símon não entendia a palavra. No interior do quartel supostamente havia algo com outro nome incompreensível. Um depósito.

Às vezes ele ia até o outro lado da colina olhar os soldados. Eles tinham transportado madeira colina acima, vigas para telhado, ferro corrugado, rolos de arame farpado, sacos de cimento, uma máquina de fazer concreto e uma de terraplenagem para limpar a área da construção. Eles construíram o bunker de frente para Grafarvogur, e um dia os irmãos viram os britânicos trazendo um enorme canhão até a colina. O canhão foi instalado na casamata com seu cano gigantesco saindo muitos metros de uma fenda, pronto para despedaçar o inimigo. Eles estavam defendendo a Islândia dos alemães, que tinham começado a guerra e matavam todo mundo que pegassem, inclusive garotinhos como Símon e Tómas.

Os soldados levantaram uma cerca ao redor do que acabou sendo no total um grupo de oito construções, que ficaram prontas em um piscar de olhos, e colocaram um portão e placas em islandês dizendo que o acesso não autorizado era estritamente proibido. Um soldado com um fuzil estava sempre de guarda em um posto de sentinela no portão. Os soldados ignoravam os garotos, que se mantinham a uma distância segura. Quando o tempo estava bom, Símon e Tómas levavam a irmã para o alto da colina, acomodavam-na sobre o musgo e deixavam que ela ficasse olhando o que os soldados estavam construindo e mostravam a ela o cano que se projetava da casamata. Mikkelína olhava tudo aquilo calada e contemplativa, e Símon tinha a impressão de que ela estava assustada com o que via. Com os soldados e o enorme canhão.

As tropas usavam uniformes cáqui com cintos, pesadas botas pretas que iam até a panturrilha, e alguns tinham capacetes e portavam fuzis e armas em coldres. Quando estava quente, tiravam os casacos e as camisas e ficavam de peito nu sob o sol. Com bastante frequência havia exercícios militares na colina, ocasião em que os soldados se ocultavam, saiam correndo de seus esconderijos, atiravam-se no chão e disparavam suas armas. À noite ouvia-se barulho e música vindos do acampamento. Às vezes eles ligavam uma máquina que produzia uma música rangente com vozes que cantavam sons muito agudos. Em outras ocasiões, os soldados cantavam noite adentro, canções de seu próprio país que Símon sabia que se chamava Grã-Bretanha e que Grímur dizia ser um império.

Eles contavam à mãe tudo o que acontecia do outro lado da colina, mas ela mostrava pouco interesse. Certa vez, no entanto, levaram-na até o alto da colina e ela olhou durante um bom tempo o acampamento britânico e, no caminho de volta para casa, falou sobre todo o incômodo e os perigos que havia ali e proibiu os garotos de espionarem os soldados, porque nunca se sabe o que pode acontecer quando homens têm armas, e ela não queria que eles se machucassem.

O tempo passou e um dia o acampamento se encheu de americanos; quase todos os britânicos tinham ido embora. Grímur disse que eles estavam sendo mandados para longe, para serem mortos, mas os americanos iam ter uma vida boa na Islândia, sem nenhuma preocupação.

Grímur parou de trabalhar com carvão e começou a trabalhar para os americanos na colina, porque havia muito dinheiro e oferta de trabalho no acampamento. Um dia foi até o outro lado da colina e pediu trabalho no depósito, e sem mais eles lhe deram um serviço no almoxarifado e no refeitório. Depois disso, a alimentação na casa deles mudou para melhor. Grímur apareceu com uma lata vermelha com uma chave em um dos lados. Abriu a tampa com a chave e virou a lata de cabeça para baixo, e um retângulo de carne rosada coberto por uma gelatina transparente caiu sobre o prato. Era macio e tinha um gosto deliciosamente salgado.

"Apresuntado", disse Grímur. "Veio dos Estados Unidos."

Símon nunca tinha comido algo tão saboroso em toda a vida.

A princípio não se preocupou em saber como a nova comida vinha parar na mesa deles, mas percebeu o olhar ansioso da mãe numa ocasião em que Grímur trouxe uma caixa cheia de latas e as escondeu em casa. Às vezes Grímur ia para Reykjavík com uma sacola cheia dessas latas e de outras coisas que Símon não sabia o que era. Quando voltava, ele contava dinheiro em cima da mesa, e Símon o via satisfeito de uma maneira que nunca vira. Grímur parou de ser tão cruel com a mãe deles. Parou de falar sobre o gasômetro. Passava a mão na cabeça de Tómas.

À medida que o tempo passou, a casa se encheu de mercadorias. Cigarros americanos, comida enlatada deliciosa, frutas e até mesmo meias de náilon que a mãe deles dizia que todas as mulheres de Reykjavík queriam ter.

Nada daquilo ficava na casa durante muito tempo. Uma vez Grímur trouxe um pequeno pacote com o odor mais delicioso que Símon já havia sentido. Grímur abriu-o e deu um pedacinho para cada um, dizendo-lhes que os americanos mascavam aquilo o tempo todo, como vacas ruminando. Não se podia engolir, mas depois de um tempo você cuspia e pegava um novo tablete. Símon, Tómas — e até mesmo Mikkelína, que também recebeu um pedaço rosa e cheiroso — mascaram o máximo que conseguiram, depois cuspiram seus pedaços e pegaram mais um pouco.

"Chama-se goma de mascar", disse Grímur.

Grímur logo aprendeu a se virar em inglês e fez amizade com as tropas. Se eles estavam de folga, ele às vezes os convidava para ir à sua casa, e então Mikkelína tinha que ficar trancada na pequena despensa, os garotos penteavam o cabelo e a mãe deles punha um vestido e se fazia apresentável. Os soldados chegavam e se comportavam educadamente, cumprimentando a família com apertos de mão, apresentando-se e dando doces para as crianças. Então eles se sentavam ao redor da mesa para beber. Iam embora em seu jipe, rumo a Reykjavík, e tudo ficava em silêncio novamente no chalé que, de outra forma, ninguém visitava.

No entanto, o normal era os soldados irem direto para Reykjavík e voltarem à noite cantando. A colina ressoava com as vozes altas deles, e uma vez ou outra havia um som parecido com o disparo de armas, mas não era o canhão, porque, como dizia Grímur, isso significaria "que os putos dos nazistas estariam em Reykjavík e eles matariam a todos nós em segundos". Com frequência ele saía para uma noitada na cidade com os soldados e, quando voltava, estava cantando canções americanas. Símon nunca ouvira Grímur cantar antes daquele verão.

E uma vez Símon testemunhou algo estranho.

Certo dia, um dos soldados americanos atravessou a colina com uma vara de pescar, parou na margem do lago Reynisvatn e fez arremessos para tentar pegar trutas. Depois desceu, assobiando durante todo o trajeto, até o lago Hafravatn, onde passou a maior parte do dia. Era um dia lindo de verão, e ele passeou em volta do lago, fazendo arremessos sempre que tinha vontade. Em vez de pescar com bastante motivação, ele apenas parecia desfrutar o fato de estar à beira do lago em um dia com tempo bom. Ele se sentou, fumou e tomou sol.

Por volta das três da tarde, ele juntou suas coisas, a vara de pescar e uma sacola com as três trutas que havia pego naquele dia e saiu andando tranquilamente, afastando-se do lago e subindo a colina. Mas em vez de passar pela casa e seguir adiante, ele parou e disse alguma coisa incompreensível a Símon, que estivera vigiando os movimentos dele de perto e agora estava em pé parado na porta da frente.

"Os seus pais estão?", o sorridente soldado perguntou a Símon em inglês, olhando para dentro da casa. A porta ficava sempre aberta quando o tempo estava bom. Tómas tinha ajudado Mikkelína a ir até a área ensolarada atrás da casa e estava deitado lá com ela. A mãe estava dentro de casa, entregue aos afazeres domésticos.

Símon não entendeu o que o soldado tinha dito.

"Você não me entende?", perguntou o soldado. "Meu nome é Dave. Eu sou americano."

Entendendo que o nome dele era Dave, Símon balançou a cabeça afirmativamente. Dave estendeu a sacola na frente do menino, largou-a no chão, abriu-a, tirou de lá as três trutas e as pôs ao lado dela.

"Quero dar estes peixes para vocês. Você entende? Fique com eles. Devem estar ótimos."

Símon olhou para Dave, sem entender. Dave sorriu, os dentes brancos brilhando. Ele era baixo e magro, o rosto ossudo, o cabelo espesso e escuro penteado para o lado.

"E a sua mãe, ela está?", perguntou ele. "Ou seu pai?" Símon continuava não entendendo. Dave desabotoou o bolso da camisa, tirou um pequeno caderno de capa preta e folheou até a página que queria. Aproximou-se de Símon e apontou para uma frase no caderno.

"Você sabe ler?", perguntou.

Símon leu a frase para a qual Dave apontava. Ele conseguiu entender porque estava em islandês, mas era seguida de alguma coisa estrangeira que ele não entendeu. Dave leu a frase em islandês em voz alta, da maneira mais cuidadosa que conseguiu.

"*Ég heiti Dave*", disse. "Meu nome é Dave", repetiu em inglês. Apontou mais uma vez e entregou o caderno a Símon, que leu em voz alta.

"Meu nome é... Símon", disse ele com um sorriso. Dave sorriu ainda mais. Encontrou outra frase e mostrou-a ao garoto.

"*How are you, miss?*", leu Símon.

"Certo, mas sem o 'miss', só com o 'you'", disse Dave, rindo, mas Símon não entendeu. Dave encontrou outra palavra e mostrou-a a Símon. "*Mother*", Símon leu em voz alta, e Dave apontou para ele com um aceno da cabeça.

"Onde está", disse ele em islandês, e Símon entendeu que ele estava perguntando sobre sua mãe. Símon fez um sinal para que Dave o seguisse e levou-o até a cozinha, onde sua mãe estava sentada na mesa remendando meias. Ela sorriu quando viu Símon entrar, mas ao ver Dave atrás do menino seu sorriso congelou, ela deixou cair a meia e ficou em pé de um pulo, derrubando a cadeira. Dave, igualmente surpreso, deu um passo para a frente agitando os braços.

"Desculpe", disse. "Por favor, sinto muito. Eu não queria assustá-la. Por favor."

A mãe de Símon correu para a pia da cozinha e olhou para baixo, como se não ousasse erguer os olhos.

"Por favor, leve-o para fora, Símon", disse.

"Por favor, eu vou embora", disse Dave. "Tudo bem. Desculpe. Estou indo. Por favor, eu..."

"Leve-o para fora, Símon", repetiu ela.

Confuso com a reação dela, Símon olhava para eles alternadamente, e viu Dave saindo da cozinha em direção ao quintal.

"Por que você fez isso comigo?", disse ela, virando-se para Símon. "Trazer um homem aqui. Por que você fez isso?"

"Desculpe", respondeu Símon. "Pensei que não tinha problema. O nome dele é Dave."

"O que ele queria?"

"Ele queria nos dar seus peixes", disse Símon. "Pescou no lago. Pensei que não tivesse problema. Ele só queria nos dar os peixes dele."

"Meu Deus, que horror! Meu Deus, que horror! Nunca mais faça isso. Nunca! Onde estão Mikkelína e Tómas?"

"Lá fora, nos fundos."

"Eles estão bem?"

"Bem? Sim, Mikkelína queria tomar sol."

"Nunca mais faça isso", ela repetiu, enquanto saía para ver como Mikkelína estava. "Ouviu? Nunca mais!"

Ela deu a volta pela casa e viu o soldado em pé perto de Tómas e Mikkelína, olhando para a menina espantado. Mikkelína fazia caretas e entortava o pescoço para ver quem estava em pé perto deles. Ela não conseguia ver o rosto do soldado porque o sol estava atrás da cabeça dele. O soldado olhou para a mãe deles, depois de volta para Mikkelína contorcendo-se sobre a grama.

"Eu...", disse Dave gaguejando. "Eu não sabia", disse. "Desculpe. Sinceramente. Isso não é da minha conta. Desculpe."

Então se virou e foi embora apressado, e eles o viram desaparecer lentamente na colina.

"Vocês estão bem?", a mãe perguntou, ajoelhando-se ao lado de Mikkelína e Tómas. Ela estava mais calma agora que o soldado tinha ido embora, aparentemente sem querer lhes causar nenhum mal. Ela levantou Mikkelína do chão, carregou-a até a casa e acomodou-a no divã na cozinha. Símon e Tómas entraram correndo atrás dela.

"O Dave não é ruim", disse Símon. "Ele é diferente."

"O nome dele é Dave?", perguntou a mãe vagamente. "Dave", repetiu. "Não é o mesmo que David em islandês?", perguntou, dirigindo a pergunta mais a si mesma do que a alguém. E então aconteceu algo que pareceu muito estranho a Símon.

Sua mãe sorriu.

Tómas sempre foi misterioso, reticente, solitário, um pouco nervoso e tímido, o tipo silencioso. No inverno anterior, Grímur pareceu ter notado alguma coisa nele que despertou seu interesse mais do que por Símon. Ele prestava atenção em Tómas e o levava para o outro quarto. Quando Símon perguntava ao irmão sobre o que eles tinham conversado, Tómas não respondia, mas

Símon insistiu e com adulações conseguiu tirar dele que estiveram conversando sobre Mikkelína.

"O que ele disse para você sobre Mikkelína?", perguntou Símon.

"Nada", respondeu Tómas.

"Ele disse sim, o que foi?"

"Nada", disse Tómas com uma expressão de constrangimento, como se estivesse tentando esconder alguma coisa do irmão.

"Me conta."

"Não quero. Eu não quero que ele fale comigo. Não quero."

"Você não quer que ele fale com você? Você quer dizer que não quer que ele diga as coisas que ele diz? É isso?"

"Eu não quero nada, só isso", disse Tómas. "E você, pare de falar comigo também."

As semanas e os meses se passaram, e Grímur demonstrava seu favoritismo pelo filho caçula de várias maneiras. Embora Símon nunca participasse das conversas deles, descobriu o que eles faziam uma noite perto do final do verão. Grímur se preparava para levar algumas mercadorias do depósito para Reykjavík. Ele estava esperando um soldado chamado Mike, que iria ajudá-lo. Mike tinha um jipe à sua disposição e eles haviam planejado encher o veículo de mercadorias para vender na cidade. A mãe das crianças preparava uma comida que também viera do depósito. Mikkelína estava deitada em sua cama.

Símon reparou que Grímur estava empurrando Tómas na direção de Mikkelína, cochichando no ouvido do irmão e sorrindo da mesma maneira que fazia quando dizia coisas maliciosas aos meninos. A mãe não percebeu nada, e Símon não tinha ideia do que estava acontecendo, até que Tómas se aproximou de Mikkelína por insistência de Grímur e disse:

"Vaca."

Então ele voltou para Grímur, que riu e deu-lhe um tapinha na cabeça.

Símon olhou para o lugar onde a mãe estava em pé, na frente da pia. Embora não pudesse evitar ter ouvido, a princípio ela não se mexeu nem teve nenhuma reação, como se estivesse tentando ignorar aquilo. Mas ele viu que ela segurava uma faca em uma das mãos, descascando batatas, e que os nós dos dedos ficaram brancos enquanto ela apertava o cabo. Então ela se virou lentamente com a faca na mão e encarou Grímur.

"Isso é uma coisa que você nunca vai fazer", disse com voz trêmula.

Grímur olhou para ela e o sorriso congelou em seu rosto.

"Eu?", disse Grímur. "O que você quer dizer? Eu não fiz nada. Foi o garoto. Foi o meu menino Tómas."

A mãe deles deu um passo na direção de Grímur, ainda empunhando a faca.

"Deixa o Tómas em paz."

Grímur levantou-se.

"Você vai fazer alguma coisa com essa faca?"

"Não faça isso com ele", disse ela, e Símon percebeu que ela estava começando a recuar. Ele ouviu um jipe do lado de fora da casa.

"Ele chegou", disse Símon. "Mike chegou."

Grímur olhou através da janela da cozinha e depois para a mãe deles novamente, e a tensão diminuiu por um momento. Ela abaixou a faca. Mike apareceu na soleira da porta. Grímur sorriu.

Quando voltou naquela noite, ele bateu na mãe deles impiedosamente. Na manhã seguinte, ela estava com um olho roxo e mancava. Eles ouviram os grunhidos enquanto Grímur a esmurrava. Tómas engatinhou até a cama de Símon e olhou para o irmão na escuridão da noite, chocado, murmurando continuamente para si mesmo, como se pudesse apagar o que tinha acontecido.

"... desculpe, eu não quis fazer aquilo, desculpe, desculpe, desculpe..."

16.

Elsa abriu a porta para Sigurdur Óli e convidou-o para tomar chá com ela. Enquanto observava Elsa na cozinha, ele pensava em Bergthóra. Eles tinham discutido naquela manhã, antes de saírem para o trabalho. Depois de rejeitar as investidas amorosas dela, ele começou desajeitadamente a descrever suas preocupações, até que Bergthóra se sentiu seriamente incomodada.

"Ah, espera aí", disse. "Quer dizer que a gente nunca vai se casar? Esse é o seu plano? A ideia é que a gente viva no limbo, com nada no papel, e que nossos filhos sejam bastardos? Para sempre?"

"Bastardos?"

"É."

"Você está pensando de novo no grande casamento?"

"Desculpe se isso te incomoda."

"Você realmente quer entrar na igreja? Com um vestido de casamento, segurando um buquê e..."

"Você despreza muito essa ideia, não é?"

"E que história é essa de filhos, afinal?", perguntou Sigurdur Óli, e imediatamente lamentou o que havia dito quando viu que o rosto de Bergthóra ficou ainda mais abatido.

"Você nunca vai querer ter filhos?"

"Sim, não, sim, quero dizer, a gente ainda não discutiu isso", disse Sigurdur Óli. "Acho que a gente precisa discutir isso. Você não pode decidir sozinha se vamos ou não ter filhos. Não é justo, e não é o que eu quero. Não agora. Não neste momento."

"A hora vai chegar", disse Bergthóra. "Tomara. Nós dois temos trinta e cinco anos. Daqui a pouco já será tarde demais. Sempre que eu tento conversar sobre isso, você muda de assunto. Não quer discutir. Você não quer filhos, nem um casamento, nem nada. Não quer nada. Você está ficando tão ruim quanto aquele velho chato, o Erlendur."

"Hein?" Sigurdur Óli estava atônito. "O que foi?"

Mas Bergthóra já tinha saído para o trabalho, deixando-o com uma imagem horrorosa do futuro.

Elsa notou que os pensamentos de Sigurdur Óli estavam em outro lugar quando ele se sentou na cozinha olhando fixo para a xícara.

"Quer um pouco mais de chá?", perguntou ela em voz baixa.

"Não, obrigado", disse Sigurdur Óli. "Elínborg, que está trabalhando no caso comigo, pediu que eu perguntasse se a senhora sabe se o seu tio Benjamín guardou alguma mecha do cabelo da noiva, talvez em um medalhão, em um vidro ou coisa do tipo."

Elsa pensou por um momento.

"Não", disse. "Não me lembro de nenhuma mecha de cabelo, mas não estou cem por cento segura do que há lá embaixo."

"Elínborg diz que deve existir uma mecha. A irmã da noiva lhe contou ontem que a noiva deu a Benjamín uma mecha de cabelo, se não me engano antes de fazer uma viagem."

"Nunca ouvi falar de uma mecha de cabelo dela ou de qualquer outra pessoa, na verdade. Minha família não é exatamente romântica, eles nunca foram."

"No porão há objetos que pertenceram a ela? À noiva?"

"Por que você quer uma mecha do cabelo dela?", Elsa perguntou em vez de responder à pergunta. Tinha uma expressão de curiosidade no rosto que fez Sigurdur Óli hesitar. Ele não sabia o quanto Erlendur havia lhe contado. Ela o livrou do incômodo de ter que perguntar isso.

"Assim vocês podem provar que é ela que está enterrada na colina", disse ela. "Se tiverem alguma coisa dela. Podem fazer um teste de DNA para descobrir se é ela ou não, e, se for, vocês vão declarar que meu tio a assassinou e a deixou por lá. É essa a ideia?"

"Nós só estamos investigando todas as possibilidades", disse Sigurdur Óli, tentando a todo custo evitar qualquer coisa que provocasse a ira de Elsa na mesma medida que acontecera com Bergthóra apenas meia hora antes. Aquele dia não tinha começado muito bem. Definitivamente não.

"Aquele outro detetive veio aqui, aquele triste, e deduziu que Benjamín foi o responsável pela morte de sua noiva. E agora vocês podem confirmar isso se encontrarem uma mecha do cabelo dela. Eu não entendo. Que vocês possam pensar que Benjamín tenha sido capaz de assassinar aquela garota. Por que ele faria isso? Que motivo ele teria? Nenhum. Absolutamente nenhum."

"Não, claro que não", disse Sigurdur Óli para acalmá-la. "Mas precisamos saber a quem aqueles ossos pertencem e até agora não temos muito com o que trabalhar além do fato de Benjamín ser o proprietário da casa e a noiva dele ter desaparecido. Com certeza até a senhora está curiosa para saber. Deve querer saber de quem são aqueles ossos."

"Não tenho muita certeza disso", disse Elsa, um pouco mais calma.

"Mas posso continuar procurando no porão, não posso?"

"Sim, claro. Não há como impedi-lo de fazer isso."

Ele terminou o chá e desceu até o porão, ainda pensando em Bergthóra. Não possuía uma mecha de cabelo dela guardada em um medalhão e não achava que precisasse de nada para se lembrar dela. Nem mesmo a fotografia dela em sua carteira, como as fotos da mulher e dos filhos que alguns homens carregam por aí. Ele se sentiu mal. Precisava discutir as coisas com Bergthóra. Esclarecer tudo.

Ele não queria, de jeito nenhum, ser como Erlendur.

Sigurdur Óli examinou os pertences de Benjamín Knudsen até o meio-dia, depois foi a uma lanchonete, comprou um hambúrguer que ele mal tocou e leu os jornais tomando café. Por volta das duas da tarde, voltou ao porão, xingando Erlendur por sua obstinação. Ele não tinha encontrado a menor pista que levasse ao motivo do desaparecimento da noiva de Benjamín, nem qualquer evidência dos inquilinos na época da guerra, além de Höskuldur. Não havia encontrado a mecha de cabelo, de cuja existência Elínborg estava tão convencida depois de ter lido todos aqueles romances. Era o segundo dia de Sigurdur Óli no porão e ele sentia-se esgotado.

Elsa estava na porta quando ele voltou, e o convidou para entrar. Ele tentou encontrar uma desculpa para recusar o convite, mas não foi rápido o bastante para pensar em nada sem parecer grosseiro, então seguiu Elsa até a sala.

"Encontrou alguma coisa lá embaixo?", ela perguntou, e Sigurdur Óli sabia que, por trás daquela pergunta que soava tão solidária, ela, na verdade, estava tentando obter informações dele. Não lhe ocorreu que ela pudesse ser solitária, que fora a impressão que Erlendur tivera dela poucos minutos depois de entrar no ambiente melancólico daquela casa.

"Ainda não encontrei aquela mecha de cabelo", disse Sigurdur Óli, bebendo seu chá devagar. Ela estivera esperando por ele. Ele olhou para ela, perguntando-se o que estava para acontecer.

"Não?", disse ela. "Você é casado? Desculpe, é claro que não é da minha conta."

"Não, não tem... sim, não, não sou casado, mas vivo com minha companheira", respondeu Sigurdur Óli, constrangido.

"Tem filhos?"

"Não, sem filhos", disse Sigurdur Óli. "Ainda."

"Por que não?"

"Como?"

"Por que vocês não tiveram filhos?"

O que estava acontecendo ali?, pensou Sigurdur Óli, bebericando o chá para ganhar tempo.

"Acho que deve ser o estresse. Sempre ocupados com o trabalho o tempo todo. Nós dois temos empregos que exigem muito de nós, e, bem, não sobra tempo."

"Não sobra tempo para filhos? Vocês realmente têm alguma coisa melhor para fazer com o tempo de que dispõem? O que a sua namorada faz?"

"Ela é sócia de uma empresa de computadores", disse Sigurdur Óli, pronto para agradecer e dizer que precisava voltar ao trabalho. Não planejava ser interrogado sobre sua vida particular por uma solteirona bem-apessoada que certamente tinha se tornado estranha por viver sozinha, do jeito que mulheres como ela acabavam ficando — até que de repente estão xeretando na vida pessoal de todo mundo.

"Ela é uma boa mulher?", Elsa perguntou.

"O nome dela é Bergthóra", disse Sigurdur Óli, prestes a se tornar mal-educado. "Ela é uma ótima mulher." Sorriu. "Por que está perguntando...?"

"Eu nunca tive uma família", disse Elsa. "Nunca tive filhos. Nem um marido, na verdade. Não me importo com isso, mas eu teria gostado de ter filhos. Eles talvez tivessem uns trinta anos hoje. Trinta e poucos anos. Às vezes eu penso nisso. Adultos. Com seus próprios filhos. Eu realmente não sei o que aconteceu. De repente, você chega à meia-idade. Eu sou médica. Poucas mulheres estudavam medicina quando entrei na faculdade. Eu era como você, não tinha tempo. Não tinha tempo para a minha própria vida. O que você está fazendo agora não é a sua vida. É apenas trabalho."

"Sim, bom, acho que eu deveria..."

"Benjamín também não teve uma família", Elsa continuou. "Isso era tudo o que ele queria, uma família. Com aquela garota."

Elsa levantou-se e Sigurdur Óli também. Ele esperava que ela se despedisse, mas em vez disso ela foi até um enorme armário de carvalho com lindas portas de vidro e gavetas com entalhes, abriu uma delas, tirou de lá um pequeno porta-joias chinês, levantou a tampa e pegou um medalhão de prata preso a uma corrente leve e curta.

"De fato, ele guardou uma mecha do cabelo dela", disse Elsa. "Também há uma fotografia dela no medalhão. Ela se chamava Sólveig." Elsa deu um leve sorriso. "A menina dos olhos de Benjamín. Não acho que ele a tenha enterrado naquela colina. A ideia é inconcebível. Significaria que Benjamín a feriu. Ele não fez isso. Não faria. Estou plenamente convencida disso. Essa mecha vai provar que estou certa."

Ela entregou o medalhão a Sigurdur Óli. Ele voltou a se sentar, abriu-o com cuidado e viu uma pequena mecha de cabelo escuro em cima da fotografia de sua dona. Sem tocar na mecha, fez com que se deslocasse para poder ver a foto. A imagem mostrava o pequeno rosto de uma garota de vinte anos, de cabelos escuros e com sobrancelhas lindamente curvadas sobre olhos que fitavam, enigmáticos, as lentes da câmera. Lábios que sugeriam determinação, queixo pequeno, rosto magro e bonito. A noiva de Benjamín. Sólveig.

"Por favor, desculpe-me por reter essa informação", disse Elsa. "Eu pensei bastante sobre o assunto, avaliei a situação e não consegui destruir a mecha. Seja lá o que a investigação nos revele."

"Por que a escondeu?"

"Eu precisava pensar um pouco sobre tudo."

"Sim, mas mesmo..."

"Eu fiquei bastante chocada quando seu colega — Erlendur, não é? — começou a insinuar que o esqueleto poderia ser dela, mas assim que pensei mais um pouco sobre o assunto...", Elsa deu de ombros, como se estivesse resignada.

"Mesmo que o teste de DNA dê positivo", disse Sigurdur Óli, "não significa necessariamente que Benjamín a matou. A análise não vai responder isso. Se for a noiva dele que estiver lá na colina, poderá haver outro motivo além de Benjamín..."

Elsa o interrompeu.

"Ela... como é que se diz hoje em dia... ela deu o fora nele. 'Rompeu o noivado' deve ser como se dizia antigamente. No tempo em que as pessoas ficavam noivas. Ela fez isso no dia em que desapareceu. Benjamín só revelou isso muito tempo depois. Para minha mãe, nos últimos momentos dele. Ela me contou. Nunca contei a ninguém. E teria guardado comigo, se vocês não tivessem encontrado esse esqueleto. Vocês já sabem se é de homem ou de mulher?"

"Não, ainda não", respondeu Sigurdur Óli. "Ele disse alguma coisa sobre o motivo de ela ter rompido o noivado? Por que ela o abandonou?"

Ele percebeu a hesitação de Elsa. Os dois se entreolharam; ele sabia que ela já dissera muita coisa para recuar agora. Sentiu que Elsa queria lhe contar o que sabia. Como se estivesse carregando uma cruz pesada e chegara a hora de colocá-la no chão. Finalmente, depois de todos aqueles anos.

"O filho não era dele", disse ela.

"O filho não era de Benjamín?"

"Não."

"Ela não estava grávida dele?"

"Não."

"Então de quem era?"

"Você precisa entender que aquela era uma outra época", disse Elsa. "Hoje as mulheres fazem abortos da mesma maneira que vão ao dentista. O casamento já não tem um significado especial mesmo para as pessoas que querem ter filhos. Elas moram juntas. Elas se separam. Vão morar com outra pessoa. Têm mais filhos. Separam-se de novo. Antes não era assim. Não naquele tempo. Ter um filho fora do casamento era impensável para as mulheres. Era vergonhoso, elas se tornavam párias. As pessoas eram impiedosas, chamavam-nas de prostitutas."

"Entendo", disse Sigurdur Óli. Sua mente voltou-se para Bergthóra e aos poucos entendeu por que Elsa havia perguntado sobre sua vida pessoal.

"Benjamín estava disposto a se casar com ela", continuou Elsa. "Ou, pelo menos, foi o que mais tarde ele contou à minha mãe. Sólveig não queria. Ela queria romper o noivado e lhe disse isso sem rodeios. Na cara. Sem preveni-lo."

"Quem era o pai então?"

"Quando ela abandonou Benjamín, pediu que ele a perdoasse. Por abandoná-lo. Mas ele não perdoou. Precisava de mais tempo."

"E ela desapareceu?"

"Nunca mais a viram depois que ela se despediu dele. Quando ela não voltou para casa naquela noite, começaram a procurá-la, e Benjamín participou das buscas de corpo e alma. Mas ela nunca foi encontrada."

"E quanto ao pai da criança?", Sigurdur Óli perguntou novamente. "Quem era?"

"Ela não contou a Benjamín. Ela foi embora deixando-o sem saber. Pelo menos foi o que ele contou à minha mãe. Se ele ficou sabendo, com certeza não contou a ela."

"Quem poderia ter sido?"

"Poderia ter sido?", repetiu Elsa. "Não importa quem *poderia* ter sido. A única coisa importante é quem *foi*."

"Você acha que o pai da criança esteve envolvido no desaparecimento dela?"

"O que lhe parece?", perguntou Elsa.

"Você e sua mãe nunca suspeitaram de ninguém?"

"Não, de ninguém. Nem tio Benjamín, pelo que sei."

"Será que ele inventou essa história toda?"

"Não posso afirmar com certeza, mas creio que Benjamín nunca disse uma mentira em toda a vida."

"Quero dizer, para afastar a atenção sobre si mesmo?"

"Eu nem sei se ele chegou a ser tido como suspeito, e foi só muito tempo depois que ele contou tudo isso à minha mãe. Pouco antes de morrer."

"Ele nunca deixou de pensar nela."

"Era o que minha mãe dizia."

Sigurdur Óli pensou por um momento.

"Será que a vergonha a levou ao suicídio?"

"Sem dúvida. Ela não só traiu Benjamín; ela estava grávida e se recusou a dizer de quem era a criança."

"Elínborg, a detetive com quem eu trabalho, conversou com a irmã de Sólveig. Ela disse que o pai delas se suicidou. Enforcou-se. E que aquilo foi duro para Sólveig, porque eles eram especialmente unidos."

"Duro para Sólveig?"

"Sim."

"Que estranho!"

"Por quê?"

"Ele de fato se enforcou, mas isso dificilmente teria abalado Sólveig."

"Como assim?"

"Disseram que ele foi levado ao suicídio por tristeza."

"Tristeza?"

"Sim, essa é a impressão que eu fiquei."

"Tristeza com o quê?"

"Com o desaparecimento da filha", disse Elsa. "Ele se enforcou depois que ela desapareceu."

17.

Finalmente Erlendur tinha conseguido alguma coisa sobre o que falar com sua filha. Ele fez muitas pesquisas na Biblioteca Nacional, juntando informações de jornais e periódicos publicados em Reykjavík em 1910, ano em que o cometa Halley passou pela Terra com sua cauda supostamente cheia de cianogênio, um gás venenoso. Ele obteve permissão especial para folhear os jornais, em vez de ter de consultar os textos através do leitor de microfilmes. Adorava ler jornais e revistas velhos, ouvir o som de suas folhas sendo viradas e inalar o cheiro do papel amarelado, experimentando a atmosfera da época preservadas em suas páginas naquele tempo, agora e sempre.

Já era noite quando se sentou ao lado da cama de Eva Lind e começou a lhe contar sobre a descoberta do esqueleto em Grafarholt. Contou sobre como os arqueólogos demarcaram pequenas áreas acima do local onde estavam os ossos, e sobre Skarphédinn com suas presas que o impediam de fechar a boca completamente. Contou-lhe sobre os arbustos de groselha e a estranha descrição que Róbert fez da mulher verde e deformada. Contou-lhe sobre Benjamín Knudsen e sua noiva, que um dia desapareceu, e o efeito de seu desaparecimento sobre seu noivo quando jovem, e contou-lhe também sobre Höskuldur, que alugara o chalé durante a guerra, e da menção que Benjamín fizera a uma mulher que havia morado na colina e que fora concebida no gasômetro na noite em que todos pensaram que o mundo ia ser destruído.

"Foi o ano em que Mark Twain morreu", disse Erlendur.

O cometa Halley rumava para a Terra a uma velocidade inimaginável, com sua cauda cheia de gases venenosos. Mesmo que a Terra escapasse de ser despedaçada em uma colisão, as pessoas acreditavam que o planeta passaria pela cauda do cometa e toda a vida pereceria. Aqueles que temiam o pior imaginavam-se consumidos por fogo e ácido. O pânico irrompeu não só na Islândia, mas em todo o mundo. Na Áustria, em Trieste e na Dalmácia, as pessoas venderam tudo o que tinham por quase nada, para farrearem durante o que supunham ser o curto tempo de vida que lhes restava. Na Suíça, as escolas particulares para moças ficaram vazias, porque as famílias acharam que deveriam estar reunidas quando o cometa destruísse a Terra. Os clérigos eram instruídos a falar sobre astronomia em termos laicos para acalmar os temores das pessoas.

Em Reykjavík, disseram que as mulheres adoeceram de medo do dia do juízo final e muitos acreditaram seriamente que, nas palavras de um dos jornais, "a primavera fria daquele ano tinha sido causada pelo cometa". As pessoas idosas falavam sobre como o clima ficara terrível na última vez em que o cometa havia se aproximado da Terra.

Mais ou menos naquela época, em Reykjavík, o gás era saudado como a chave para o futuro. Lâmpadas a gás eram utilizadas em toda a cidade, embora não de maneira tão ampla que proporcionasse iluminação adequada às ruas, e as pessoas iluminavam suas casas com gás também. A próxima etapa planejada era construir um gasômetro nas cercanias da cidade para atender à demanda por gás de toda a população nas décadas por vir. O prefeito de Reykjavík negociou com uma empresa alemã, e Carl Franke, um engenheiro, chegou à Islândia vindo de Bremen, e com uma equipe de especialistas começou a construção do gasômetro de Reykjavík. A obra foi inaugurada no outono de 1910.

O tanque em si era um dispositivo enorme, com um volume de mil e quinhentos metros cúbicos, e era conhecido como "a campânula" porque esta flutuava na água, subindo ou afundando de acordo com a quantidade de gás ali contida. Como nunca tinham visto um espetáculo como aquele, as pessoas se aglomeravam para acompanhar a construção.

Quando o tanque estava quase terminado, um grupo de pessoas reuniu-se dentro dele na noite de 18 de maio. Elas acreditavam que o tanque era o único lugar na Islândia que podia oferecer alguma esperança de proteção contra os gases venenosos do cometa. A notícia de que havia uma festa no tanque espalhou-se, e uma quantidade enorme de pessoas apareceu por lá, para participar de uma noite de liberalismo irrestrito antes do juízo final.

Relatos do que se passou no tanque naquela noite espalharam-se rapidamente nos dias seguintes. Dizia-se que os farristas bêbados tinham feito uma orgia que durou até o dia raiar, até que se tornou óbvio que a Terra não ia desaparecer nem em uma colisão com o cometa Halley nem sob o fogo infernal de sua cauda.

Também houve rumores de que muitos bebês foram concebidos no tanque naquela noite, e Erlendur se perguntou se um deles poderia ter encontrado seu destino em Grafarholt muitos anos depois, sendo enterrado ali.

"O escritório do administrador do gasômetro ainda existe", ele contou a Eva Lind, sem saber se ela podia ouvi-lo. "Fora isso, todos os indícios do gasômetro desapareceram. No final das contas, a fonte de energia do futuro tornou-se a eletricidade, e não o gás. O gasômetro ficava em Raudarárstígur, onde hoje está a estação rodoviária Hlemmur, e ele ainda continuou sendo útil, embora fosse uma coisa ultrapassada. Nas épocas de tempo ruim e temperaturas muito baixas, os sem-teto entravam nele para se aquecer perto das fornalhas, especialmente à noite, e com frequência o lugar ficava lotado no período mais escuro do inverno."

Eva Lind não se mexeu enquanto Erlendur contou sua história. Nem ele esperava que isso acontecesse. Não esperava nenhum milagre.

"O gasômetro foi construído em uma área chamada Elsumýrarblettur", continuou ele, sorrindo pela ironia do destino. "Essa área ficou abandonada durante anos depois que o gasômetro foi demolido e o tanque removido. Mais tarde um bloco de escritórios foi construído no local, de frente para a estação rodoviária. Nesses escritórios funciona hoje a polícia de Reykjavík. Minha sala fica lá. Exatamente no lugar onde havia o tanque."

Erlendur fez uma pausa.

"Todos nós estamos esperando o fim do mundo", disse. "Seja com um cometa ou com qualquer outra coisa. Todos nós temos nosso dia do juízo final. Alguns o atraem para si mesmos. Outros o evitam. A maioria de nós o teme, mostra que o respeita. Você, não. Você nunca mostrou respeito por nada. E você não tem medo do seu pequeno dia do juízo final."

Erlendur ficou sentado em silêncio olhando a filha e se perguntou se aquilo significava alguma coisa, conversar com ela quando ela parecia não estar ouvindo uma única palavra que ele dizia. Lembrou-se do que o médico havia dito e até mesmo sentiu uma ponta de alívio, por estar falando com a filha daquela maneira. Raras foram as vezes em que fora capaz de conversar com ela com calma e à vontade. A tensão entre os dois tinha marcado todo o relacionamento e eles não haviam tido muitas oportunidades de ter uma conversa tranquila.

Mas ali eles não estavam realmente conversando. Erlendur deu um sorriso torto. Ele estava falando e ela não estava ouvindo. Nesse sentido, nada tinha mudado entre eles.

Talvez não fosse aquilo que ela quisesse ouvir. A descoberta do esqueleto, o gasômetro, o cometa, a orgia. Talvez ela quisesse que ele falasse sobre alguma coisa completamente diferente. Sobre si mesmo. Sobre eles.

Ele se levantou, beijou a filha na testa e saiu do quarto. Absorto em seus pensamentos, em vez de virar à direita no fim do corredor para sair daquela ala, sem perceber seguiu na direção oposta, entrando na ala de terapia intensiva, passando por quartos com iluminação fraca onde havia outros pacientes com a vida por um fio, ligados aos mais modernos aparelhos. Só saiu de seu transe no final do corredor. Estava prestes a dar a volta quando uma mulher pequena saiu do quarto mais afastado e trombou com ele.

"Desculpe", disse ela com uma voz levemente esganiçada.

"Não, eu é que peço desculpas", disse ele agitado, olhando ao redor. "Eu não devia ter vindo por aqui. Estava saindo da outra ala."

"Eu fui chamada aqui", disse ela. Tinha um cabelo muito fino e era gorducha, com seios enormes mal contidos em uma camiseta roxa, rosto amigável e redondo. Erlendur reparou que ela tinha um leve buço escuro. Um rápido olhar na direção do quarto de onde ela saíra revelou um homem idoso deitado sob um lençol, o rosto magro e pálido. Em uma cadeira a seu lado, havia uma mulher com um exuberante casaco de pele, levando um lenço ao nariz com uma das mãos enluvadas.

"Ainda existem pessoas que acreditam em médiuns", disse a mulher em voz baixa, como se estivesse falando sozinha.

"Desculpe. Não entendi..."

"Pediram que eu viesse aqui", disse ela, afastando Erlendur delicadamente daquele quarto. "Ele está morrendo. Não há nada a fazer. A esposa está com ele. Ela me pediu que eu tentasse fazer contato com ele. Ele está em coma e os médicos dizem que não há nada a fazer, mas ele se recusa a morrer. Como se não quisesse ir. Ela me pediu para ajudar, mas eu não consegui detectá-lo."

"Detectá-lo?", disse Erlendur.

"Na vida após a morte."

"Na vida após... você é médium?"

"Ela não entende que ele está morrendo. Ele saiu alguns dias atrás, e o que ela se lembra depois disso é da polícia ligando para dizer que tinha havido um acidente na West Road. Ele estava indo para Borgarfjördur. Um caminhão cruzou na frente dele. Eles dizem que não há esperança de salvá-lo. Morte cerebral."

Ela ergueu a cabeça para olhar para Erlendur, que olhou para ela sem entender nada.

"Ela é minha amiga."

Erlendur não tinha a menor ideia do que ela estava falando ou por que ela estava lhe contando tudo aquilo no corredor mal iluminado, cochichando de maneira conspiratória. Ele se despediu de maneira abrupta daquela mulher que ele nunca tinha visto antes, e estava prestes a ir embora quando ela segurou-lhe o braço.

"Espera", disse.

"Como?"

"Espera."

"Desculpe, mas isso tudo não é da minha con..."

"Tem um menino lá", disse a mulherzinha.

Erlendur não ouviu bem o que ela havia dito.

"Há um garotinho na nevasca", ela continuou.

Erlendur olhou para ela surpreso e puxou o braço com força, como se tivesse sido esfaqueado.

"Do que você está falando?"

"Você sabe quem é?", perguntou ela, levantando a cabeça a fim de olhar para Erlendur.

"Não faço a menor ideia do que você está falando", disse Erlendur de maneira ríspida. Ele se virou e foi andando em direção à placa de saída.

"Não precisa ter medo", ela disse em voz alta nas costas dele. "Ele aceita. Ele se conformou com o que aconteceu. Não foi culpa de ninguém."

Erlendur parou subitamente, virou-se devagar e olhou para a mulherzinha do outro lado do corredor. A persistência dela estava além de sua compreensão.

"Quem é esse menino?", perguntou ela. "Por que ele está com você?"

"Não tem menino nenhum", disse Erlendur, zangado. "Eu não sei o que você quer dizer. Eu nunca a vi antes e não faço ideia do que você está falando. Me deixe em paz!", gritou.

Então ele se virou novamente e saiu correndo da ala.

"Me deixe em paz!", disse entre os dentes.

18.

Edward Hunter fora um oficial das forças norte-americanas na Islândia na época da guerra, um dos poucos militares que não tinham ido embora quando a paz foi restaurada. Jim, o secretário da embaixada britânica, localizou-o sem muita dificuldade por meio da embaixada dos Estados Unidos. Ele estava procurando membros das forças de ocupação britânicas e norte-americanas, mas, segundo o Escritório Central em Londres, poucos ainda estavam vivos. A maioria dos soldados britânicos que foram para a Islândia havia perdido a vida em combate no norte da África e na Itália, ou no fronte oriental, na invasão da Normandia em 1944. Apenas alguns americanos aquartelados na Islândia entraram em combate. A maioria ficou lá até o final da guerra. Vários permaneceram no país, casaram-se com mulheres islandesas e acabaram se naturalizando islandeses. Um deles foi Edward Hunter.

Erlendur recebeu um telefonema de Jim no começo da manhã.

"Eu falei com a embaixada americana e eles me indicaram esse homem, Hunter. Eu mesmo entrei em contato com ele para poupar tempo para você. Espero que não haja problema com isso."

"Obrigado", disse Erlendur.

"Ele mora em Kópavogur."

"Ele está lá desde o final da guerra?"

"Infelizmente isso eu não sei."

"Mas, de qualquer modo, ele ainda mora aqui, esse Hunter", disse Erlendur, esfregando o sono dos olhos.

Ele não tinha dormido bem à noite, havia cochilado e tido pesadelos. As palavras da mulherzinha de cabelo fino no hospital na noite anterior remoíam sua mente. Ele não acreditava em médiuns no papel de intermediários para a vida após a morte e não acreditava que pudessem ver o que era oculto às outras pessoas. Pelo contrário, ele os rejeitava, considerava-os fraudes, todos eles: achava que eram espertos para arrancar informações das pessoas e para ler a linguagem corporal de forma a estabelecer detalhes a respeito da pessoa em questão; em metade dos casos poderiam acertar e na outra metade poderiam errar completamente, ou seja, simples probabilidade. Erlendur zombou do assunto quando começaram a discuti-lo no escritório, considerando-o um tremendo absurdo, para total desgosto de Elínborg. Ela acreditava em médiuns e em vida após a morte e, por algum motivo, esperava que ele estivesse aberto a essas ideias. Talvez porque ele vinha do interior. Isso revelou-se um enorme equívoco. Erlendur com certeza não estava aberto ao sobrenatural. Ainda assim, havia alguma coisa naquela mulher do hospital e no que ela havia dito, alguma coisa em que Erlendur não conseguia parar de pensar e que tinha perturbado seu sono.

"Sim, ele ainda mora aqui", disse Jim, desculpando-se muito por ter acordado Erlendur: ele achava que todos os islandeses acordavam cedo. Ele mesmo fazia isso, os dias intermináveis da primavera não lhe davam trégua.

"Espere um pouco, então ele é casado com uma islandesa?"

"Eu falei com ele", disse Jim novamente com seu sotaque inglês, como se não tivesse ouvido a pergunta. "Ele está aguardando um telefonema seu. O coronel Hunter serviu durante algum tempo na polícia de Reykjavík e ele se lembra de um incidente no depósito da colina e pode lhe contar a respeito."

"Que incidente?", perguntou Erlendur.

"Ele vai lhe contar. E eu vou tentar descobrir alguma coisa sobre soldados que morreram ou desapareceram aqui. Você também deve perguntar sobre isso ao coronel Hunter."

Eles se despediram e Erlendur arrastou-se até a cozinha para fazer café. Ainda estava mergulhado em pensamentos profundos. Um médium podia dizer em que lado as pessoas estavam se estivessem a meio caminho entre a vida e a morte? Sem de fato aceitar essa ideia, pensou que se ela oferecia consolo às pessoas que haviam perdido entes queridos, não era ele quem iria se opor. O que importava era o consolo, não de onde vinha.

O café escaldante queimou-lhe a língua no primeiro gole. Ele evitava pensar no que realmente o assombrara naquela noite e naquela manhã, e conseguiu afastar o pensamento daquilo.

Mais ou menos.

Edward Hunter, ex-coronel do exército dos Estados Unidos, mais parecia um islandês do que um americano, com um casaco de lã com botões e uma barba branca eriçada, recebeu Erlendur e Elínborg em sua casa em Kópavogur. Seu cabelo estava desalinhado e um pouco sujo, mas ele foi amigável e educado ao apertar as mãos dos dois, dizendo que podiam chamá-lo de Ed. Nesse sentido, ele fazia Erlendur se lembrar de Jim. Contou-lhes que sua mulher estava nos Estados Unidos, visitando a irmã dele. Ele mesmo ia cada vez menos para lá.

A caminho da casa de Ed, Elínborg contou a Erlendur que, segundo Bára, a noiva de Benjamín estava usando um casaco verde quando desapareceu. Elínborg achou aquilo interessante, mas Erlendur impediu que a conversa fosse adiante dizendo categoricamente que não acreditava em fantasmas. Elínborg teve a impressão de que o assunto estava encerrado.

Ed levou-os para uma grande sala e Erlendur não viu evidências de uma vida militar quando olhou em volta: havia dois quadros com paisagens islandesas melancólicas, estátuas de cerâmica islandesa e fotos de família em porta-retratos. Nada que fizesse Erlendur pensar em serviço militar ou na Segunda Guerra Mundial.

Como já os esperava, Ed estava com café, chá e biscoitos prontos, e depois de uma conversa educada, que entediou completamente os três, o velho soldado entrou em ação e perguntou em que poderia ajudar. Ele falava um islandês quase perfeito, com frases curtas, concisas, como se a disciplina do Exército o tivesse ensinado a se ater ao essencial.

"Jim, da embaixada britânica, nos contou que você serviu aqui durante a guerra, tendo inclusive uma passagem pela polícia militar, e esteve envolvido com um caso relacionado ao depósito no local onde é hoje o campo de golfe de Grafarholt."

"Sim, eu sempre jogo golfe lá", disse Ed. "Fiquei sabendo sobre os ossos na colina. Jim me disse que vocês acham que pode ser de um dos nossos homens, americano ou britânico."

"Houve algum incidente no depósito?", perguntou Erlendur.

"Costumava haver roubos", respondeu Ed. "Isso acontecia em grande parte dos depósitos. Acho que se pode chamar de 'perda prevista'. Um grupo de soldados roubava provisões e as vendia aos islandeses. O negócio começou em pequena escala, mas aos poucos eles foram ficando mais confiantes e no fim tornou-se uma operação de grandes proporções. O intendente também estava com eles. Todos foram condenados. Deixaram o país. Eu me lembro bem. Tive um diário e dei uma olhada nele depois que Jim telefonou. Acabei me lembrando de tudo relacionado ao roubo. Eu também telefonei a um amigo daquela época, Phil, que era meu superior. Nós dois repassamos os fatos."

"Como o roubo foi descoberto?", perguntou Elínborg.

"Eles se tornaram gananciosos. Roubo, nas proporções que eles estavam realizando, é difícil de esconder. E os rumores sobre irregularidades se espalharam."

"Quem estava envolvido?" Erlendur tirou um cigarro e Ed assentiu com a cabeça para mostrar que não se importava que ele fumasse. Elínborg lançou um olhar de reprovação a Erlendur.

"Civis. A maioria. O intendente era a pessoa com a patente mais alta. E pelo menos um islandês. Um homem que morava na colina. Do outro lado do depósito."

"Você se lembra do nome dele?"

"Não. Ele morava com a família em uma cabana sem pintura. Encontramos muitas mercadorias lá. Tiradas do depósito. Eu escrevi no meu diário que ele tinha três filhos, um deles deficiente físico, uma menina. Os outros dois eram meninos. A mãe..."

Ed se calou.

"O que houve com a mãe?", perguntou Elínborg. "Você ia dizer alguma coisa sobre a mãe."

"Acho que ela passava muito mal." Ed se calou de novo, pensativo, como se quisesse se transportar de volta para aquele tempo distante, quando ele investigou o roubo, entrou em uma casa islandesa e encontrou uma mulher que ele sabia ser vítima de violência. E não apenas da violência de um único ataque recente. Era óbvio que ela sofria maus-tratos persistentes e sistemáticos, tanto físicos quanto psicológicos.

Ele mal a notou quando entrou na casa com quatro policiais militares. A primeira coisa que viu foi a menina deficiente deitada em uma cama improvisada na cozinha. Ele viu os dois meninos parados próximos a ela, um ao lado do outro, paralisados e aterrorizados com a entrada dos soldados. Viu o homem pular da mesa da cozinha. Eles tinham chegado de surpresa e é claro que ele não os esperava. Eles sabiam dizer, com um breve olhar, se uma pessoa era durona. Se representava ou não uma ameaça. Aquele homem não iria lhes causar nenhum problema.

Então ele viu a mulher. Era o começo da primavera e estava escuro, e ele precisou de um momento para ajustar a visão lá dentro. Como se estivesse se escondendo, a mulher ficou na frente de um lugar onde ele achava que estava vendo um corredor que conduzia aos outros cômodos da casa. A princípio pensou que ela fosse um dos ladrões, tentando fugir. Ele andou com passos firmes até o corredor, tirando a arma do coldre. Gritou para dentro do corredor e apontou a arma para a escuridão. A garota aleijada começou a gritar com ele. Os dois meninos lançaram-se sobre ele, como se fossem um só, gritando alguma coisa que ele não entendia. E da escuridão veio a mulher, que ele nunca iria esquecer enquanto vivesse.

De imediato percebeu o motivo de ela estar se escondendo. Seu rosto estava muito machucado, o lábio superior cortado e um dos olhos tão inchado que ela não conseguia abri-lo. Com o outro olho, ela o fitou com medo e em seguida abaixou a cabeça como se por instinto. Como se ela achasse que ele fosse bater nela. Usava um vestido esfarrapado sobre o outro, as pernas nuas, com meias curtas e sapatos velhos e surrados. O cabelo sujo caía-lhe sobre os ombros em nós espessos. Ele teve a impressão de que ela estava mancando. Era a criatura mais infeliz que ele já vira na vida.

Ele a observou tentando acalmar os filhos e entendeu que não era a aparência o que ela estava tentando esconder.

Ela estava tentando esconder a vergonha.

As crianças ficaram quietas. O garoto mais velho aconchegou-se junto à mãe. Ed olhou para o marido, aproximou-se dele e acertou-lhe um tapa em cheio no rosto.

"E foi isso", Ed concluiu seu relato. "Eu não consegui me controlar. Não sei o que aconteceu. Não sei o que me deu. Foi realmente incompreensível. Nós somos treinados, sabe, treinados para encarar qualquer coisa. Treinados para manter a calma seja lá o que aconteça. Como vocês podem imaginar, era fundamental manter o autocontrole em todas as ocasiões, com a guerra acontecendo e tudo o mais. Mas quando eu vi aquela mulher... quando eu vi o que ela era obrigada a aguentar — e era óbvio que não tinha sido só uma vez —, eu consegui visualizar a vida dela nas mãos daquele homem, e alguma coisa arrebentou dentro de mim. Aconteceu alguma coisa que eu simplesmente não consegui controlar."

Ed fez uma pausa.

"Eu trabalhei como policial em Baltimore durante dois anos antes de a guerra começar. Naquela época não se chamava violência doméstica, mas era algo igualmente horrível. Encontrei esse tipo de coisa lá também e sempre foi algo que me incomodou demais. Eu soube na hora o que estava acontecendo ali, e ele também estava nos roubando... mas, bem, ele foi condenado pelos tribunais de vocês", disse Ed, como se tentando apagar da mente a lembrança da mulher na colina. "Acho que a pena dele não foi muito dura. Com certeza em alguns meses ele estaria de volta em casa batendo na pobre esposa."

"Quer dizer que você está falando de violência doméstica séria", disse Erlendur.

"A pior imaginável. A imagem daquela mulher era assustadora. Simplesmente assustadora. Como eu disse, percebi na hora o que estava acontecendo. Tentei conversar com ela, mas ela não entendia uma palavra de inglês. Contei à polícia islandesa sobre ela, mas eles disseram que não havia muito que eles pudessem fazer. Pelo que eu percebo, isso não mudou muito."

"Você lembra os nomes deles?", perguntou Elínborg. "Não aparecem no seu diário?"

"Não, mas deve haver um relatório a respeito. Por causa do roubo. E ele trabalhava no depósito. É provável que haja listas dos empregados, dos trabalhadores islandeses no quartel. Mas talvez tenha se passado muito tempo."

"E quanto aos soldados?", perguntou Erlendur. "Os que foram condenados pelos tribunais de vocês?"

"Eles passaram um tempo na prisão militar. Roubo de suprimentos era um crime muito sério. Depois foram mandados para a frente de batalha. Um tipo de pena de morte."

"E vocês pegaram todos."

"Quem sabe? Mas os roubos pararam. Os estoques voltaram ao normal. O assunto foi resolvido."

"Então você não acha que essas coisas tenham a ver com os ossos que encontramos."

"Eu não saberia dizer."

"Você não se lembra de ninguém que tenha desaparecido das suas fileiras ou entre os britânicos?"

"Você quer dizer, um desertor?"

"Não. Algum desaparecimento inexplicado. Pensando no esqueleto. Se você souber quem poderia ser. Talvez algum soldado americano do depósito?"

"Eu simplesmente não tenho a menor ideia. A menor ideia."

Eles conversaram com Ed por um bom tempo ainda. Ele deu a impressão de gostar de conversar com eles. Parecia apreciar as lembranças dos velhos tempos, armado com seu precioso diário, e logo eles estavam discutindo os anos da guerra na Islândia e o impacto da presença militar, até que Erlendur voltou à realidade imediata. Não podia perder tempo daquele jeito.

Ele se levantou, e Elínborg também, e os dois agradeceram Ed calorosamente.

Ed levantou-se e acompanhou-os até a porta.

"Como vocês descobriram o roubo?", Erlendur perguntou antes de ir embora.

"Como descobrimos?", disse Ed.

"Qual foi a pista?"

"Ah, entendi. Um telefonema. Alguém ligou para a central de polícia e relatou um roubo considerável de artigos do depósito."

"E quem foi?"

"Nunca descobrimos. Eu nunca soube quem foi."

Símon ficou parado ao lado da mãe e viu, desnorteado, quando o soldado virou-se com uma mistura de surpresa e raiva, atravessou a cozinha e bateu no rosto de Grímur com tanta força que o jogou no chão.

Os outros três soldados ficaram imóveis na porta, enquanto o agressor de Grímur parou sobre ele e gritou-lhe alguma coisa que os islandeses não entenderam. Símon não conseguia acreditar no que via. Olhou para Tómas, paralisado diante do que estava acontecendo, e em seguida para Mikkelína, que olhava aterrorizada para Grímur estendido no chão. Voltou a olhar para a mãe e viu lágrimas nos olhos dela.

Grímur foi descuidado. Quando eles ouviram os dois jipes parando do lado de fora da casa, a mãe tinha entrado rapidamente no corredor para que ninguém a visse. Não visse sua aparência, o olho roxo e o lábio rasgado. Grímur não tinha sequer se levantado da mesa, como se não se preocupasse com a possibilidade de que o que fazia com os ladrões do depósito pudesse ser descoberto. Estava esperando seus amigos soldados com um lote de mercadorias que eles planejaram esconder em sua casa, e naquela noite iriam à cidade vender parte do saque. Grímur tinha bastante dinheiro e havia começado a falar em se mudar da colina, comprar um apartamento, e até mesmo falava em comprar um carro, mas apenas quando estava particularmente animado.

Os soldados levaram Grímur para fora. Puseram-no em um dos jipes e levaram-no embora. O líder deles, aquele que derrubou Grímur no chão sem o menor esforço e que simplesmente aproximou-se e bateu nele como se não soubesse o quanto Grímur era forte, disse alguma coisa para a mãe deles e em seguida despediu-se, não com uma continência, mas com um aperto de mãos, e entrou no outro jipe.

O silêncio logo retornou à casinha. A mãe deles continuou em pé no corredor como se o ocorrido estivesse além de sua compreensão. Esfregou cuidadosamente o olho, fixando-se em alguma coisa que apenas ela conseguia ver. Eles nunca tinham visto Grímur estendido no chão. Nunca tinham visto ele ser derrubado. Nunca tinham ouvido ninguém gritar com ele. Nunca o viram tão impotente. Não conseguiam avaliar o que havia acontecido. Como podia ter acontecido. Por que Grímur não atacou os soldados e arrebentou-os de pancada? As crianças se entreolhavam. Dentro de casa, o silêncio era sufocante. Estavam olhando para a mãe quando ouviram um som estranho. Viera de Mikkelína. Ela estava de cócoras na cama e eles ouviram o som novamente, e viram que ela estava começando a dar uma risadinha, e a risadinha transformou-se em um riso silencioso que ela a princípio tentou reprimir, mas não conseguiu, e o riso explodiu em uma gargalhada. Símon sorriu e começou a gargalhar também, e Tómas fez o mesmo, e em pouco tempo os três estavam uivando de alegria, com espasmos descontrolados que ecoavam por toda a casa e eram levados para toda colina pelo delicioso clima da primavera.

Duas horas depois, um caminhão militar parou na frente da casa e levou todas as mercadorias que Grímur e seus colegas tinham guardado lá. Os meninos ficaram olhando o caminhão ir embora e correram para o alto da colina para vê-lo voltar ao depósito, onde foi descarregado.

Símon não sabia exatamente o que havia acontecido e não tinha muita certeza de que sua mãe sabia, mas Grímur iria ser preso e não voltaria para casa nos próximos meses. No início a vida continuou normal na colina. Eles não pareciam entender que Grímur não estava mais lá. Pelo menos, não por enquanto. A mãe continuou com suas tarefas como sempre tinha feito, e não teve escrúpulos em usar os ganhos desonestos de Grímur para sustentar a si e aos filhos. Mais tarde conseguiu um emprego na fazenda Gufunes, que ficava a meia hora de caminhada da casa.

Quando o clima permitia, os meninos levavam Mikkelína para o sol. Às vezes a levavam junto quando iam pescar no Reynisvatn. Quando conseguiam pescar trutas, a mãe as fritava e fazia uma refeição deliciosa. Aos poucos foram se libertando do domínio que Grímur ainda exercia sobre eles, mesmo estando afastado. Era mais fácil acordar de manhã, os dias transcorriam sem preocupações e as noites passavam em uma calma incomum, tão confortadora que eles ficavam acordados até tarde da noite, conversando e brincando, até não conseguirem mais manter os olhos abertos.

No entanto, a ausência de Grímur teve seu maior efeito sobre a mãe deles. Um dia, quando finalmente se deu conta de que ele não iria mais voltar num futuro próximo, ela lavou cada centímetro de sua cama de casal. Colocou os colchões no quintal para arejar e bateu a sujeira e a poeira de todos eles. Em seguida fez o mesmo com as colchas. Trocou a roupa de cama, deu banho em cada uma das crianças com sabonete verde e água quente em uma grande tina que pôs no chão da cozinha. E terminou lavando cuidadosamente seu cabelo, seu rosto — que ainda apresentava as marcas da última agressão de Grímur — e todo o corpo. Hesitante, pegou um espelho e se olhou. Passou a mão sobre o olho e o lábio. Estava mais magra e sua expressão se tornara mais endurecida, os dentes um pouco para a frente, os olhos fundos e o nariz, que já fora quebrado uma vez, tinha uma curva quase imperceptível.

Perto da meia-noite ela levava todos os filhos para sua cama e os quatro dormiam juntos lá. Depois disso, as crianças passaram a dormir na cama grande com a mãe. Mikkelína sozinha do lado direito dela e os dois meninos à esquerda, felizes.

Ela nunca visitou Grímur na prisão. Eles nunca falaram o nome dele enquanto ele esteve fora.

Certa manhã, pouco depois de Grímur ter sido levado, Dave, o soldado, cruzou o topo da colina com sua vara de pescar, passou pela casa deles e piscou para Símon, que estava em pé na frente da casa, e continuou andando na direção do lago Hafravatn. Símon saiu correndo atrás, mantendo-se a uma distância segura para poder espioná-lo. Dave passou o dia no lago, mais descontraído do que nunca, aparentemente sem se importar se iria pegar algum peixe ou não. Conseguiu pegar três.

Quando começou a escurecer, ele subiu a colina de novo e parou na casa deles com os três peixes amarrados pelo rabo com um barbante. Dave estava inseguro, ou foi o que pareceu a Símon, que voltara para casa a fim de observá-lo através da janela da cozinha, onde tomou cuidado para que Dave não o visse. Por fim, o soldado se decidiu, foi até a porta e bateu.

Símon havia contado sobre o soldado para sua mãe, o mesmo que lhes dera as trutas antes, e ela saiu pelos fundos e deu uma rápida olhada nele, voltou para dentro, olhou-se no espelho e arrumou o cabelo. Ela parecia saber que ele iria parar ali no caminho de volta para o quartel. Estava pronta para recebê-lo quando ele fizesse isso.

Ela abriu a porta, e Dave sorriu, disse alguma coisa que ela não entendeu e entregou-lhe os peixes. Ela os recebeu e convidou-o para entrar. Ele entrou na casa e ficou parado na cozinha, um pouco encabulado. Cumprimentou os meninos e Mikkelína com um meneio de cabeça, e ela esticava o corpo para poder ver melhor aquele soldado que tinha vindo de longe apenas para ficar parado em pé na cozinha, com seu uniforme e com um chapéu engraçado que tinha o formato de um barco de cabeça para baixo. De repente, ele lembrou que havia esquecido de tirar o chapéu quando entrou na casa e arrancou-o da cabeça, envergonhado. Ele tinha estatura mediana, com certeza mais de trinta anos, magro com mãos bonitas, que reviravam o barco de cabeça para baixo, torcendo-o como se estivesse molhado.

Ela fez um gesto para que ele se sentasse à mesa da cozinha, e ele se sentou com os garotos a seu lado enquanto a mãe fazia café, café de verdade que viera do depósito, café que Grímur tinha roubado e os soldados não haviam descoberto. Dave sabia o nome de Símon e descobriu que Tómas se chamava Tómas, que era fácil para ele pronunciar. Estranhou o nome de Mikkelína e repetiu-o várias vezes, de formas tão engraçadas que todos riram. Ele disse que seu nome era Dave Welch, de um lugar chamado Brooklyn nos Estados Unidos. Contou a eles que era soldado raso. Eles não faziam a menor ideia do que ele estava falando.

"Soldado raso", repetiu Dave, mas apenas continuaram olhando para ele.

Ele tomou o café e pareceu gostar muito. A mãe estava sentada de frente para ele do outro lado da mesa.

"Pelo que sei, seu marido está na cadeia", disse. "Por roubo."
Ele não obteve nenhuma resposta.

Olhando rapidamente para as crianças, ele tirou um pedaço de papel do bolso da camisa e revolveu-o entre os dedos, incerto sobre o que fazer. Então empurrou o bilhete por cima da mesa para a mãe deles. Ela pegou-o, desdobrou o papel e leu o que estava escrito. Olhou para ele surpresa, depois para o bilhete outra vez. Então dobrou o papel e enfiou-o no bolso do avental.

Tómas conseguiu fazer Dave entender que ele deveria tentar dizer o nome de Mikkelína mais uma vez e, quando ele o fez, todos começaram a rir de novo, e o rosto de Mikkelína se contorceu de pura alegria.

Dave Welch visitou a casa deles regularmente durante todo aquele verão e se tornou amigo das crianças e da mãe delas. O soldado pescava nos dois lagos e dava os peixes a eles, e lhes trazia coisinhas do depósito que pudessem ser úteis. Brincava com as crianças, que se deliciavam por tê-lo ali, e sempre carregava consigo seu caderno de anotações para se fazer entender em islandês. Elas rolavam de rir quando ele gaguejava uma frase em islandês. Sua expressão séria não combinava com o que ele dizia, e a maneira como o fazia soava como uma criança de três anos falando.

Mas ele aprendia rápido e logo se tornou mais fácil para eles entendê-lo e para ele saber do que eles estavam falando. Os garotos mostravam-lhe os melhores lugares para pescar e andavam orgulhosamente com ele pela colina e ao redor do lago, e aprenderam com ele palavras em inglês e também canções americanas que já tinham ouvido, aquelas cantadas no depósito.

Ele criou uma relação especial com Mikkelína. Não demorou para conquistá-la totalmente, e a carregava para fora quando o tempo estava bom, pondo à prova o que ela era capaz de fazer. Sua abordagem era semelhante à da mãe: movia os braços e as pernas para ela, apoiando-a enquanto ela andava, ajudando-a com todos os tipos de exercícios. Um dia trouxe um médico do Exército para ver Mikkelína. O médico examinou os olhos e a garganta dela com uma pequena lanterna, moveu a cabeça da menina de um lado para o outro e apalpou-lhe o pescoço, percorrendo toda a espinha com os dedos. Ele havia trazido blocos de madeira de formatos diferentes e fez com que ela os encaixasse nas aberturas apropriadas. Ela fez isso rapidamente e sem esforço. O médico ficou sabendo que ela ficara doente aos três anos e que entendia o que as pessoas lhe diziam, mas mal conseguia falar uma única palavra. Ela sabia ler e sua mãe a estava ensinando a escrever. O médico assentiu com a cabeça como se entendesse, com uma expressão significativa no rosto. Teve uma longa conversa com Dave depois do exame e, quando saiu, Dave conseguiu fazê-los entender que Mikkelína era mentalmente saudável. Isso eles já sabiam. Mas em seguida disse que, com o tempo, com exercícios adequados e muito esforço, Mikkelína conseguiria andar sem ajuda.

"Andar!" A mãe deles desabou de repente em uma cadeira.

"E até mesmo falar normalmente", acrescentou Dave. "Talvez. Ela nunca tinha ido a um médico antes?"

"Isso tudo está além da minha compreensão", disse ela com tristeza.

"Ela está bem", disse Dave. "Ela só precisa de tempo."

A mãe tinha parado de ouvir o que ele estava dizendo.

"Ele é um homem repulsivo", disse de repente, e seus filhos aguçaram os ouvidos, porque nunca tinham ouvido a mãe falar de Grímur da maneira como o fez nesse dia. "Um homem repulsivo", prosseguiu. "Uma criatura desprezível que não merece viver. Não sei por que permitem que gente assim viva. Eu não entendo. Por que eles podem fazer o que querem? O que faz as pessoas ficarem desse jeito? O que o transforma em um monstro? Por que ele se comporta como um animal há anos e anos, atacando os filhos e humilhando-os, me atacando e batendo em mim até eu querer morrer e começar a pensar em como..."

Ela soltou um suspiro profundo e foi se sentar ao lado de Mikkelína.

"A gente se sente envergonhada de ser vítima de um homem assim, que desaparece em uma solidão total e impede todo mundo de entrar no mundo dele, até mesmo os filhos, porque não quer que ninguém ponha os pés lá, principalmente eles. Aí você senta e se prepara para a próxima agressão, que vem de maneira inesperada e carregada de ódio, por um motivo ou por outro, você não sabe qual, e passa a vida toda esperando a próxima agressão, quando é que vai acontecer, será que vai ser ruim, qual vai ser o motivo, como posso evitar? Quanto mais eu faço para agradá-lo, mais ele me rejeita. Quanto mais submissão e medo eu demonstro, mais ele me despreza. E se eu resisto, isso é mais razão ainda para ele me bater até eu desmaiar. Não há jeito de fazer a coisa certa. Jeito nenhum.

Até que tudo em que você pensa é em como superar isso. Não importa como. Apenas superar."

Fez-se um silêncio absoluto. Mikkelína estava deitada imóvel em sua cama, e os meninos tinham se aproximado da mãe. Eles ouviram, mudos, cada palavra. Nunca ela abrira uma janela para os tormentos que havia enfrentado durante tanto tempo, a ponto de fazê-la se esquecer de todas as outras coisas.

"Vai dar tudo certo", disse Dave.

"Eu ajudo você", disse Símon com voz séria.

Ela olhou para ele.

"Eu sei, Símon", disse ela. "Eu sempre soube, meu pobre Símon."

* * *

Os dias transcorreram e Dave dedicava todo seu tempo livre à família na colina e passava mais e mais tempo com a mãe das crianças, dentro de casa ou caminhando por Reynisvatn e pelo lago Hafravatn. Os meninos queriam mais a companhia dele, mas Dave tinha deixado de ir pescar com eles e ficava menos tempo com Mikkelína. Porém eles não se importaram. Perceberam a mudança na mãe, associavam-na a Dave e estavam felizes por ela.

Em um belo dia de outono, quase seis meses depois de Grímur ter sido levado da colina pela polícia militar, Símon viu Dave e sua mãe à distância, caminhando em direção à casa. Andavam muito perto um do outro e, pelo que pôde perceber, os dois estavam de mãos dadas. Quando se aproximaram, soltaram as mãos e se afastaram, e Símon percebeu que eles não queriam ser vistos.

"O que você e Dave vão fazer?", Símon perguntou à mãe uma noite daquele outono, depois que o sol havia desaparecido da colina. Eles estavam sentados na cozinha. Tómas e Mikkelína jogavam cartas. Dave havia passado o dia com eles e depois voltado ao depósito. A pergunta estivera no ar todo o verão. As crianças haviam discutido o assunto entre si e imaginaram todos os tipos de situação, que terminavam com Dave tornando-se pai delas e expulsando Grímur para sempre da vida deles.

"Como assim, fazer?", perguntou a mãe.

"Quando ele voltar", disse Símon, percebendo que Mikkelína e Tómas tinham parado de jogar cartas e olhavam para ele.

"Há muito tempo para pensar nisso", respondeu a mãe. "Ele vai demorar para voltar."

"Mas o que você vai fazer?" Mikkelína e Tómas olharam para Símon e em seguida para a mãe.

Ela olhou para Símon e depois para os outros.

"Ele vai nos ajudar", disse ela.

"Quem?", perguntou Símon.

"Dave. Ele vai nos ajudar."

"O que ele vai fazer?" Símon olhou para a mãe, tentando entender o que ela quis dizer. Ela olhou diretamente nos olhos dele.

"Dave conhece esse tipo de gente. Sabe como se livrar deles."

"O que ele vai fazer?", repetiu Símon.

"Não se preocupe com isso", respondeu a mãe.

"Dave vai se livrar dele para nós?"

"Vai."

"Como?"

"Eu não sei. Quanto menos nós soubermos, melhor, é o que ele diz, e eu nem devia estar lhe contando isso. Talvez Dave fale com ele. Dê um susto nele e faça com que nos deixe em paz. Ele disse que tem amigos no Exército que podem ajudá-lo se for preciso."

"Mas e se Dave for embora?"

"Embora?"

"Se ele for embora da Islândia", disse Símon. "Ele não vai ficar aqui para sempre. Ele é um soldado. Eles sempre estão mandando as tropas para longe. Transferindo gente nova para o quartel. E se ele for embora? O que vamos fazer então?"

Ela olhou para o filho.

"Nós vamos dar um jeito", disse em voz baixa. "Vamos dar um jeito."

19.

Sigurdur Óli telefonou para Erlendur, contou-lhe sobre seu encontro com Elsa e como ela achava que outro homem — que engravidara a noiva de Benjamín — estava envolvido; sua identidade era desconhecida. Eles discutiram o assunto por algum tempo, e Erlendur contou a Sigurdur Óli o que havia descoberto do ex-militar Ed Hunter sobre o roubo do depósito e sobre como um pai de família na colina havia sido preso por estar envolvido nele. Ed acreditava que a mulher do sujeito tinha sido vítima de violência doméstica, o que confirmava o relato feito por Höskuldur, que ouvira isso de Benjamín.

"Todas essas pessoas estão mortas e foram enterradas há muito tempo", disse Sigurdur Óli, desanimado. "Não sei por que estamos correndo atrás delas. É como caçar fantasmas. Nunca vamos encontrar nem falar com nenhuma delas. Todas fazem parte de uma história de fantasmas."

"Você está se referindo à mulher de verde na colina?", perguntou Erlendur.

"Elínborg disse que Róbert viu o fantasma de Sólveig usando um casaco verde, então estamos metidos em uma verdadeira caça ao fantasma."

"Mas você não quer saber quem está lá naquele túmulo com uma das mãos erguidas no ar como se tivesse sido enterrado vivo?"

"Passei dois dias trancado em um porão nojento e não dou a mínima", disse Sigurdur Óli. "Não dou a mínima para toda essa besteirada antiga", resmungou, desligando.

Como sempre, os pensamentos de Erlendur estavam em Eva Lind, que continuava na unidade de terapia intensiva e tinha poucas chances de sobreviver. Estava imerso nas lembranças da última discussão que haviam tido no apartamento dele dois meses antes. Ainda era inverno naquele momento, com neve pesada, dias escuros e frios. Não havia pretendido discutir com ela. Não tinha planejado perder a calma. Mas ela não iria ceder um milímetro. Como sempre.

"Você não pode fazer isso com o bebê", disse ele, mais uma vez tentando convencê-la. Ele calculava que ela estivesse grávida de cinco meses. Ela conseguira se recompor quando descobriu que estava grávida e, depois de duas tentativas, parecia que iria conseguir se livrar do vício das drogas. Ele ofereceu todo o apoio que pôde, mas ambos sabiam que aquilo tinha pouca importância e que o relacionamento dos dois era estruturado de tal forma que quanto menos ele se envolvesse, maior a probabilidade de ela ser bem-sucedida. Eva Lind tinha uma postura ambivalente em relação ao pai. Buscava sua companhia, mas achava uma falha em tudo que dizia respeito a ele.

"O que você entende dessas coisas?", disse ela. "O que você entende de crianças? É claro que eu posso ter o meu bebê. E vou fazer isso sozinha."

Ele não sabia se ela estava usando drogas, álcool ou uma combinação das duas coisas, mas o fato é que ela não estava normal quando ele abriu a porta e deixou-a entrar. Ela não se sentou no sofá; ela desabou nele. A barriga aparecia sob a jaqueta de couro aberta, a gravidez fazendo-se visível. Ela estava usando apenas uma camiseta fina por baixo. Lá fora, a temperatura era de pelo menos dez graus negativos.

"Pensei que nós..."

"Nós não temos nada", interrompeu ela. "Você e eu. Não temos nada."

"Pensei que você havia decidido cuidar do bebê. Garantir que nada acontecesse com ele. Garantir que as drogas não o afetassem. Você ia largar, mas provavelmente não consegue. Provavelmente você não vai conseguir cuidar direito do seu filho."

"Cala a boca."

"Por que você veio aqui?"

"Não sei."

"É a sua consciência. Não é? Sua consciência está atormentando você e você espera que eu tenha compaixão pelo péssimo estado em que você se encontra. Foi por isso que veio aqui. Para conseguir um pouco de piedade e se sentir melhor consigo mesma."

"É isso aí. Este aqui é exatamente o lugar para se visitar quando a gente quer dar um trato na consciência, Santo Cuzão."

"Você tinha escolhido o nome, lembra? Se for uma menina."

"Você escolheu. Eu não. Você. Como sempre. Você decide tudo. Se você quer ir embora, você simplesmente vai, não dá a mínima para mim nem para ninguém."

"Ela deveria se chamar Audur. Você queria esse nome."

"Você acha que eu não sei qual é a sua jogada? Acha que eu não percebo as suas intenções? Você está assustado pra cacete... Eu sei o que eu tenho na minha barriga. Eu sei que é um ser humano. Eu sei disso. Não precisa ficar me lembrando. Não precisa."

"Ótimo", disse Erlendur. "Porque às vezes parece que você esquece. Esquece que agora você não tem só você para se preocupar. Não se trata só de ficar chapada. Quando você fica chapada, o seu bebê também fica, e sofre muito mais danos com isso do que você."

Ele fez uma pausa.

"Talvez tenha sido um erro", disse ele. "Não ter feito um aborto."

Ela olhou para ele.

"Vá se foder!"

"Eva..."

"A mamãe me contou. Eu sei exatamente o que você queria."

"O quê?"

"Pode chamá-la de mentirosa, mas você sabe que é verdade."

"Do que você está falando?"

"Ela disse que você iria negar."

"Negar o quê?"

"Que você não me queria."

"O quê?"

"Você não me queria. Quando você a engravidou."

"O que a sua mãe disse?"

"Que você não me queria."

"Ela está mentindo."

"Você quis que ela fizesse um aborto..."

"Isso é mentira."

"... e aí você vem me julgar, não importa o quanto eu tente. Sempre me julgando."

"Isso não é verdade. Isso não foi nem cogitado. Eu não sei por que ela te contou isso, mas não é verdade. Não houve nenhuma escolha. Nós nunca sequer falamos sobre isso."

"Ela sabia que você iria dizer isso. Ela me avisou."

"Avisou? Quando ela te contou tudo isso?"

"Quando soube que eu estava grávida. Ela disse que você queria mandá-la fazer um aborto e me disse que você ia negar isso. Ela disse que você iria dizer tudo o que disse."

Eva Lind se levantou e andou até a porta.

"Ela está mentindo, Eva. Acredite em mim. Eu não sei por que ela disse isso. Eu sei que ela me odeia, mas com certeza não é tanto assim. Ela está te manipulando contra mim. Você precisa perceber isso. Falar esse tipo de coisa é... é... é sórdido. Pode dizer isso a ela."

"Diga você", gritou Eva Lind. "Se é que tem coragem."

"É sórdido falar esse tipo de coisa para você. Inventar uma história só para envenenar nosso relacionamento."

"Para falar a verdade, eu acredito nela."

"Eva..."

"Cala a boca."

"Eu vou te dizer por que isso não pode ser verdade. Por que eu nunca..."

"Eu não acredito em você!"

"Eva... eu tive..."

"Cala essa boca. Eu não acredito em uma única palavra que você diz."

"Então é melhor você ir embora", disse ele.

"É, tá certo", ela o provocou. "Se livra de mim."

"Vá embora!"

"Você é nojento!", gritou ela, e saiu furiosa.

"Eva!", ele a chamou em voz alta, mas ela já havia desaparecido.

Ele não teve mais notícias dela nem voltou a vê-la até seu celular tocar dois meses depois, quando ele estava de pé sobre o esqueleto na colina.

* * *

Erlendur estava sentado em seu carro, fumando e pensando que deveria ter reagido de maneira diferente, deveria ter engolido o orgulho e procurado Eva quando sua raiva abrandou. Deveria ter lhe dito novamente que a mãe estava mentindo, que ele nunca teria sugerido um aborto. Nunca. E não deveria tê-la abandonado para que depois ela precisasse lhe mandar um pedido de socorro. Ela simplesmente não tinha maturidade suficiente para enfrentar tudo aquilo, não percebia no que havia se metido e não entendia sua responsabilidade.

Erlendur temia dar a notícia quando ela acordasse. Se ela recuperasse a consciência. Apenas para fazer alguma coisa, pegou o telefone e ligou para Skarphédinn.

"Tenha um pouco mais de paciência", disse o arqueólogo, "e pare de me ligar a toda hora. Nós informaremos quando chegarmos aos ossos."

Skarphédinn agia como se tivesse assumido a investigação e tornava-se cada dia mais arrogante.

"E quando isso vai acontecer?"

"É difícil dizer", respondeu ele, e Erlendur imaginou os dentes amarelados do arqueólogo sob a barba. "Vamos ver. Deixe-nos em paz para podermos continuar o trabalho."

"Você tem que ser capaz de me dizer *alguma coisa*. Era um homem? Uma mulher?"

"A paciência é a chave de todo quebra-cabeça..."

Erlendur desligou o telefone bruscamente. Estava acendendo outro cigarro quando o telefone tocou de novo. Era Jim, da embaixada britânica. Ed e a embaixada norte-americana tinham descoberto uma lista com os nomes dos empregados islandeses do depósito e Jim acabara de recebê-la por fax. Ele mesmo não tinha descoberto nada sobre empregados islandeses na época em que os britânicos controlavam o depósito. Havia nove nomes na lista, e Jim os leu para Erlendur pelo telefone. Erlendur não reconheceu nenhum e lhe deu o número do fax de seu escritório para que ele enviasse a lista para lá.

Foi de carro até Vogar e estacionou, como antes, a alguma distância do porão onde entrara à procura de Eva Lind. Esperou e ficou se perguntando o que fazia os homens se comportarem do jeito que aquele tinha se comportado com a mulher e a filha, mas chegou à conclusão de sempre: eram uns malditos idiotas. Ele não conseguia dizer com exatidão o que desejava fazer com aquele homem. Se pretendia ou não fazer algo mais do que vigiá-lo de dentro do carro. Não conseguia apagar da cabeça a lembrança da garotinha com marcas de cigarro nas costas. O homem negou ter feito qualquer coisa com a criança, e a mãe confirmou a alegação dele, então as autoridades não puderam fazer muita coisa além de tirar a criança deles. O caso daquele sujeito era para a promotoria. Talvez ele fosse acusado formalmente de alguma coisa. Talvez não.

Erlendur considerou as opções disponíveis. Não havia muitas, e todas eram ruins. Se o homem tivesse voltado ao apartamento na noite em que ele estava procurando Eva Lind e a bebê estivesse sentada no chão com queimaduras nas costas, Erlendur teria atacado o sádico. Muitos dias tinham se passado desde então e ele não podia atacá-lo inesperadamente pelo que havia feito. Não poderia chegar nele e espancá-lo, embora isso fosse o que ele mais queria fazer. Erlendur sabia que não poderia falar com ele. Homens como aquele riam de ameaças. Ele iria rir na cara de Erlendur.

Erlendur não viu ninguém entrando ou saindo do prédio durante as duas horas em que permaneceu no carro fumando.

Por fim, desistiu e foi para o hospital ver a filha. Tentou esquecer tudo aquilo, como muitas outras coisas que ele precisou esquecer no passado.

20.

Elínborg recebeu um telefonema de Sigurdur Óli assim que chegou a seu escritório. Ele contou que Benjamín provavelmente não era o pai da criança que sua noiva estava esperando, o que levou ao fim o noivado deles. Além disso, o pai de Sólveig tinha se enforcado depois do desaparecimento da filha, e não antes, como a irmã dela, Bára, havia dito.

Elínborg passou na Secretaria Nacional de Estatística e deu uma olhada nos atestados de óbito antes de se dirigir para Grafarvogur. Não gostava que mentissem para ela, especialmente mulheres arrogantes metidas a bacana.

Bára ouviu Elínborg recontar o que Elsa havia dito sobre o pai não identificado da criança de Sólveig, e seu rosto estava mais inexpressivo do que antes.

"Já tinha ouvido essa história?", perguntou Elínborg.

"Que a minha irmã era uma prostituta? Não, eu nunca tinha ouvido uma coisa dessa e não entendo por que você está me trazendo isso agora. Depois de todos esses anos. Eu não entendo. Vocês deveriam deixar a minha irmã descansar em paz. Ela não merece ser alvo de mexericos. De onde essa mulher... essa Elsa tirou a história dela?"

"A mãe contou a ela", respondeu Elínborg.

"E ela ouviu de Benjamín?"

"Sim. Ele não havia contado a ninguém até o momento de sua morte."

"Você encontrou uma mecha do cabelo de minha irmã na casa dele?"

"Por coincidência, sim."

"E vocês vão enviá-la para testes junto com os ossos?"

"Espero que sim."

"Então vocês acham que ele a matou. Que Benjamín, aquele molenga, matou a própria noiva. Acho isso ridículo. Absolutamente ridículo. Não consigo entender como vocês podem acreditar numa coisa dessa."

Bára parou de falar e ficou pensativa.

"Isso vai sair nos jornais?", perguntou.

"Não faço a menor ideia", respondeu Elínborg "O aparecimento dos ossos chamou bastante a atenção do público."

"Eu me refiro ao fato de minha irmã ter sido assassinada."

"Se chegarmos mesmo a essa conclusão. Sabe quem poderia ter sido o pai da criança?"

"Benjamín era o único."

"Nunca houve menção de mais ninguém? Sua irmã nunca lhe contou sobre nenhum outro homem?"

Bára negou com a cabeça.

"Minha irmã não era uma vadia."

Elínborg pigarreou.

"Você me disse que seu pai se suicidou pouco antes de sua irmã desaparecer."

Elas se entreolharam rapidamente.

"Acho que está na hora de você ir", disse Bára, levantando-se.

"Não fui eu quem começou a falar de seu pai. Verifiquei o atestado de óbito dele na Secretaria Nacional de Estatística. Diferentemente de certas pessoas, é muito raro a Secretaria contar uma mentira."

"Não tenho mais nada a dizer a você", disse Bára, mas sem a arrogância de antes.

"Não creio que você teria mencionado ele se não quisesse falar sobre ele. Bem lá no fundo."

"Que bobagem!", disse ela. "Agora você está brincando de psicóloga?"

"Ele morreu seis meses depois que sua irmã desapareceu. O atestado de óbito dele não especifica que ele se matou. A causa da morte não é apresentada. Talvez ele fosse refinado demais para se usar a palavra "suicídio". Morreu de repente, em casa, é o que está escrito."

Bára deu as costas a Elínborg.

"Há alguma chance de você começar a me contar a verdade?", perguntou Elínborg, levantando-se também. "O que seu pai teve a ver com tudo isso? Por que você o mencionou? Quem engravidou Sólveig? Foi ele?"

Ela não recebeu uma resposta. O silêncio entre as duas era quase tangível. Elínborg olhou ao redor, para o espaçoso salão onde se encontravam, para todos aqueles objetos lindos, os quadros dela e do marido, a mobília cara, o piano preto, uma fotografia posta em destaque, mostrando Bára com o líder do Partido Progressista. Que vida vazia, pensou.

"Toda família tem seus segredos, não é?", Bára acabou por dizer, ainda de costas para Elínborg.

"Imagino que sim", disse Elínborg.

"Não foi meu pai", disse Bára com relutância. "Não sei por que menti para você sobre a morte dele. Simplesmente saiu. Se você quer brincar de psicóloga, pode dizer que, no fundo, eu queria confessar tudo a você. Que eu tinha ficado em silêncio durante tanto tempo que, quando você começou a falar de Sólveig, as comportas se abriram. Eu não sei."

"Quem foi então?"

"O sobrinho dele", disse Bára. "Filho do irmão dele, de Fljót. Aconteceu em uma das visitas de verão dela."

"Como sua família descobriu?"

"Ela estava completamente diferente quando voltou. Mamãe... nossa mãe notou imediatamente e, é claro, teria sido impossível esconder durante muito tempo."

"Ela contou à sua mãe o que aconteceu?"

"Sim. Nosso pai foi até lá, no Norte. Eu não sei muito mais sobre isso. Quando ele voltou, o rapaz havia sido mandado para o exterior. Pelo menos foi o que os habitantes da região disseram. O meu avô tinha uma fazenda muito grande. Havia apenas dois irmãos. Meu pai se mudou para o Sul, estabeleceu seus negócios e ficou rico. Um pilar da sociedade."

"O que aconteceu com o sobrinho?"

"Nada. Sólveig contou que ele fez o que quis com ela. Estuprou-a. Meus pais não sabiam o que fazer, não queriam prestar queixa, com toda a confusão legal e as fofocas que isso traria. O rapaz voltou muitos anos depois e se estabeleceu aqui em Reykjavík. Teve uma família. Ele morreu há uns vinte anos."

"E quanto a Sólveig e o bebê?"

"Mandaram Sólveig fazer um aborto, mas ela se recusou. Recusou-se a se livrar do bebê. Então, um dia, ela desapareceu."

Bára virou-se para encarar Elínborg.

"Pode-se dizer que aquela viagem a Fljót nos destruiu. Nos destruiu como família. Aquilo tudo com certeza moldou a minha vida. O acobertamento. O orgulho familiar. Tornou-se um tabu. Nunca falávamos daquilo. Minha mãe garantia isso. Sei que ela conversou com Benjamín depois. Explicou tudo a ele. Aquilo tornava a morte de Sólveig assunto exclusivo dela, de mais ninguém. De Sólveig, quero dizer. O segredo dela, a opção dela. Nós estávamos bem. Éramos inocentes e respeitáveis. Ela ficou louca e se jogou no mar."

Elínborg olhou para Bára e de repente sentiu pena da mentira com a qual ela fora forçada a viver.

"Ela fez tudo sozinha", Bára continuou. "Nada a ver conosco. Era assunto dela."

Elínborg assentiu.

"Ela não está enterrada lá na colina", disse Bára. "Ela jaz no fundo do mar e esteve lá durante mais de sessenta terríveis anos."

Erlendur sentou-se ao lado de Eva Lind depois de conversar com o médico, que disse a mesma coisa que antes: o estado dela permanecia inalterado, apenas o tempo diria. Sentou-se ao lado da cama da filha, pensando no que falar para ela dessa vez, mas não conseguiu se decidir.

O tempo passou. A ala de terapia intensiva estava em silêncio. De vez em quando, um médico passava pela porta, ou uma enfermeira com sapatos brancos de sola de borracha que rangiam sobre o linóleo.

Aquele rangido.

Erlendur olhava para a filha e, de forma quase automática, começou a conversar com ela em voz baixa, contando-lhe o caso de uma pessoa desaparecida que ele tentou resolver durante muito tempo e que talvez, mesmo depois de todos aqueles anos, ele ainda não entendesse direito.

Começou contando a ela sobre um garotinho que havia se mudado para Reykjavík com os pais, mas que sempre sentira falta do interior. O garoto era jovem demais para entender por que eles tinham se mudado para a metrópole, que naquela época não era uma metrópole, mas uma cidade de bom tamanho próxima ao mar. Mais tarde ele se deu conta de que a decisão fora uma combinação de muitos fatores.

Seu novo lar pareceu-lhe estranho desde o início. Ele fora criado em uma vida rural simples, isolada, de verões agradáveis, invernos rigorosos e histórias sobre sua família que tinha vivido por toda parte do interior, a maioria deles meeiros e desesperadamente pobres durante séculos. Essas pessoas eram seus heróis. Ouvia falar delas em histórias do cotidiano contadas durante anos e décadas, relatos de jornadas perigosas ou reveses, ou histórias que eram tão engraçadas que os narradores engasgavam de tanto rir ou tinham acessos de tosse que os deixavam encurvados, gaguejando e estremecendo de pura alegria. Todas essas histórias eram sobre pessoas com quem ele tinha vivido e que conhecia, ou sobre aqueles que tinham vivido no campo geração após geração: tios e sobrinhas, avós e bisavós, avôs e bisavôs, que se perdiam no tempo. Ele conhecia todos esses personagens das histórias, mesmo aqueles que haviam morrido fazia muito tempo e estavam enterrados no pequeno cemitério ao lado da igreja: parteiras que atravessavam rios congelados para ajudar mulheres a dar à luz; fazendeiros que heroicamente salvavam seus rebanhos em tempestades violentas; colonos que morriam congelados a caminho de algum curral de ovelhas; clérigos bêbados, fantasmas e monstros; histórias de vidas que faziam parte de sua própria vida.

Ele trouxe todas essas histórias consigo quando seus pais se mudaram para a cidade. Eles compraram um banheiro militar construído pelos britânicos durante a guerra nos arredores da cidade e transformaram-no em uma casinha, porque era tudo que podiam pagar. A vida urbana não agradava a seu pai, que tinha um coração fraco e morreu pouco depois que eles se mudaram. A mãe vendeu a casinha, comprou um pequeno apartamento em um porão não muito longe do porto e trabalhou em uma fábrica de peixe. O filho não sabia o que fazer quando terminou o período de escolarização compulsória. Realizou trabalhos braçais. Canteiros de obras. Barcos pesqueiros. Viu o anúncio de um cargo na força policial.

Ele não ouvia mais histórias, e elas se perderam para ele. Todas aquelas pessoas ligadas a ele tinham desaparecido, esquecidas e enterradas nas áreas rurais desertas. Por sua vez, ele vagava por uma cidade onde não deveria estar. Sabia que não era um tipo urbano. Não sabia realmente dizer o que ele era. Mas nunca perdeu o desejo de uma vida diferente, sentia-se desarraigado e desconfortável, e percebeu como seus últimos elos com o passado evaporaram quando sua mãe morreu.

Ele frequentava bailes. Em um deles, Glaumbaer, conheceu uma mulher. Ele havia conhecido outras, mas nunca para mais do que alguns encontros fortuitos. Aquela era diferente, mais constante, e ele sentia que ela o controlava. Tudo aconteceu rápido demais para ele entender. Ela fazia exigências que ele atendia sem nenhuma motivação especial, e antes que pudesse se dar conta havia se casado com ela e tinham uma filha. Alugaram um pequeno apartamento. Ela tinha grandes planos para o futuro deles e falava sobre ter mais filhos e comprar um apartamento, apressada e tensa, com um tom expectante na voz, como se visse sua vida em uma trilha segura que nada iria perturbar. Ele olhou para ela e percebeu que não conhecia realmente aquela mulher.

Eles tiveram outro filho e ela se tornou cada vez mais consciente do quanto ele estava distante. Quando o novo filho chegou ao mundo, ele ficou apenas moderadamente feliz por se tornar pai outra vez, e já havia começado a dizer que queria terminar tudo, que queria ir embora. Ela percebeu isso. Perguntou se havia outra mulher, mas ele apenas ficava olhando para o vazio, sem nem registrar a pergunta. Ele nunca tinha pensado naquilo. "Só pode haver outra mulher", disse ela. "Não é isso", rebateu ele, e começou a lhe explicar seus sentimentos e ideias, mas ela não quis ouvir. Ela teve dois filhos com ele, e ele não podia pensar em abandoná-la de verdade. Em abandoná-los. Seus filhos.

Seus filhos. Eva Lind e Sindri Snaer. Nomes carinhosos escolhidos por ela. Ele não os considerava parte de si. Faltava-lhe todo o sentimento paternal, mas reconhecia a sua responsabilidade. Seu dever em relação a eles, que não tinha absolutamente nada a ver com a mãe deles ou com seu relacionamento com ela. Disse que pretendia sustentar as crianças e queria um divórcio amigável. Pegando Eva Lind e segurando-a com força, ela respondeu que não haveria nada amigável. Ele teve a impressão de que ela iria usar as crianças para segurá-lo, e isso apenas fortaleceu a certeza de que não conseguiria viver com aquela mulher. Tudo fora um enorme erro desde o início, e ele deveria ter tomado uma atitude muito tempo antes. Ele não tinha a menor ideia do que estivera pensando todo aquele tempo, mas agora aquilo precisava acabar.

Tentou fazer com que ela concordasse em deixá-lo passar parte da semana ou do mês com as crianças, mas ela recusou categoricamente e disse que ele nunca mais iria vê-las se fosse embora. Ela se encarregaria disso.

Então ele desapareceu. Desapareceu da vida da garotinha de dois anos que estava de fraldas, segurando um boneco, quando o viu passar pela porta e ir embora. Um boneco branco e pequeno, que rangia quando ela o mordia.

"A gente está fazendo isso da maneira errada", disse Erlendur.

Aquele rangido.

Ele curvou a cabeça. Pensou que a enfermeira estivesse passando outra vez pela porta.

"Eu não sei o que aconteceu com esse homem", disse Erlendur com uma voz quase inaudível, olhando para o rosto da filha, que estava mais tranquilo do que ele jamais tinha visto. Os contornos estavam mais definidos. Olhou para o aparelho que a mantinha viva. Então voltou a fitar o chão.

Muito tempo se passou com ele assim, até que se levantou, inclinou-se sobre Eva Lind e beijou-a na testa.

"Ele desapareceu, e acho que ainda está perdido e esteve perdido durante muito tempo, e não tenho certeza se será encontrado. Não é culpa sua. Aconteceu antes de você vir ao mundo. Acho que ele está procurando a si mesmo, mas ele não sabe por que ou exatamente o que está buscando, e obviamente nunca vai encontrar."

Erlendur olhou para Eva Lind.

"A menos que você o ajude."

O rosto dela era como uma máscara fria sob a luz do abajur na mesa ao lado da cama.

"Sei que você o está procurando e sei que se tem alguém que pode encontrá-lo, essa pessoa é você."

Ele se virou e se preparava para sair quando viu a ex-mulher parada na porta. Não sabia há quanto tempo ela estava lá. Não sabia o quanto tinha ouvido do que ele dissera a Eva Lind. Estava usando o mesmo casaco marrom de antes por cima do conjunto de moletom, mas agora calçava sapatos de salto alto, o que a deixava com uma aparência ridícula. Erlendur mal a vira durante mais de duas décadas e percebeu o quanto ela envelhecera nesse período, como os traços faciais haviam perdido a definição, como as maçãs do rosto tinham engordado e um queixo duplo começava a se formar.

"Foi muito sórdida a mentira do aborto que você contou a Eva Lind." Erlendur fervia de raiva.

"Me deixa em paz", disse Halldóra. A voz dela também tinha envelhecido. Estava mais rouca. Muito cigarro. Durante muito tempo.

"Que outras mentiras você contou às crianças?"

"Saia", disse ela, afastando-se da porta para que ele pudesse passar.

"Halldóra..."

"Saia", repetiu ela. "Vá embora e me deixe em paz."

"Nós dois quisemos as crianças."

"Você não se arrepende?", perguntou ela.

Erlendur não entendeu.

"Você acha que elas tinham que vir para este mundo?"

"O que aconteceu?", disse Erlendur. "O que fez você ficar assim?"

"Saia", disse ela. "Você é bom em ir embora. Então vá embora! Me deixe em paz com ela."

Erlendur encarou-a.

"Halldóra..."

"Vá embora, eu já disse." Ela ergueu a voz. "Saia daqui. Agora. Vá embora! Eu não quero você por aqui! Nunca mais quero ver você de novo!"

Erlendur passou por ela e saiu do quarto, e ela fechou a porta atrás dele.

21.

Sigurdur Óli terminou de vasculhar o porão naquela noite sem descobrir mais nada sobre os inquilinos de Benjamín no chalé na colina. Ele não se importava. Sentia-se aliviado de poder escapar daquela tarefa. Bergthóra esperava por ele quando chegou em casa. Ela havia comprado vinho tinto e estava na cozinha bebericando. Pegou outro copo e passou para ele.

"Eu não sou como Erlendur", disse Sigurdur Óli. "Nunca diga uma coisa tão desagradável assim a meu respeito."

"Mas você quer ser como ele", disse Bergthóra. Ela estava preparando macarrão e tinha acendido velas na sala de jantar. Um belo ambiente para uma execução, pensou Sigurdur Óli.

"Todos os homens querem ser como ele", disse Bergthóra.

"Ora, por que você diz isso?"

"Ele só faz o que quer."

"Isso não está certo. Você não imagina como a vida de Erlendur é patética."

"Eu preciso, pelo menos, discutir a nossa relação", disse Bergthóra, despejando vinho no copo de Sigurdur Óli.

"O.k., vamos discutir a relação." Sigurdur Óli nunca conhecera uma mulher mais prática do que Bergthóra. Aquela conversa não ia ser sobre o amor na vida deles.

"Já estamos juntos há quanto tempo? Três ou quatro anos, e nada está acontecendo. Nada. Você faz careta assim que eu começo a falar qualquer coisa que se refira vagamente a um compromisso. Nossas finanças ainda estão separadas. Casamento na igreja parece fora de cogitação; para mim não está claro se algum outro tipo serviria. Não somos registrados como coabitantes. Ter filhos é algo tão remoto para você quanto uma galáxia distante. Então eu pergunto: o que sobra?"

Não havia raiva nas palavras de Bergthóra. Até agora ela apenas tentava entender o relacionamento deles e para onde ele estava indo. Sigurdur Óli decidiu aproveitar isso antes que a situação ficasse fora de controle. Ele havia tido muito tempo para refletir sobre aquelas questões durante a realização de sua enfadonha tarefa no porão de Benjamín.

"Nós sobramos", disse Sigurdur Óli. "Nós dois."

Ele achou um CD, colocou-o no aparelho e escolheu uma faixa que o assombrava desde que Bergthóra começara a pressioná-lo sobre compromisso. Marianne Faithfull cantava sobre Lucy Jordan, a dona de casa que, aos trinta e sete anos, sonhava em passear por Paris em um carro esporte, cabelos ao vento.

"Nós já falamos muito sobre isso", disse Sigurdur Óli.

"Sobre o quê?", perguntou Bergthóra.

"Sobre a nossa viagem."

"Você quer dizer, para a França?"

"Sim."

"Sigurdur..."

"Vamos para Paris e lá alugamos um carro esporte", disse Sigurdur Óli.

* * *

Erlendur estava preso em uma nevasca que impedia completamente sua visão. A neve envolvia-lhe o corpo e batia em seu rosto, o frio e a escuridão o encobriam. Lutou contra a tempestade, mas não conseguiu avançar, então deu as costas para o vento e curvou o corpo enquanto a neve acumulava-se a seu redor. Sabia que ia morrer e não havia nada que pudesse fazer a respeito.

O telefone começou a tocar e continuou tocando, penetrando na nevasca, até que de repente o tempo clareou, o rugido da tempestade se transformou em silêncio e ele acordou na poltrona de sua casa. Sobre a mesa, o telefone tocava com intensidade cada vez maior, sem dar trégua.

Levantou-se com movimentos lentos e estava se equilibrando para atender quando o aparelho parou de tocar. Ficou em pé perto do telefone, esperando que ele recomeçasse a tocar, mas nada aconteceu. O telefone era antigo demais para ter um identificador de chamadas, então Erlendur não tinha a menor ideia de quem havia tentado falar com ele. Imaginou que fosse uma chamada qualquer, alguém tentando vender-lhe um aspirador de pó, com uma torradeira de brinde. Agradeceu em silêncio à pessoa do televendas que o tirara da nevasca.

Foi para a cozinha. Eram oito da noite. Tentou bloquear a claridade da noite de primavera com as cortinas, mas a luz forçava a entrada em diversos lugares, raios de sol repletos de pó iluminando a escuridão de seu apartamento. A primavera e o verão não eram as estações de Erlendur. Ficava tudo claro demais. Frívolo demais. Ele queria os invernos escuros, pesados. Não encontrou nada comestível na cozinha e sentou-se em frente à mesa com o queixo apoiado na mão.

Ainda estava entorpecido de sono. Depois de voltar de uma visita a Eva Lind no hospital por volta das seis da tarde, ele sentou-se na poltrona, pegou no sono e cochilou até as oito. Pensou na nevasca de seu sonho e sobre como tinha dado as costas para ela, esperando a morte. Ele tinha aquele sonho com frequência, em diferentes versões. Mas sempre havia a nevasca congelante e inexorável que o atingia até os ossos. Ele sabia como o sonho teria continuado se o sono não tivesse sido interrompido pelo telefonema.

O telefone começou a tocar de novo e Erlendur se perguntou se iria ignorá-lo ou não. Por fim, saiu da cadeira, entrou na sala de estar e atendeu a ligação.

"Alô, Erlendur?"

"Sim", disse Erlendur, pigarreando. Reconheceu a voz imediatamente.

"Aqui é o Jim, da embaixada britânica. Desculpe ligar na sua casa."

"Você me ligou agora há pouco?"

"Agora há pouco? Não. Só agora. Bom, acabei de falar com o Ed e achei que precisava entrar em contato com você."

"É mesmo? Alguma novidade?"

"Ele está trabalhando no caso para você e eu quis mantê-lo informado. Ele telefonou para os Estados Unidos, releu o diário e conversou com algumas pessoas, e acha que sabe quem denunciou o roubo do depósito."

"Quem foi?

"Ele não disse. Pediu que eu lhe dissesse isso e também que está esperando um telefonema seu."

"Agora, à noite?"

"Sim, não, ou de manhã. Talvez seja melhor amanhã de manhã. Ele estava indo dormir. Tem o hábito de dormir cedo."

"Foi um islandês? Quem passou a informação?"

"Ele vai lhe contar tudo. Boa noite e desculpe por tê-lo incomodado."

Erlendur ainda estava em pé ao lado do telefone quando o aparelho começou a tocar de novo. Era Skarphédinn. Ele estava na colina.

"Vamos escavar os ossos amanhã", disse Skarphédinn sem nenhum preâmbulo.

"Já era hora mesmo", disse Erlendur. "Você me ligou agora há pouco?"

"Sim, você acabou de chegar?"

"Sim", mentiu Erlendur. "Vocês encontraram alguma coisa útil aí em cima?"

"Não, nada. Eu só queria contar isso... boa noite. Boa noite, é... deixa eu ajudar, pronto... é, desculpe, onde estávamos mesmo?"

"Você estava me dizendo que amanhã vão chegar aos ossos."

"Isso, em algum momento perto do fim do dia, espero. Não desencavamos nenhuma pista de como o corpo acabou sendo enterrado. Talvez encontremos alguma coisa debaixo dos ossos."

"Vejo você amanhã então."

"Até amanhã."

Erlendur desligou o telefone. Ele não estava completamente desperto. Pensou em Eva Lind e se ela teria ouvido alguma coisa do que ele disse. E pensou em Halldóra e no ódio que ela ainda sentia por ele depois de todos aqueles anos. E contemplou pela milionésima vez o que sua vida e as vidas deles teriam sido se ele não tivesse decidido ir embora. Nunca chegou a conclusão nenhuma.

Ficou olhando fixo para nada em especial. De vez em quando, um raio de sol noturno conseguia passar pelas cortinas da sala, abrindo uma ferida luminosa na escuridão em torno dele. Olhou para as cortinas. Eram de veludo grosso e desciam até o chão. Cortinas grossas e verdes para impedir que a luminosidade da primavera entrasse.

Boa noite.

Noite.

Deixa eu ajudá-la.

Erlendur olhou para o verde das cortinas.

Deformada.

Verde.

"O que Skarphédinn estava...?" Erlendur ficou em pé de um salto e agarrou o telefone. Sem conseguir lembrar o número do celular de Skarphédinn, ligou desesperadamente para a telefonista de informações. Em seguida telefonou para o arqueólogo.

"Skarphédinn. Skarphédinn?", ele gritou ao telefone.

"O quê? É você de novo?"

"Para quem você acabou de dar boa-noite? A quem você estava ajudando?"

"Hein?"

"Com quem você estava falando?"

"Por que você está tão nervoso?"

"Quem está aí com você?"

"Você quer dizer a pessoa que eu cumprimentei?"

"Isso não é uma videoconferência. Eu não consigo te ver aí na colina. Ouvi você dar boa-noite para alguém. Quem está aí com você?"

"Comigo, não. Ela foi para algum lugar, espera, ela está parada perto dos arbustos."

"Os arbustos? Você está falando dos arbustos de groselha? Ela está ao lado dos arbustos de groselha?"

"Sim."

"Qual é a aparência dela?"

"Ela... então você a conhece? Qual é o motivo do pânico?"

"Qual é a aparência dela?", Erlendur repetiu, tentando manter a calma.

"Calma."

"Que idade ela tem?"

"Uns setenta e poucos. Não, talvez oitenta. Difícil dizer."

"Que roupa ela está usando?"

"Ele está com um casaco comprido, até o tornozelo, verde. Deve ter mais ou menos a minha altura. E ela tem um defeito."

"Como assim, defeito?"

"Está mancando. É mais do que isso, na verdade. Ela é meio, não sei..."

"O quê?! O quê? O que você está tentando dizer?"

"Eu não sei como descrever... eu... é como se ela fosse deformada."

Erlendur largou o telefone e correu para dentro da noite de primavera, esquecendo-se de dizer a Skarphédinn para segurar a mulher da colina ali a qualquer custo.

No dia em que Grímur voltou para casa, já fazia um bom tempo que Dave não aparecia por lá.

O outono havia chegado trazendo um vento do norte extremamente frio e deixando uma camada fina de neve sobre o chão. A colina ficava muito acima do nível do mar e o inverno chegava lá antes do que na planície, onde Reykjavík estava começando a tomar uma forma mais urbana. Símon e Tómas iam a Reykjavík com o ônibus da escola todas as manhãs e voltavam no final da tarde. Todos os dias a mãe deles andava até Gufunes, onde ordenhava as vacas e fazia outros trabalhos de rotina na fazenda. Saía antes dos meninos, mas estava sempre de volta na hora que eles chegavam da escola. Mikkelína ficava em casa durante o dia, completamente entediada com sua solidão. Quando a mãe chegava do trabalho, Mikkelína mal podia conter a felicidade, que aumentava ainda mais quando Símon e Tómas entravam correndo e jogavam os livros escolares em um canto.

Dave visitava-os regularmente. Era cada vez mais fácil o entendimento entre a mãe deles e Dave, e eles ficavam sentados durante muito tempo diante da mesa da cozinha, querendo que os meninos e Mikkelína os deixassem em paz. De vez em quando, se queriam ficar totalmente sozinhos, entravam no quarto e fechavam a porta.

Símon às vezes via Dave acariciar o rosto de sua mãe ou afastar uma mecha de cabelo que lhe caía sobre o rosto. Ou acariciar-lhe a mão. Os dois faziam longas caminhadas ao redor do Reynisvatn e pelas colinas próximas, e em alguns dias iam até mesmo a Mosfellsdalur e Helgufoss, levando comida, porque um passeio desses podia durar o dia todo. Às vezes levavam as crianças junto, e Dave carregava Mikkelína nas costas sem o menor esforço. Símon e Tómas achavam graça de ele chamar os passeios de *"picnic"* e repetiam a palavra um para o outro: pic-nic, pic-nic, pic-nic.

Às vezes, Dave e a mãe deles ficavam sentados conversando a sério durante os piqueniques ou à mesa da cozinha, e no quarto uma vez, quando Símon abriu a porta. Eles estavam sentados na beirada da cama, Dave segurava a mão dela e eles olharam na direção da porta e sorriram para Símon. Ele não sabia sobre o que os dois estavam conversando, mas sabia que não era algo agradável, porque quando a mãe se sentia mal ele via isso no rosto dela.

E então, em um dia frio de outono tudo terminou.

Grímur voltou para casa de manhã bem cedo, quando a mãe deles já tinha ido para a fazenda e Símon e Tómas estavam indo pegar o ônibus da escola. Fazia muito frio na colina e eles encontraram Grímur subindo a trilha que ia dar na casa, apertando o paletó surrado para se proteger do vento norte. Ele os ignorou. Eles não conseguiram ver o rosto dele com clareza naquela escura manhã de outono, mas Símon imaginou-o com uma expressão dura e fria enquanto caminhava em direção à casa. Nos últimos dias os meninos vinham esperando a chegada dele. A mãe lhes dissera que ele seria solto depois de ter cumprido sua pena e voltaria para a colina e para eles, que deveriam esperá-lo a qualquer momento.

Símon e Tómas observaram Grímur aproximar-se da casa e entreolharam-se. Os dois pensaram a mesma coisa. Mikkelína estava sozinha em casa. Ela sempre acordava quando eles e a mãe levantavam, mas voltava a dormir durante a maior parte da manhã. Estaria sozinha para receber Grímur. Símon tentou prever a reação do pai quando descobrisse que a mãe deles não estava em casa, nem os meninos, apenas Mikkelína, que ele sempre odiara.

O ônibus escolar chegou e buzinou duas vezes. Apesar de o motorista ter visto os meninos na colina, quando não pôde mais esperar por eles foi embora, e o ônibus desapareceu na estrada. Eles ficaram em pé imóveis, sem dizer uma palavra, então começaram a voltar vagarosamente para casa.

Não queriam deixar Mikkelína sozinha.

Símon pensou em correr até onde a mãe estava ou em enviar Tómas para ir buscá-la, mas disse a si mesmo que não havia pressa para eles se reencontrarem: a mãe poderia ter seu último dia de paz. Os garotos viram Grímur entrar na casa e fechar a porta atrás de si, e começaram a correr. Não sabiam o que esperar lá dentro. Tudo em que pensavam era em Mikkelína dormindo na cama de casal, onde ela não deveria ser encontrada de maneira alguma.

Abrindo a porta com cuidado, eles entraram vagarosamente: Símon à frente, mas Tómas logo em seguida, segurando sua mão. Quando entraram na cozinha, viram Grímur em pé na frente da pia. Ele estava de costas para eles. Espirrou e cuspiu na pia. Tinha acendido a luz em cima da mesa e eles viam o contorno dele.

"Onde está a mãe de vocês?", perguntou, ainda de costas.

Símon pensou que ele os tinha visto enquanto subia a colina e os ouviu entrar na casa.

"Ela está trabalhando", disse Símon.

"Trabalhando? Onde ela está trabalhando?", perguntou Grímur.

"Na fazenda Gufunes", respondeu Símon.

"Ela não sabia que eu ia chegar hoje?" Grímur virou-se para encará-los e entrou debaixo do feixe de luz. Os irmãos olharam para ele quando ele emergiu da escuridão e os olhos dos dois se arregalaram como pires quando viram o rosto do pai sob a luz fraca. Alguma coisa acontecera a Grímur. Ao longo de um dos lados do rosto, uma marca de queimadura estendia-se até o olho, que estava semicerrado porque a sobrancelha tinha se fundido com a pele.

Grímur sorriu.

"Papai não está bonito?"

Os irmãos olharam fixamente para o rosto desfigurado.

"Primeiro eles fazem café para você, depois jogam no seu rosto."

Aproximou-se deles.

"Não porque querem que você confesse. Eles já sabem de tudo, porque alguém já lhes contou. Não é por isso que eles jogam café fervendo em você. Não é por isso que eles destroem seu rosto."

Os meninos não entendiam o que estava acontecendo.

"Vá buscar sua mãe", ordenou Grímur, olhando para Tómas, escondido atrás do irmão. "Vá até aquela loja de vacas e traga a vaca de volta."

Com o canto do olho, Símon viu um movimento no quarto, mas não ousou de forma alguma olhar lá dentro. Mikkelína tinha acordado. Ela conseguia ficar em pé com uma perna só e podia se mover se pudesse se apoiar, mas não se arriscou a entrar na cozinha.

"Fora!", gritou Grímur. "Agora!"

Tómas estremeceu. Símon não tinha certeza se o irmão iria encontrar o caminho. Tómas já estivera na fazenda uma ou duas vezes com a mãe no verão, mas agora estava mais escuro e frio, e Tómas ainda era pequeno.

"Eu vou", disse Símon.

"Você não vai porra nenhuma", rosnou Grímur. "Sai daqui!", gritou para Tómas, que saiu hesitante de trás de Símon, abriu a porta enfrentando o ar frio e fechou-a cuidadosamente atrás de si.

"Vamos, Símon, meu garoto, vem aqui e senta comigo", disse Grímur, sua raiva parecendo ter desaparecido de repente.

Símon entrou desajeitadamente na cozinha e sentou-se em uma cadeira. Ele viu um movimento no quarto outra vez. Esperava que Mikkelína não saísse. Havia uma despensa no corredor e ele achou que ela poderia entrar escondida ali, sem que Grímur a visse.

"Não sentiu saudades do seu velho pai?", perguntou Grímur, sentando-se de frente para ele. Símon não conseguia tirar os olhos da queimadura no rosto dele. Assentiu com a cabeça.

"O que vocês andaram fazendo no verão?", Grímur perguntou, e Símon olhou para ele sem dizer uma palavra. Não sabia contar mentiras. Não podia contar sobre Dave, sobre as visitas e os encontros misteriosos com sua mãe, os passeios, os piqueniques. Não podia dizer que todos eles dormiam juntos na cama grande, sempre. Não podia dizer como sua mãe se tornara uma pessoa completamente diferente depois que Grímur tinha sido levado, e que isso acontecera graças a Dave. Dave devolvera a ela o gosto pela vida. Não podia contar como ela se arrumava para ficar mais bonita todas as manhãs. Sobre a aparência mudada dela. Como a expressão dela ficava mais bonita quanto mais tempo ela passava com Dave.

"O quê? Nada?", disse Grímur. "Não aconteceu nada durante todo o verão?"

"O... o... tempo estava ótimo", choramingou Símon, os olhos colados na queimadura.

"Ótimo tempo. O tempo estava ótimo", disse Grímur. "E você andou brincando por aqui e perto do quartel. Você conhece alguém de lá?"

"Não", disse rapidamente Símon. "Ninguém."

Grímur sorriu.

"Você aprendeu a contar mentiras neste verão. É surpreendente como as pessoas aprendem depressa a contar mentiras. Você aprendeu a contar mentiras neste verão, Símon?"

O lábio inferior de Símon estava começando a tremer. Era um reflexo que estava além de seu controle.

"Só um deles", respondeu. "Mas eu não o conheço muito bem."

"Você conhece um. Ora, ora. Você não deve contar mentiras, Símon. As pessoas como você que contam mentiras acabam tendo problemas e também criando problemas para os outros."

"Sim", disse Símon, esperando que aquilo acabasse logo. Ele esperava que Mikkelína saísse e os perturbasse. Ficou se perguntando se deveria ou não contar a Grímur que Mikkelína estava no corredor e que tinha dormido na cama dele.

"Quem você conhece lá no quartel?", perguntou Grímur, e Símon se via afundando cada vez mais em um pântano.

"Só um", respondeu.

"Só um", Grímur repetiu, passando a mão de leve no rosto e coçando de leve a queimadura com o indicador. "Quem é esse um? Que bom que não tem mais de um."

"Eu não sei. Ele às vezes vai pescar no lago. Às vezes ele dá as trutas que pesca para nós."

"E ele é bom para você e para o Tómas?"

"Não sei", disse Símon, consciente de que Dave era o melhor homem que ele já havia conhecido. Comparado a Grímur, Dave era um anjo enviado do céu para salvar a mãe deles. Onde estava Dave?, pensou Símon. Ah, se Dave estivesse aqui... Pensou em Tómas lá fora, no frio, a caminho de Gufunes e em sua mãe, que nem sabia da volta de Grímur à colina. E pensou em Mikkelína no corredor.

"Ele vem sempre aqui?"

"Não, só de vez em quando."

"Ele vinha aqui antes de eu ser posto na prisão? Quando você vai para a prisão, Símon, significa apenas que você foi posto na prisão. Não significa que você seja culpado de alguma coisa ruim se você vai para a prisão; apenas que alguém pôs você ali. Na prisão. E eles não demoraram muito tempo. Falaram muito sobre dar exemplo. Os islandeses não podem roubar o Exército. Uma coisa terrível. Então tinham que me condenar, rápido e com rigor. Para que ninguém me imitasse e começasse a roubar também. Entendeu? Todo mundo deveria aprender com os meus erros. Mas todos eles roubam. Todos fazem isso e todos estão ganhando dinheiro. Ele veio aqui antes de eu ser posto na prisão?"

"Quem?"

"Esse soldado. Ele veio aqui antes de eu ser posto na prisão? Esse?"

"Ele foi pescar no lago algumas vezes antes de você ir embora."

"E ele deu as trutas que pegou para a sua mãe?"

"Deu."

"Ele pegava muita truta?"

"Às vezes. Mas ele não era um bom pescador. Apenas ficava sentado perto do lago, fumando. Você pega bem mais do que ele. Com as suas redes também. Você sempre pega muitos peixes com as redes."

"E quando você deu as trutas para a sua mãe, ele parou aqui? Entrou para tomar café? Sentou aqui na cozinha?"

"Não", respondeu Símon, incapaz de saber se a mentira que estava contando era óbvia demais. Estava assustado e confuso, apertava o dedo sobre o lábio inferior para impedi-lo de tremer e tentou responder da maneira que achava que Grímur queria que ele fizesse, mas sem incriminar a mãe, caso acabasse dizendo alguma coisa que Grímur não deveria saber. Símon estava descobrindo um novo lado de Grímur. Seu pai nunca tinha conversado tanto com ele, e isso o pegou desprevenido. Símon estava atrapalhado. Não tinha muita certeza sobre o que Grímur não devia saber, mas tentou proteger a mãe ao máximo.

"Ele nunca entrou aqui?", perguntou Grímur, e o tom de sua voz passou de baixo e astuto para rigoroso e firme.

"Só umas duas vezes, acho."

"E o que ele fez nessas duas vezes?"

"Só entrou."

"Ah, apenas isso. Você começou a mentir de novo? Está mentindo para mim de novo? Eu volto para cá, depois de meses sendo tratado como um bosta, e tudo que eu ouço são mentiras. Você vai me contar mentiras de novo?"

As perguntas dele bateram no rosto de Símon como um chicote.

"O que você fez na cadeia?", Símon perguntou hesitante, na débil esperança de poder conversar sobre outro assunto que não Dave e a mãe. Por que Dave não tinha vindo? Eles não sabiam que Grímur havia saído da prisão? Eles não tinham discutido isso em suas reuniões secretas, quando Dave acariciava a mão dela e ajeitava seu cabelo?

"Na cadeia?", disse Grímur, mudando o tom de voz para baixo e astuto novamente. "Na cadeia eu ficava ouvindo histórias. Todos os tipos de história. A gente ouve tanta coisa, e quer ouvir mais ainda porque ninguém visita a gente, e as únicas notícias de casa que a gente tem são as histórias que se ouve lá, porque eles estão sempre mandando gente para a prisão, e você passa a conhecer os carcereiros que também contam uma coisinha ou outra. E a gente tem muito, muito tempo para pensar sobre todas essas histórias."

Uma tábua do assoalho rangeu no corredor e Grímur fez uma pausa. Depois continuou como se nada tivesse acontecido.

"É claro, você é tão jovem... espera, quantos anos você tem, Símon?"

"Tenho catorze, vou fazer quinze logo."

"Já é quase um adulto, então talvez entenda o que estou falando. Todo mundo ouve sobre como todas as garotas islandesas abrem as pernas para os soldados. É como se elas perdessem o controle quando veem um homem de uniforme, e você ouve como os soldados são cavalheiros e como abrem a porta para elas, como são educados e querem dançar, e nunca ficam bêbados, e têm cigarros e café e todo tipo de coisas, e vêm de lugares aonde todas as garotas querem ir. E nós, Símon, nós somos os miseráveis. Apenas uns caipiras, Símon, para quem as garotas nem sequer olham. É por isso que eu quero saber um pouco mais sobre esse soldado que pesca no lago, Símon, porque você me desapontou."

Símon olhou para Grímur e toda força pareceu se esvair de seu corpo.

"Eu ouvi tanta coisa sobre esse soldado aqui na colina, e você nunca ouviu falar nele. A menos, é claro, que esteja mentindo para mim, e eu não acho que isso seja muito bom, mentir para o seu pai quando um soldado vem aqui todos os dias e sai para fazer caminhadas com a mulher do seu pai durante todo o verão. Você não sabe nada sobre isso?"

Símon não respondeu.

"Você não sabe nada sobre isso?", repetiu Grímur.

"Às vezes eles iam caminhar", disse, as lágrimas enchendo seus olhos.

"Está vendo", disse Grímur. "Eu sabia que nós ainda éramos amigos. Talvez você tenha ido com eles alguma vez."

Parecia que aquilo nunca iria acabar. Grímur olhou para ele, com seu rosto queimado e um olho semicerrado. Símon sentiu que não conseguiria aguentar por muito mais tempo.

"Às vezes a gente ia até o lago e ele fazia um piquenique. Do mesmo jeito que você às vezes trazia aquelas latas que abriam com uma chavinha."

"E ele beijava a sua mãe? Lá no lago?"

"Não", disse Símon, aliviado por não ter que responder com uma mentira. Ele nunca tinha visto Dave e sua mãe se beijando.

"O que eles faziam então? Estavam de mãos dadas? E o que você ficava fazendo? Por que deixou esse homem levar sua mãe para passear no lago? Não te passou pela cabeça que eu pudesse não querer? Você nunca pensou nisso?"

"Não", respondeu Símon.

"Ninguém pensava em mim nesses passeios. Pensava?"

"Não", disse Símon.

Grímur inclinou-se para a frente sob a luz e a cicatriz vermelha da queimadura sobressaiu ainda mais.

"E qual é o nome desse homem que rouba a família das outras pessoas e acha que isso está certo e ninguém faz nada a respeito?"

Símon não respondeu.

"O sujeito que atirou o café, Símon, aquele que fez meu rosto ficar assim, você sabe o nome dele?"

"Não", disse Símon com a voz quase inaudível.

"Ele me atacou e me queimou, mas nunca puseram esse sujeito na prisão. O que você acha disso? Como se eles fossem sagrados, todos esses soldados. Você acha que eles são sagrados?"

"Não", disse Símon.

"Sua mãe engordou nesse verão?", perguntou Grímur como se uma nova ideia tivesse aparecido em sua cabeça. "Não porque ela é uma vaca da fazenda, Símon, mas porque ela sai pra passear com soldados dos quartéis. Você acha que ela engordou nesse verão?"

"Não", ele disse.

"Mas eu acho que é provável. Vamos descobrir isso mais tarde. Esse homem que atirou o café em mim. Você sabe o nome dele?"

"Não", disse Símon.

"Ele tinha umas ideias estranhas. Não sei de onde ele tirou isso, que eu não estava tratando sua mãe direito. Que eu fazia coisas ruins com ela. Você sabe que às vezes eu precisava ensinar ela a se comportar. Ele sabia disso, mas não entendia o motivo. Não conseguia entender que vagabundas como a sua mãe precisam saber quem é que manda, com quem elas estão casadas e como devem se comportar. Ele não conseguia entender que às vezes a gente tem que apertar um pouco. Ele estava realmente bravo quando falou comigo. Eu sei um pouco de inglês porque tive uns bons amigos no quartel e entendi a maior parte do que ele dizia, e ele estava bravo comigo por causa da sua mãe."

Os olhos de Símon estavam fixos na queimadura.

"Esse homem, Símon, o nome dele é Dave. Não quero que você minta para mim: o soldado que foi tão gentil com a sua mãe, que tem sido desde a primavera e durante todo o verão e boa parte do outono, será que o nome dele é Dave?"

Símon ficou pensando, os olhos ainda sobre a queimadura.

"Eles vão discipliná-lo", disse Grímur.

"Discipliná-lo?" Símon não sabia o que Grímur queria dizer, mas não podia ser nada de bom.

"É a ratazana ali no corredor?", perguntou Grímur com um aceno de cabeça em direção à porta.

"O quê?" Símon não entendeu do que ele estava falando.

"A retardada? Você acha que ela está nos ouvindo?"

"Eu não sei da Mikkelína", disse Símon. Havia um pouco de verdade naquilo.

"O nome dele é Dave, Símon?"

"Pode ser", disse Símon hesitante.

"Pode ser? Você não tem certeza. Como ele chama você, Símon? Quando ele conversa com você, ou talvez abrace você e faça carinho, como ele chama você?"

"Ele nunca faz carinho..."

"Qual é o nome dele?"

"Dave!", disse Símon.

"Dave! Obrigado, Símon."

Grímur recostou e saiu da luz. Ele abaixou o tom da voz.

"Sabe, eu fiquei sabendo que ele estava trepando com a sua mãe."

Naquele momento, a porta se abriu e a mãe das crianças entrou com Tómas logo atrás, e a rajada de vento frio que os acompanhou provocou um calafrio nas costas suadas de Símon.

22.

Erlendur chegou à colina quinze minutos depois de falar com Skarphédinn.

Estava sem seu celular, do contrário, teria ligado para Skarphédinn e pedido que ele segurasse a mulher até ele chegar. Sentia que devia ser a mulher que Róbert tinha visto perto dos arbustos de groselha, a mulher deformada de verde.

O tráfego na Miklabraut estava tranquilo e ele subiu o aclive na Ártúnsbrekka tão rápido quanto seu carro pôde, depois pegou a estrada que saía de Reykjavík e entrou à direita em direção a Grafarholt. Skarphédinn estava indo embora do local da escavação, mas parou. Erlendur saiu do carro e o arqueólogo abaixou o vidro de seu carro.

"Ora, você acabou vindo pra cá? Por que bateu o telefone na minha cara? Há algo errado? Por que está me olhando desse jeito?"

"A mulher ainda está aqui?", perguntou Erlendur.

"Que mulher?"

Erlendur olhou na direção dos arbustos e achou que tinha visto um movimento.

"Aquela é ela?", perguntou, apertando os olhos. Não conseguia ver muito bem daquela distância. "A mulher de verde. Ela ainda está lá?"

"Sim, está lá", disse Skarphédinn. "O que está acontecendo?"

"Depois eu conto", disse Erlendur, afastando-se.

Os arbustos de groselha tornaram-se mais visíveis à medida que ele se aproximava deles, e uma figura de verde tomou forma. Como se esperasse que a mulher fosse desaparecer a qualquer instante, apertou o passo. Ela estava em pé ao lado dos arbustos sem folhas, segurando um dos galhos e olhando na direção do monte Esja, profundamente envolvida em seus pensamentos.

"Boa noite", disse Erlendur quando estava mais ou menos perto dela.

"A mulher se virou.

"Boa noite", respondeu.

"A noite está ótima hoje", comentou Erlendur, só para dizer alguma coisa.

"A primavera sempre foi a melhor época aqui na colina", disse a mulher.

Ela precisava fazer um certo esforço para falar. A cabeça balançava e Erlendur percebeu que ela precisava se concentrar muito para pronunciar cada palavra. Elas não saíam espontaneamente. Um dos braços estava escondido sob a manga. Ele viu que ela tinha um pé torto saindo do longo casaco verde, e o cabelo na altura dos ombros era espesso e cinzento. O rosto era amigável, mas triste. Erlendur reparou que a cabeça dela movia-se devagar, por reflexo, com espasmos regulares. Nunca parecia estar completamente parada.

"A senhora é desta região?", perguntou Erlendur.

"Agora a cidade se espalhou toda até aqui", disse ela sem responder a pergunta dele. "Ninguém jamais esperou que isso fosse acontecer."

"Sim, a cidade se espalha para toda parte", disse Erlendur.

"O senhor está investigando aqueles ossos?", ela perguntou de repente.

"Sim, estou", respondeu Erlendur.

"Eu o vi no noticiário. Eu venho aqui às vezes, especialmente na primavera. Como agora, no começo da noite, quando tudo está silencioso e ainda temos essa luz adorável da primavera."

"É lindo aqui em cima", disse Erlendur. "A senhora é daqui? Ou talvez de algum lugar perto daqui?"

"Na verdade, eu pretendia falar com o senhor", disse a mulher, ainda sem responder. "Eu ia entrar em contato com o senhor amanhã. Mas foi bom que me encontrou. Já estava na hora."

"Estava na hora?"

"De revelar a história."

"Que história?"

"Nós morávamos aqui, perto destes arbustos. O chalé já não existe há muito tempo. Não sei o que aconteceu com ele. Acho que foi desaparecendo aos poucos. Minha mãe plantou os arbustos de groselha e fazia geleia no outono, mas ela não os queria apenas para a geleia. Ela queria uma cerca para abrigo, onde pudesse plantar legumes e flores de frente para o sol, flores que estivessem viradas para o sul; ela queria que o chalé bloqueasse o vento norte. Ele não a deixava fazer isso. E a mesma coisa com todo o resto."

Ela olhou para Erlendur, a cabeça balançando enquanto falava.

"Eles costumavam me carregar até aqui quando havia sol", ela disse, sorrindo. "Meus irmãos. Não havia nada de que eu gostasse mais do que ficar sentada aqui fora no sol, eu gritava de alegria quando ia para o jardim. E nós brincávamos. Eles sempre inventavam novas brincadeiras para mim, porque eu não podia me mexer muito. Por causa da minha deficiência, que era muito pior naquela época. Eles tentavam me incluir em tudo o que faziam. Eles puxaram isso da mãe. Os dois irmãos, no começo."

"O que eles puxaram dela?"

"A bondade."

"Um senhor idoso nos contou sobre uma mulher de verde que às vezes vinha aqui cuidar dos arbustos. A senhora se enquadra na descrição dele. Pensamos que pudesse ser alguém do chalé que havia aqui."

"Então vocês sabem sobre o chalé."

"Sim, e sobre alguns dos inquilinos, mas não todos. Achamos que uma família de cinco pessoas morou aqui durante a guerra, possivelmente vítimas de violência do pai. A senhora mencionou sua mãe e dois irmãos, e se a senhora for a terceira criança da família, isso se enquadra nas informações que temos."

"Ele falou de uma mulher de verde?", ela perguntou sorrindo.

"Sim. A mulher de verde."

"Verde é a minha cor. Sempre foi. Desde que me conheço por gente."

"Dizem que pessoas que gostam de verde são realistas."

"Isso pode ser mesmo verdade", ela sorriu. "Eu sou terrivelmente realista."

"A senhora conhece essa família?"

"Nós moramos na casa que ficava aqui."

"Violência doméstica?"

Ela olhou para Erlendur.

"Sim, violência doméstica."

"Teria sido..."

"Qual é o seu nome?", ela interrompeu Erlendur.

"Meu nome é Erlendur", respondeu ele.

"O senhor tem uma família?"

"Não, sim, bem, uma espécie de família, acho."

"Não tem certeza. O senhor trata bem a sua família?"

"Acho..." Erlendur hesitou. Ele não tinha previsto o interrogatório e não sabia o que dizer. Será que ele havia tratado sua família bem? Dificilmente, pensou.

"Talvez o senhor seja divorciado", disse a mulher, olhando para as roupas puídas de Erlendur.

"Acontece que sou, sim", disse ele. "Eu ia lhe perguntar... acho que estava perguntando sobre violência doméstica."

"Um termo bastante conveniente para o assassinato de uma alma. Um termo tão inofensivo para as pessoas que não sabem o que está por trás dele. O senhor sabe o que é viver constantemente com medo a vida toda?"

Erlendur ficou em silêncio.

"Viver com ódio todos os dias, sem nunca parar, não importa o que se faça, e nunca poder fazer nada para mudar, até você perder toda a vontade própria e esperar que a próxima surra não seja tão ruim quanto a anterior."

Erlendur não sabia o que dizer.

"Pouco a pouco, as surras transformam-se em sadismo, porque o único poder que o homem violento tem no mundo é o poder sobre a mulher que é sua esposa, e esse poder é absoluto, porque ele sabe que ela não pode fazer nada. Ela é totalmente indefesa e totalmente dependente dele porque ele não só a ameaça, não a atormenta apenas com seu ódio e fúria contra ela, mas com seu desprezo pelos filhos dela também, e deixa claro que irá machucá-los se ela tentar se libertar do poder dele. Toda a violência física, toda a dor e as surras, os ossos quebrados, os ferimentos, as contusões, os olhos roxos, os lábios cortados — tudo isso não é nada comparado ao tormento da alma. O medo constante que nunca desaparece. Durante os primeiros anos, quando ela ainda mostra ter algum sinal de vida, tenta encontrar ajuda e tenta fugir, mas ele a pega e sussurra em seu ouvido que matará sua filha e irá enterrá-la na encosta da montanha. E ela sabe que ele é capaz disso, então desiste. Desiste e entrega sua vida nas mãos dele."

A mulher olhou na direção do monte Esja e para o oeste, onde se via o contorno da geleira do Snaefellsnesjökull.

"E a vida dela torna-se mera sombra da vida dele", continuou ela. "A resistência dela diminui dia após dia e com ela o desejo de viver. A vida dela torna-se a vida dele e ela não está mais viva, está morta, e perambula como uma criatura das trevas em uma busca interminável por uma saída. Uma saída das surras, dos tormentos e da vida dele, porque ela não vive mais a própria vida, mas apenas existe como objeto do ódio dele.

"No fim, ele a destrói. E ela não passa de uma morta. Um morto-vivo."

Ela ficou em silêncio e passou a mão nos galhos sem folhas dos arbustos.

"Até aquela primavera. Durante a guerra."

Erlendur não disse nada.

"Quem condena alguém por assassinar uma alma?", continuou ela. "Pode me dizer isso? Como se pode acusar um homem por assassinato de uma alma, como se pode levá-lo a julgamento e fazer com que seja condenado?"

"Eu não sei", disse Erlendur, sem entender muito bem o que ela queria dizer.

"Vocês já chegaram aos ossos?", perguntou ela, distraída.

"Amanhã", respondeu Erlendur. "A senhora sabe alguma coisa sobre quem está enterrado lá?"

"Ela ficou parecida com estes arbustos", disse a mulher, com voz fraca.

"Quem?"

"Como os arbustos de groselha. Eles não precisam de cuidados. São especialmente resistentes, suportam todos os tipos de clima e os invernos mais rigorosos, mas sempre voltam a ficar

verdes e bonitos no verão, e os frutos que produzem são tão ver-
melhos e suculentos como se nada tivesse acontecido. Como se
nunca tivesse havido inverno."

"Desculpe-me, mas qual é o seu nome?", perguntou Erlendur.

"O soldado a trouxe de volta à vida."

A mulher parou de falar e olhou fixamente para os arbustos
como se transportada para um outro lugar e um outro tempo.

"Quem é a senhora?", perguntou Erlendur.

"Mamãe adorava o verde. Ela dizia que o verde era a cor da
esperança."

Ela saiu do transe.

"Meu nome é Mikkelína", disse. Então pareceu vacilar. "Ele
era um monstro", disse. "Cheio de uma fúria e de um ódio in-
controláveis."

23.

Já eram quase dez da noite, a temperatura estava começando a cair na colina e Erlendur perguntou a Mikkelína se eles não deviam ir para o carro dele. Ou então poderiam conversar um pouco mais no dia seguinte. Era tarde e...

"Vamos para o seu carro", disse ela e começou a andar. Ela se movia lentamente e seu corpo pendia para um lado a cada passo dado com seu pé torto. Erlendur foi andando um pouco à frente dela e mostrou-lhe o carro, abriu a porta e ajudou-a a entrar. Em seguida deu a volta pela frente do veículo. Não conseguia imaginar como Mikkelína tinha chegado à colina. Não parecia estar de carro.

"A senhora veio de táxi?", ele perguntou assim que se sentou atrás do volante. Deu a partida no motor, que ainda estava quente, e logo eles se aqueceram.

"Símon me deu uma carona", disse ela. "Daqui a pouco ele vai voltar para me buscar."

"Nós tentamos reunir informações sobre as pessoas que moravam na colina — presumo que sejam sua família — e algumas coisas que ficamos sabendo, principalmente por meio das pessoas mais idosas, parecem estranhas. Uma das histórias é sobre o gasômetro perto de Hlemmur."

"Ele a importunava com essa história do gasômetro", disse Mikkelína, "mas não acho que ela tenha sido concebida na orgia do fim do mundo, como ele dizia. Isso pode muito bem ter acontecido com ele. Acho que fizeram esse comentário para ele, para insultá-lo, pode ser até que tenha sido importunado com isso, talvez quando mais jovem, talvez mais tarde, e transferiu para ela."

"Então a senhora acha que seu pai era uma das crianças do gasômetro?"

"Ele não era meu pai", disse Mikkelína. "Meu pai se perdeu no mar. Ele era pescador e minha mãe o amava. Esse foi meu único consolo na vida quando criança. Ele não ser meu pai. Ele tinha um ódio especial por mim. A aleijada. Por causa da minha doença. Eu tive uma doença aos três anos que me deixou paralisada, e perdi a fala. Ele achava que eu era retardada, mas minha mente era normal. Nunca recebi nenhum tipo de tratamento, algo muito comum hoje em dia. E nunca contei a ninguém, porque eu vivia eternamente com medo daquele homem. É comum que crianças que passam por traumas se tornem reticentes e até mesmo fiquem mudas. Suponho que isso tenha acontecido comigo. Só mais tarde aprendi a andar, comecei a falar e fui para a escola. Agora sou graduada. Em psicologia."

Ela fez uma pausa.

"Eu descobri quem foram os pais dele", ela prosseguiu. "Fiz uma pesquisa. Para entender o que aconteceu e por quê. Tentei descobrir alguma coisa sobre a infância dele. Ele trabalhou em fazendas aqui e ali, o último lugar foi em Kjós mais ou menos na época em que conheceu minha mãe. A parte da vida dele que mais me interessa foi em Mýrarsýsla, em um pequeno sítio chamado Melur. Não existe mais. O casal que morou lá

teve três filhos e o conselho paroquial pagava para que eles aco-
lhessem outras crianças em sua casa. Naquela época ainda havia
muitos indigentes no campo. O casal tinha a reputação de tratar
mal as crianças pobres. As pessoas nas fazendas vizinhas comen-
tavam isso. Os pais adotivos dele foram julgados depois que uma
criança sob os cuidados deles morreu de subnutrição e negligên-
cia. Uma autópsia foi realizada no sítio sob condições muito pri-
mitivas mesmo para os padrões da época. Era um menino de oito
anos. Eles tiraram uma porta das dobradiças e fizeram a autópsia
sobre ela. Lavaram as vísceras dele no córrego que havia no sítio.
Descobriram que ele tinha sido submetido a um 'tratamento se-
vero desnecessário', como eles costumavam dizer, mas não conseguiram provar que ele havia morrido por causa disso. Ele deve
ter visto tudo o que aconteceu. Talvez fossem amigos. Ele estava
em Melur mais ou menos na mesma época. Há uma menção
sobre ele nos documentos do caso: subnutrido com ferimentos
nas costas e nas pernas."

Ela se calou.

"Não estou tentando justificar o que ele nos fez e a maneira
como nos tratou", disse. "Não há justificativa. Mas eu queria saber quem ele era."

Ela se interrompeu novamente.

"E a sua mãe?", perguntou Erlendur, embora achasse que
Mikkelína pretendia lhe contar tudo que ela considerava impor-
tante e iria fazer isso à sua maneira. Ele não queria pressioná-la.
Ela iria contar a história em seu próprio ritmo.

"Ela teve azar", disse Mikkelína sem rodeios, como se essa
fosse a única conclusão sensata a que se poderia chegar. "Teve
azar de ficar com aquele homem. Simples assim. Ela não tinha família, mas de maneira geral teve uma criação decente em
Reykjavík e estava empregada em uma casa respeitável quando

o conheceu. Eu não consegui descobrir quem foram os pais dela. Se houve algum registro, os papéis se perderam."

Mikkelína olhou para Erlendur.

"Mas ela encontrou o verdadeiro amor antes de ser tarde demais. Ele entrou na vida dela no momento certo, acho."

"Quem? Quem entrou na vida dela?"

"E Símon. Meu irmão. Nós não percebíamos como ele se sentia. A tensão em que viveu todos aqueles anos. Eu sentia o tratamento que meu padrasto dava para minha mãe e sofria por ela, mas eu era mais forte do que Símon. Pobre, pobre Símon. E Tómas. Havia muito do pai nele. Ódio demais."

"Desculpe, não estou entendendo. Quem entrou na vida de sua mãe?"

"Ele era de Nova York. Um americano. Do Brooklyn."

Erlendur assentiu com a cabeça.

"Mamãe precisava de amor, de algum tipo de amor, de admiração, do reconhecimento de que ela existia, de que era um ser humano. Dave restituiu-lhe o amor-próprio, fez dela um ser humano outra vez. Costumávamos nos perguntar por que ele passava tanto tempo com mamãe. O que ele via nela, quando ninguém mais nem olhava para ela, além do meu padrasto, e mesmo assim apenas para surrá-la. Então ele contou a mamãe por que queria ajudá-la. Disse que percebeu no momento em que a viu pela primeira vez, quando chegou com as trutas; ele costumava pescar no Reynisvatn. Ele reconheceu todos os sinais de violência doméstica. Podia ver isso nos olhos dela, em seu rosto, em seus movimentos. Em um segundo entendeu toda a história dela."

Mikkelína fez uma pausa e seu olhar percorreu uma linha que foi da colina aos arbustos.

"Dave estava familiarizado com aquilo. Ele foi criado em um ambiente semelhante ao que Símon, Tómas e eu estávamos.

O pai dele nunca foi acusado nem condenado, nunca foi punido por bater na mulher até o dia da morte dela. Eles viviam em grande pobreza, ela contraiu tuberculose e morreu. O pai dele bateu nela pouco antes de ela morrer. Dave era um adolescente na época, mas não páreo para seu pai. Ele foi embora de casa no dia em que a mãe morreu e nunca mais voltou. Entrou para o Exército alguns anos depois. Antes de começar a guerra. Eles o mandaram para Reykjavík durante a guerra, até aqui, onde um dia ele entrou em um casebre e viu o rosto de sua mãe novamente."

Eles ficaram em silêncio.

"Àquela altura ele já era grande o suficiente para fazer alguma coisa", disse Mikkelína.

Um carro passou devagar por eles e parou perto da fundação da casa. O motorista saiu e olhou na direção dos arbustos de groselha.

"Símon veio me buscar", disse Mikkelína. "É tarde. O senhor se importa se continuarmos amanhã? Pode ir até a minha casa, se quiser."

Ela abriu a porta do carro e chamou o homem, que olhou para trás.

"A senhora sabe quem está enterrado aqui?", perguntou Erlendur.

"Amanhã", disse Mikkelína. "Conversaremos amanhã. Não há pressa", disse. "Não há pressa para nada."

O homem tinha se aproximado do carro para ajudar Mikkelína.

"Obrigada, Símon", disse ela e saiu do carro. Erlendur esticou-se no banco para poder vê-lo melhor. Então abriu a porta e saiu.

"Esse não pode ser Símon", disse ele para Mikkelína, olhando para o homem que a amparava. Ele não poderia ter mais que trinta e cinco anos.

"O quê?", disse Mikkelína.

"Símon não era o seu irmão?", Erlendur perguntou, olhando para o homem.

"Sim", disse Mikkelína, que então pareceu entender a surpresa de Erlendur. "Ah, este não é aquele Símon", disse com um sorriso. "Este é o meu filho, a quem eu dei o nome de meu irmão."

24.

Na manhã seguinte, Erlendur reuniu-se com Elínborg e Si-gurdur Óli em seu escritório, contou-lhes sobre Mikkelína e o que ela havia dito, e que ele iria se encontrar de novo com ela mais tarde, naquele mesmo dia. Tinha certeza de que ela lhe contaria quem estava enterrado na colina, quem havia colocado o corpo ali e por quê. Depois os ossos seriam escavados até o final do dia.

"Por que você não tirou tudo dela ontem?", perguntou Si-gurdur Óli, que tinha acordado revigorado depois de uma noite tranquila com Bergthóra. Eles haviam discutido o futuro, que incluía filhos, e concordaram sobre a melhor solução para ajeitar tudo; o mesmo em relação à viagem a Paris e ao carro esporte que iriam alugar.

"Aí a gente vai poder parar com toda essa idiotice", acrescentou ele. "Estou farto desses ossos. Farto do porão de Benjamín. Farto de vocês dois."

"Eu quero ir com você para falar com ela", disse Elínborg. "Você acha que ela é a deficiente que Ed viu na casa quando prendeu o homem?"

"É bem provável. Ela tinha dois meio-irmãos, Símon e Tómas. Isso combina com os dois meninos que ele viu. E havia um soldado americano chamado Dave, que os ajudou de alguma maneira. Vou conversar com Ed sobre ele. Não sei o sobrenome.

"Achei que a abordagem sem pressões foi a maneira certa de lidar com a questão; ela vai nos contar o que precisamos saber. Não há motivo para apressarmos as coisas."

Ele olhou para Sigurdur Óli.

"Você terminou tudo lá no porão de Benjamín?"

"Sim, terminei ontem. Não encontrei nada."

"Podemos descartar a hipótese de ser a noiva dele enterrada lá?"

"Sim, acho que sim. Ela se jogou no mar."

"Há alguma maneira de confirmar o estupro?", perguntou Elínborg.

"Acho que a confirmação está no fundo do mar", disse Sigurdur Óli.

"Como é que ela falou? Uma viagem de verão a Fljót?", perguntou Erlendur.

"Um verdadeiro romance campestre", disse Sigurdur Óli com um sorriso.

"Babaca!", disse Erlendur.

Ed deu as boas-vindas a Erlendur e Elínborg na porta da frente e levou-os para a sala de estar. A mesa estava coberta de documentos relacionados com o depósito. Havia mensagens por fax e fotocópias no chão, diários abertos e livros espalhados por toda a sala. Erlendur teve a impressão de que ele havia realizado uma grande investigação. Ed folheou uma pilha de papéis em cima da mesa.

"Em algum lugar aqui eu tenho uma lista de islandeses que trabalharam no depósito", disse. "Foi a embaixada que encontrou."

"Nós localizamos uma das inquilinas da casa onde você entrou", disse Erlendur. "Acho que é a garota deficiente sobre a qual você falou."

"Ótimo", disse Ed, envolvido na busca. "Ótimo. Aqui está."

Entregou a Erlendur uma lista com o nome de nove islandeses que trabalharam no depósito. Erlendur reconheceu a lista. Jim a tinha lido para ele por telefone e ficado de lhe mandar uma cópia. Erlendur lembrou-se de que havia esquecido de perguntar a Mikkelína o nome de seu padrasto.

"Eu descobri quem denunciou o roubo", disse Ed. "Quem informou sobre os ladrões. O meu velho colega na polícia de Reykjavík mora em Minneapolis hoje. Nós já mantivemos um contato ocasional, então telefonei para ele. Ele se lembrou do caso, ligou para uma outra pessoa e descobriu o nome do informante."

"E quem foi?", perguntou Erlendur.

"O nome dele era Dave. David Welch, do Brooklyn. Soldado raso."

O mesmo nome que Mikkelína havia mencionado, pensou Erlendur.

"Ele está vivo?", perguntou.

"Não sabemos. Meu amigo está tentando localizá-lo por meio do Pentágono. Talvez ele tenha sido mandado para a frente de batalha."

Elínborg solicitou a ajuda de Sigurdur Óli para investigar a identidade dos trabalhadores do depósito e o paradeiro deles e de seus descendentes. Erlendur pediu a ela que o encontrasse novamente naquela tarde antes de irem visitar Mikkelína. Primeiro ele ia ao hospital ver Eva Lind.

Ele seguiu pelo corredor que levava à ala de terapia intensiva e entrou no quarto da filha, a qual estava imóvel como sempre, de olhos fechados. Para seu enorme alívio, Halldóra não estava lá. Erlendur percorreu com os olhos a ala por onde ele perambulara por acaso quando teve aquela conversa bizarra com a mulherzinha sobre o menino na nevasca. Andando devagar pelo corredor até o último quarto, ele o encontrou vazio. A mulher de casaco de peles tinha desaparecido e não havia ninguém na cama onde um homem estivera entre este e o outro mundo. A mulher que disse ser médium também não estava lá, e Erlendur se perguntou se aquilo realmente havia acontecido ou se ele tinha sonhado. Ficou parado na porta por um segundo, depois voltou e entrou no quarto da filha, fechando a porta suavemente. Queria trancá-la, mas não havia tranca. Sentou-se ao lado da cama de Eva Lind. Ficou em silêncio ao lado dela, pensando no menino na nevasca.

Um bom tempo se passou até que por fim Erlendur reuniu coragem e suspirou profundamente.

"Ele tinha oito anos", disse a Eva Lind. "Dois anos mais novo do que eu."

Pensou no que a médium dissera, que ele aceitara o fato, que não tinha sido culpa de ninguém. Essas simples palavras ditas de repente não lhe diziam nada. Ele estivera enfrentando aquela nevasca a vida inteira, e tudo o que a passagem do tempo fez foi torná-la pior.

"Eu não consegui segurá-lo", contou a Eva Lind.

Ouviu o grito em meio à tempestade.

"Nós não conseguíamos nos ver", disse. "Estávamos de mãos dadas, então estávamos bem perto um do outro, mas mesmo assim eu não conseguia vê-lo por causa da nevasca. E então não consegui segurar."

Ele fez uma pausa.

"É por isso que você não pode ir embora. É por isso que você tem que sobreviver a isso e voltar e recuperar a saúde. Eu sei que a sua vida não tem sido fácil, mas você a destrói como se ela não tivesse valor. Como se você não tivesse valor. Mas isso não está certo. Você não está certa de pensar assim. Não pode pensar desse jeito."

Erlendur olhou para a filha sob a luz fraca do abajur.

"Ele tinha oito anos. Eu já disse isso? Um garoto como outro qualquer, divertido, sempre sorrindo, nós éramos amigos. Nem sempre é assim. Normalmente há alguma rivalidade. Brigas, um se dizendo melhor que o outro, discussões. Mas não entre nós. Talvez porque fôssemos completamente diferentes. Ele encantava as pessoas. De forma natural. Tem gente que é assim. Eu não. Há alguma coisa nessas pessoas que derruba todas as barreiras, porque elas agem de maneira autêntica, sendo o que de fato são, não têm nada a ocultar, nunca se escondem atrás de nada, são apenas elas mesmas, de maneira direta. Crianças assim..."

Erlendur ficou em silêncio.

"Às vezes você me lembra ele", prosseguiu. "Só fui perceber isso depois. Quando você me achou após todos aqueles anos. Alguma coisa em você me lembra ele. Alguma coisa que você está destruindo, por isso fico angustiado pela maneira como você trata a sua vida, e no entanto não pareço ser capaz de fazer nada a respeito. Estou tão impotente diante de você como no dia daquela nevasca, quando minha mão se soltou. Estávamos de mãos dadas e eu o soltei, e senti acontecendo, percebi que era o fim. Nós dois íamos morrer. Nossas mãos estavam congeladas e não conseguimos aguentar. Eu não conseguia sentir a mão dele, a não ser naquele breve segundo em que a soltei."

Erlendur fez uma pausa e olhou para o chão.

"Eu não sei se essa é a razão para tudo isso. Eu tinha dez anos e tenho me culpado desde aquele dia. Não consegui deixar para trás. Não quero deixar para trás. A dor é como uma fortaleza em torno de uma tristeza da qual não quero me livrar. Talvez eu devesse ter feito isso há muito tempo, entrar em acordo com a vida que foi salva e dar-lhe um propósito. Mas não aconteceu e a essa altura dificilmente acontecerá. Todos temos os nossos fardos. Talvez eu não sofra mais do que qualquer outra pessoa que tenha perdido um ente querido, mas não consigo lidar com isso.

"Alguma coisa se apagou em mim. Nunca o encontrei novamente e sonho com ele o tempo todo, sei que ele ainda está lá, em algum lugar, vagando no meio da nevasca, sozinho, abandonado e com frio, até cair em um lugar onde não poderá ser encontrado e nunca será, e a tempestade aumenta às costas dele e ele é enterrado pela neve em um piscar de olhos, e não importa o quanto eu procure e grite, não consigo encontrá-lo, e ele não consegue me ouvir, ele se perdeu de mim para sempre."

Erlendur olhou para Eva Lind.

"Foi como se ele tivesse ido direto para Deus. Eu fui encontrado. Fui encontrado e sobrevivi, mas o perdi. Não consegui contar nada a eles. Não consegui dizer onde eu estava quando o perdi. Não conseguia ver nada por causa daquela maldita nevasca. Eu tinha dez anos, quase morri congelado e não consegui lhes contar nada. Eles montaram um grupo de busca e as pessoas vasculharam o charco com lanternas de manhã até a noite, dia após dia, gritando o nome dele e cutucando a neve com varetas, eles se dividiram, levaram cães, podíamos ouvir os gritos e latidos. Mas nada aconteceu. Nunca.

"Ele nunca foi encontrado.

"Em uma outra ala daqui, encontrei uma mulher que disse que tinha uma mensagem para mim do menino da nevasca. Ela disse que não foi minha culpa e que eu não tinha nada a temer.

O que quer dizer isso? Eu não acredito nesse tipo de coisa, mas o que devo pensar? Durante toda a minha vida isso foi minha culpa, embora já há algum tempo eu tenha consciência de que era jovem demais para assumir essa responsabilidade. Mas a culpa é algo que nos atormenta até acabar se tornando um câncer mortal.

"Porque eu não soltei a mão de um menino qualquer.

"Porque o menino na nevasca era... o meu irmão."

A mãe bateu a porta, impedindo a entrada do vento frio de outono, e na luz fraca da cozinha viu Grímur sentado junto à mesa, de frente para Símon. Ela não conseguia ver bem o rosto de Grímur. Aquela era a primeira vez que o via desde que tinha sido levado, mas assim que percebeu a presença dele na casa e o viu de novo à luz indecisa do começo do anoitecer, o medo tomou conta dela. Ela o esperara durante todo o outono, mas não sabia exatamente quando ele iria ser solto. Ao ver Tómas correndo até ela, entendeu na hora o que tinha acontecido.

Símon não ousava se mover, mas, com as costas rígidas, virou a cabeça para olhar na direção da porta da frente e viu a mãe olhando para eles. Ela havia soltado a mão de Tómas, que se esgueirou em direção ao corredor onde estava Mikkelína. Ela viu o terror nos olhos de Símon.

Grímur estava sentado em uma cadeira da cozinha e não fez nenhum movimento. Muitos segundos se passaram e os únicos sons que se ouviam eram o uivo do vento e a mãe ofegante depois de subir a colina correndo. O medo de Grímur que ela sentia, que tinha diminuído desde a primavera, ressurgiu com toda a força e em um instante ela havia voltado ao seu antigo estado. Como se nada tivesse acontecido enquanto ele esteve fora. As pernas fraquejaram, a dor no estômago começou a ficar cada vez pior, a expressão de seu rosto perdeu a recém-adquirida dignidade, o corpo se curvou e ela se fez tão pequena quanto pôde. Submissa. Obediente. Pronta para o pior.

As crianças viram a transformação sofrida pela mãe enquanto estava em pé sob o limiar da porta.

"Símon e eu estávamos conversando", disse Grímur, pondo a cabeça sob a luz para revelar sua queimadura. A mãe recuou quando olhou o rosto dele e viu a cicatriz vermelha brilhante. Abriu a boca como se fosse falar ou gritar, mas nada saiu e ela encarou Grímur perplexa.

"Não acha que eu estou bonito?", perguntou ele.

Havia alguma coisa estranha em Grímur. Alguma coisa que Símon não conseguia definir. Mais seguro de si. Mais presunçoso. Ele era um tirano, isso era óbvio a julgar por todas as suas atitudes em relação a sua família, e sempre fora óbvio, mas havia algo mais, alguma coisa perigosa, e Símon estava tentando descobrir o que era quando Grímur se levantou.

Ele se aproximou da mãe das crianças.

"Símon me contou sobre um soldado chamado Dave, que vem aqui trazer peixes."

A mãe não disse nada.

"Foi um soldado chamado Dave que fez isto em mim", disse, apontando para a cicatriz. "Eu não consigo abrir o olho direito porque ele achou que não havia problema em jogar café no meu rosto. Primeiro esquentou o café em um bule até que ficou tão quente que ele teve de segurar com um pano, e quando pensei que ele ia me servir uma xícara, ele esvaziou o bule no meu rosto."

A mãe desviou os olhos para o chão, mas continuou imóvel.

"Eles deixaram ele entrar quando minhas mãos estavam algemadas atrás das costas. Acho que sabiam o que ele ia fazer."

Ele avançou ameaçadoramente na direção de Mikkelína e Tómas no corredor. Símon estava sentado junto à mesa como se estivesse pregado na cadeira. Grímur voltou-se para a mãe e se aproximou dela.

"Era como se estivessem dando uma recompensa para ele", disse. "Você sabe por quê?"

"Não", disse a mãe, a voz baixa.

"Não", Grímur a imitou. "Estava ocupada demais trepando com ele."

Ele sorriu.

"Eu não ficaria surpreso se ele aparecesse boiando no lago. Como se tivesse caído na água enquanto pescava trutas."

Grímur chegou bem perto da mãe e pôs a mão no ventre dela de maneira brusca.

"Você acha que ele deixou alguma coisa para trás?", perguntou com um tom de voz baixo e ameaçador. "Alguma coisa dos piqueniques no lago? Você acha que sim? Você acha que ele deixou alguma coisa? O que eu posso dizer é que, se ele deixou alguma coisa, eu vou matá-la. Quem sabe, talvez eu a queime, do mesmo jeito que ele queimou meu rosto."

"Não diga isso", disse a mãe das crianças.

Grímur olhou para ela.

"Como aquele desgraçado soube que a gente estava roubando?", perguntou. "Quem você acha que contou a ele o que estávamos fazendo? Você sabe alguma coisa sobre isso? Talvez a gente não tenha tido o cuidado suficiente. Talvez ele tenha visto a gente. Ou talvez deu algumas trutas a alguém e viu todas as mercadorias aqui, ficou imaginando de onde vinha tudo aquilo e perguntou para a vagabunda que mora aqui se ela sabia de alguma coisa."

Grímur apertou-lhe a barriga ainda mais.

"Vocês não conseguem ver um uniforme sem abaixar a calcinha."

Em silêncio, Símon levantou-se e ficou atrás do pai.

"Que tal uma xícara de café?", disse Grímur para a mãe das crianças. "O que você acha de um pouco de café fervendo para o café da manhã? Se o Dave deixar. Você acha que ele vai deixar?"

Grímur deu uma gargalhada.

"Talvez ele tome um gole conosco. Você estava esperando ele? Acha que ele vai chegar para salvar você?"

"Não faz isso", disse Símon atrás dele.

Grímur soltou a mãe e virou-se para Símon.

"Não faz isso", repetiu Símon.

"Símon!", disse a mãe com rispidez. "Para!"

"Deixa a mamãe em paz", disse Símon com voz trêmula.

Grímur voltou-se de novo para a mãe. Mikkelína e Tómas olhavam tudo do corredor. Ele se inclinou na direção dela e sussurrou-lhe no ouvido.

"Talvez você desapareça algum dia como a namorada do Benjamín."

A mãe olhou para Grímur, preparada para um ataque, que ela sabia que não podia ser evitado.

"O que você sabe sobre isso?", perguntou ela.

"As pessoas desaparecem. Todo o tipo de gente. Gente grã-fina também. Então escória como você também pode desaparecer. Quem iria querer saber de você? A menos que a sua mãe lá do gasômetro esteja procurando por você. Você acha que ela está?"

"Deixa ela em paz", disse Símon, ainda em pé ao lado da mesa da cozinha.

"Símon?", disse Grímur. "Achei que éramos amigos. Você, eu e o Tómas."

"Deixa ela em paz", disse Símon. "Você tem que parar de machucar ela. Você tem que parar e ir embora. Vai embora e não volta mais."

Grímur tinha se aproximado dele e o olhava como se ele fosse um completo estranho.

"Eu estive fora. Estive fora por seis meses e essa é a recepção que eu recebo. A patroa de sacanagem com os soldados e o pequeno Símon querendo pôr o pai para fora de casa. Você é grande o bastante para dar conta do seu pai, Símon? Você acha que é? Você acha que algum dia vai ser grande o bastante para brigar comigo?"

"Símon!", disse a mãe. "Está tudo bem. Leve Tómas e Mikkelína para Gufunes e espere por mim lá. Está ouvindo, Símon? Faça o que eu estou mandando."

Grímur sorriu de modo malicioso para Símon.

"E agora a patroa está mandando na festa. Quem ela acha que é? Engraçado como todo mundo mudou em tão pouco tempo."

Grímur olhou para o corredor que levava aos quartos.

"E aquela aberração? A aleijada vai responder para mim também? Da, da, da, da, aquela aleijada do cacete que eu deveria ter estrangulado há anos. Esse é o agradecimento que eu recebo? Esse é o meu agradecimento?", gritou na direção do corredor.

Mikkelína recuou para a escuridão do corredor. Tómas ficou onde estava, olhando para Grímur, que sorriu para ele.

"Mas eu e Tómas somos amigos", disse Grímur. "Tómas nunca trairia seu pai. Vem cá, filho. Vem com o papai."

Tómas aproximou-se dele.

"A mamãe foi telefonar", disse ele.

"Tómas!", a mãe deles gritou.

25.

"Eu não acho que Tómas pretendesse ajudá-lo. É mais provável que ele achasse que estava ajudando a mamãe. Talvez quisesse assustá-lo para fazer um favor a ela. Mas acho que é mais provável que ele não soubesse o que estava fazendo. Ele era tão pequeno, coitadinho."

Mikkelína olhou para Erlendur. Ele e Elínborg estavam na sala de visitas dela e tinham escutado o relato sobre sua mãe na colina e Grímur, como os dois se conheceram e a primeira vez em que ele bateu nela, como a violência foi se intensificando aos poucos e sobre as duas vezes em que ela tentou fugir e como ele ameaçou matar os filhos. Ela contou sobre a vida na colina, os soldados, o depósito, os roubos e o soldado chamado Dave que ia pescar no lago, e sobre o verão em que o padrasto foi para a prisão e a mãe e o soldado se apaixonaram, como os irmãos carregavam Mikkelína para o sol, como Dave os levava para piqueniques, e sobre a fria manhã de outono em que seu padrasto retornou.

Mikkelína usou todo o tempo de que precisava para contar sua história e tentou não omitir nenhuma parte da história da família que considerava importante. Erlendur e Elínborg ficaram sentados ouvindo, bebendo o café que Mikkelína preparara para eles e comendo o bolo que ela fizera porque, como disse, sabia que Erlendur iria vê-la. Ela foi sinceramente efusiva ao cumprimentar Elínborg e perguntou-lhe se havia muitas mulheres que eram detetives.

"Quase nenhuma", disse Elínborg, sorrindo.

"Que pena", disse Mikkelína, oferecendo-lhe uma poltrona. "As mulheres deveriam estar na vanguarda em todos os setores."

Elínborg olhou para Erlendur, que deu um meio sorriso. Ela o pegara no escritório à tarde, sabendo que ele tinha vindo do hospital, e notou que ele estava excepcionalmente taciturno. Perguntou sobre o estado de Eva Lind, achando que pudesse ter piorado, mas ele respondeu que havia se estabilizado, e quando Elínborg quis saber como ele estava se sentindo e se havia alguma coisa que ela pudesse fazer por ele, Erlendur apenas balançou a cabeça e lhe respondeu que não havia nada a fazer a não ser esperar. Ela teve a impressão de que a espera estava exercendo uma tremenda pressão sobre ele, mas não se arriscou a tocar no assunto. A experiência já lhe havia ensinado que Erlendur não tinha necessidade de falar de si mesmo para os outros.

Mikkelína morava no andar térreo de um pequeno prédio em Breidholt. O apartamento era pequeno mas aconchegante, e enquanto ela estava na cozinha fazendo o café, Erlendur andou pela sala olhando as fotos do que supôs ser a família dela. Não havia muitas e nenhuma parecia ser da colina.

Ela começou com um relato curto sobre si própria enquanto cuidava das coisas na cozinha, e eles ouviram da sala de visitas. Ela começou a estudar tarde, perto dos vinte anos — na mesma época em que fez a primeira terapia para sua deficiência —, e obteve um progresso enorme. Erlendur achou que ela passou rápido pela própria história, mas não comentou nada. Com o tempo, Mikkelína completou o curso secundário com aulas extras, entrou na universidade e se formou em psicologia. Àquela altura, tinha quarenta e poucos anos. Agora estava aposentada.

Tinha adotado o garoto que chamava de Símon antes de ir para a universidade. Começar uma família natural teria sido difícil por razões que ela achava desnecessário explicar, e disse isso com um sorriso irônico.

Ela visitava a colina regularmente na primavera e no verão, para olhar os arbustos de groselha, e no outono colhia os frutos para fazer geleia. Ela ainda tinha um pote com um pouco que sobrara do último outono e deu para eles provarem. Elínborg, especialista em culinária, elogiou o sabor. Mikkelína disse que ela poderia ficar com o pote e pediu desculpas por ser tão pouco.

Então ela lhes contou como tinha visto a cidade crescer durante anos e décadas, primeiro estendendo-se até Breidholt e depois até Grafarvogur, depois com a velocidade de um raio ao longo da estrada para Mosfellsbaer e por fim até Grafarholt, a colina onde ela vivera e onde ganhara suas lembranças mais dolorosas.

"Eu realmente só tenho más recordações daquele lugar", disse. "A não ser por aquele curto verão."

"A senhora já nasceu com essa incapacidade?", perguntou Elínborg. Tentou formular a pergunta da maneira mais delicada possível, mas concluiu que não havia como fazer isso.

"Não", respondeu Mikkelína. "Eu fiquei doente com três anos. Fui para o hospital. Minha mãe contou que era proibido os pais ficarem nas alas do hospital com as crianças. Ela não conseguia entender uma norma tão repulsiva e cruel como essa: não poder ficar com um filho que está seriamente doente ou mesmo à beira da morte. Precisei de muitos anos para perceber que, com terapia, poderia recuperar o que tinha perdido, mas meu padrasto nunca deixou que ela cuidasse de mim, me levasse ao médico ou descobrisse alguma coisa sobre tratamentos. Tenho uma lembrança de antes de ficar doente, não sei se é um sonho ou se é real — o sol está brilhando e estou no jardim de uma casa, provavelmente onde minha mãe era empregada, e estou correndo muito, gritando, e mamãe parece estar correndo atrás de mim, tentando me pegar. Não me lembro de mais nada. Apenas que podia correr como e quando quisesse."

Mikkelína sorriu.

"Eu tenho esse tipo de sonho com frequência. Nele estou saudável e posso me mover como quiser, sem balançar a cabeça todas as vezes em que falo, e tenho controle sobre os músculos do rosto, eles não ficam formando caretas a todo momento."

Erlendur abaixou a xícara.

"Você me contou ontem que deu a seu filho o nome de seu meio-irmão Símon."

"Símon era um garoto espetacular. Não havia nada do pai nele. Pelo menos eu nunca vi. Ele era como a mamãe. Bondoso, compreensivo e prestativo. Tinha uma compaixão interminável, aquele menino. Odiava o pai, e esse ódio lhe fez mal. Ele nunca deveria ter sido obrigado a odiar nada. E, como todos nós, ficou prisioneiro do medo durante toda a infância. Aterrorizado quando o pai tinha um acesso de violência. Ele testemunhou nossa mãe ser surrada. Eu costumava esconder a cabeça sob uma colcha, mas reparei que Símon às vezes ficava olhando as agressões, como se estivesse se endurecendo para lidar com aquilo quando se tornasse forte o bastante para enfrentar o pai. Quando fosse grande o bastante para acertar as contas com ele.

"Às vezes ele tentava intervir. Ficava na frente de nossa mãe, desafiando-o. Mamãe tinha mais medo disso que das surras. Ela não podia suportar a ideia de que alguma coisa pudesse acontecer a seus filhos.

"Um garoto extraordinariamente bom, esse Símon."

"Você fala dele como se ele ainda fosse uma criança", disse Elínborg. "Ele morreu?"

Mikkelína sorriu, mas não respondeu.

"E Tómas?", perguntou Erlendur. "Havia apenas vocês três."

"Sim, Tómas", disse Mikkelína. "Ele era diferente de Símon. O pai sabia disso."

Mikkelína ficou em silêncio.

"Onde a sua mãe foi telefonar?", perguntou Erlendur. "Antes de voltar à colina."

Sem responder a ele também, Mikkelína levantou-se e entrou no quarto. Elínborg e Erlendur se entreolharam. Um momento depois Mikkelína voltou segurando um pedaço de papel. Ela abriu o bilhete, leu-o e o entregou a Erlendur.

"Mamãe me deu esse bilhete", disse. "Eu me lembro nitidamente de Dave tê-lo passado para ela sobre a mesa, mas nunca soubemos o que estava escrito nele. Minha mãe só me mostrou muito tempo depois. Anos depois."

Erlendur leu o que estava escrito.

"Dave pediu que um islandês ou um soldado que falava islandês escrevesse o bilhete para ele. Mamãe sempre o guardou e, é claro, vou levá-lo para o túmulo comigo."

Erlendur olhou o bilhete. Ainda que escrito em letras maiúsculas desajeitadas, as palavras estavam muito claras.

EU SEI O QUE ELE FAZ COM VOCÊ.

"Mamãe e Dave conversaram sobre ela entrar em contato com ele assim que meu padrasto saísse da prisão, e ele iria ajudá-la. Eu não sei o que eles combinaram exatamente."

"Ninguém em Gufunes poderia tê-la ajudado?", perguntou Elínborg. "Deveria haver muita gente trabalhando lá."

Mikkelína olhou para ela.

"Minha mãe sofreu maus-tratos nas mãos dele durante uma década e meia. Era violência física, e com uma frequência tão brutal que depois ela ficava de cama durante dias. E era psicológica também, esta, talvez, a pior forma de violência porque, como eu contei a Erlendur ontem, ela reduzia minha mãe a nada. Ela começou a se desprezar tanto quanto o marido a desprezava. Ela pensou durante muito tempo em suicídio, mas em parte por nossa causa, seus filhos, ela nunca foi além de remoer a ideia. Dave compensou um pouco disso nos seis meses que passou com ela, e ele era a única pessoa a quem ela poderia ter pedido ajuda. Ela nunca contou a ninguém sobre o que havia passado em todos aqueles anos, e acho que estava preparada para levar as surras novamente se fosse preciso. Na pior das hipóteses, ele a atacaria e tudo voltaria ao normal."

Mikkelína olhou para Erlendur.

"Dave nunca apareceu."

Ela olhou para Elínborg.

"E nada voltou ao normal."

"Então ela foi telefonar, é?"

Grímur passou o braço em volta de Tómas.

"Para quem ela telefonou, Tómas? A gente não deve ter segredos. Pode ser que sua mãe ache que pode guardar segredos, mas isso é um enorme engano. Guardar segredos pode ser perigoso."

"Não use o menino", disse a mãe deles.

"Agora ela está começando a querer mandar em mim", disse Grímur, esfregando os ombros de Tómas. "Como as coisas mudam. O que vem em seguida?"

Símon posicionou-se ao lado da mãe. Mikkelína esgueirou-se na direção deles. Tómas começou a chorar. Uma mancha escura espalhou-se na parte de baixo de suas calças.

"E alguém atendeu?", perguntou Grímur. O sorriso tinha abandonado seu rosto, o tom sarcástico havia desaparecido, a expressão estava séria. Eles não conseguiam tirar os olhos da cicatriz.

"Ninguém atendeu", disse a mãe.

"Nenhum Dave para vir salvar o dia?"

"Nenhum Dave", disse a mãe.

"Eu queria saber quem me dedurou", disse Grímur. "Um navio partiu hoje de manhã. Cheio de soldados. Parece que estão precisando de soldados na Europa. Eles não podem ficar todos na moleza aqui na Islândia, onde não há nada para fazer a não ser trepar com as nossas mulheres. Ou talvez eles o pegaram. Era um assunto muito maior do que eu imaginei. Cabeças rolaram. Cabeças muito mais importantes do que a minha. Cabeças de oficiais. Eles não ficaram contentes com aquilo."

Ele afastou Tómas com um empurrão.

"Não ficaram nem um pouco contentes com aquilo."

Símon se aproximou mais da mãe.

"Só tem uma coisa em todo esse negócio que eu não entendo", disse Grímur. Ele havia se aproximado muito da mãe e eles podiam sentir o fedor forte que ele exalava. "Que eu realmente não consigo entender. Que está além da minha compreensão. Eu até entendo você abrir as pernas para o primeiro sujeito que olhou pra você depois que eu fui embora. Você é mesmo uma vagabunda. Mas o que ele estava pensando?"

Eles estavam quase se tocando.

"O que ele viu em você?"

Grímur agarrou a cabeça dela com as duas mãos.

"Sua puta feia do caralho."

"Achamos que ele fosse atacá-la e matá-la daquela vez. Estávamos prontos para isso. Eu tremia de medo, e Símon também. Fiquei pensando se eu conseguiria pegar a faca na cozinha. Mas nada aconteceu. Eles se encararam, olho no olho, e em vez de atacá-la ele se afastou."

Mikkelína fez uma pausa.

"Eu nunca senti tanto medo em minha vida. E Símon nunca mais foi o mesmo. Ele ficou cada vez mais distante de nós depois daquilo. Pobre Símon."

Ela olhou para o chão.

"Dave saiu de nossas vidas tão rapidamente quanto entrou", disse. "Mamãe nunca mais ouviu falar dele."

"O sobrenome dele era Welch", disse Erlendur. "E estamos investigando o que aconteceu com ele. Qual era o nome do seu padrasto?"

"O nome dele era Thorgrímur", respondeu Mikkelína. "Ele era chamado de Grímur."

"Thorgrímur", repetiu Erlendur. Ele se lembrou do nome na lista de islandeses que haviam trabalhado no depósito.

Seu celular tocou no bolso do paletó. Era Sigurdur Óli, que estava no local da escavação na colina.

"É melhor você vir até aqui", disse Sigurdur Óli.

"Aqui?", disse Erlendur. "Aqui onde?"

"Na colina, é claro", disse Sigurdur Óli. "Eles chegaram aos ossos e acho que descobrimos quem está enterrado."

"Quem é?"

"A noiva de Benjamín."

"Por quê? O que o faz pensar que é ela?" Erlendur tinha se levantado e estava na cozinha para falar com alguma privacidade.

"Venha aqui ver", disse Sigurdur Óli. "Não pode ser de mais ninguém. Venha aqui e veja por si mesmo."

E desligou.

26.

Quinze minutos depois, Erlendur e Elínborg estavam em Grafarholt. Despediram-se depressa de Mikkelína, que ficou olhando, surpresa, os dois se dirigirem para a porta. Erlendur não contou a ela o que Sigurdur Óli havia dito no telefone sobre a noiva de Benjamín, apenas que precisavam ir à colina porque o esqueleto estava sendo finalmente escavado, e pediu a ela que guardasse sua história por enquanto. Desculpou-se. Depois conversariam mais.

"Será que eu não deveria ir com vocês?", perguntou Mikkelína do corredor, onde ficou vendo-os sair do apartamento. "Eu tenho..."

"Agora não", Erlendur interrompeu-a. "Conversaremos melhor depois. Surgiu um fato novo."

Sigurdur Óli esperava por eles na colina e levou-os até Skarphédinn, que estava em pé ao lado do túmulo.

"Erlendur", cumprimentou-o o arqueólogo. "Estamos quase lá. No fim, não demorou tanto."

"O que vocês descobriram?", perguntou Erlendur.

"É uma mulher", disse Sigurdur Óli de maneira presunçosa. "Não há dúvida disso."

"Como assim?", disse Elínborg. "De repente você virou médico?"

"Para isso não é preciso um médico", disse Sigurdur Óli. "É óbvio."

"Há dois esqueletos no túmulo", disse Skarphédinn. "Um é de um adulto, provavelmente uma mulher, o outro é de um bebê, um bebê muito pequeno, que talvez nem tenha nascido. Está lá, dentro do esqueleto."

Erlendur olhou para ele surpreso.

"Dois esqueletos?"

Ele olhou para Sigurdur Óli, deu dois passos para a frente e espiou dentro do túmulo, onde viu imediatamente o que Skarphédinn quis dizer. O esqueleto grande estava quase desenterrado e exposto na frente dele, com a mão erguida no ar, o maxilar inferior aberto, cheio de terra, e as costelas estavam quebradas. Havia terra nas órbitas dos olhos, tufos de cabelo sobre a testa e a pele do rosto ainda não havia apodrecido completamente.

Sobre ele havia outro esqueleto pequenino, curvado em posição fetal. Os arqueólogos tinham escovado cuidadosamente a sujeira dele. Os braços e fêmures eram do tamanho de um lápis e o crânio, do tamanho de uma bola de tênis. Estava posicionado abaixo da caixa torácica do esqueleto maior, com a cabeça apontada para baixo.

"E poderia ser de outra pessoa?", perguntou Sigurdur Óli. "Essa não é a noiva? Ela estava grávida. Qual era o nome dela mesmo?"

"Sólveig", disse Elínborg. "Mas a gravidez dela estava tão adiantada assim?", disse, como se estivesse falando sozinha, olhando para os esqueletos.

"Chamam de bebê ou de feto nesse estágio?", perguntou Erlendur.

"Não faço a menor ideia", respondeu Sigurdur Óli.

"Nem eu", disse Erlendur. "Precisamos de um especialista. Podemos tirar os esqueletos da maneira como estão para mandá-los ao necrotério da rua Barónsstígur?", perguntou a Skarphédinn.

"Como assim, como eles estão?"

"Um em cima do outro."

"Ainda precisamos desenterrar o esqueleto maior. Se tirarmos um pouco mais de terra dele, com escovas e pincéis pequenos, depois entrarmos por baixo com bastante cuidado, acho que poderíamos levantar o conjunto todo, sim. Acho que deve funcionar. Você não quer que o patologista os examine aqui? Nessa posição?"

"Não, quero em um lugar fechado", disse Erlendur. "Precisamos examinar tudo isso em condições ideais."

Por volta da hora do jantar, os esqueletos foram removidos intactos do solo. Erlendur, Sigurdur Óli e Elínborg ficaram observando os ossos serem retirados. Os arqueólogos enfrentaram a tarefa com grande profissionalismo, e Erlendur não se arrependeu de tê-los chamado. Skarphédinn coordenou a operação com a mesma eficiência que havia demonstrado durante a escavação. O arqueólogo contou a Erlendur que eles tinham se afeiçoado ao esqueleto, que chamavam de "Homem do Milênio" em homenagem a Erlendur, e que sentiriam saudades. Mas o trabalho deles ainda não estava terminado. Por ter desenvolvido um interesse por criminologia durante o processo de escavação, Skarphédinn pretendia continuar analisando o solo com sua equipe em busca de pistas sobre o incidente na colina ocorrido tantos anos atrás. Ele havia tirado fotos e feito vídeos de cada etapa da escavação, e disse que aquilo poderia render uma palestra interessante na universidade, especialmente se Erlendur viesse a descobrir como os ossos tinham ido parar ali, acrescentou, com um sorriso que expunha suas presas.

Os esqueletos foram levados para o necrotério da rua Barónsstígur. O patologista estava de férias com a família na Espanha e só iria voltar, no mínimo, dali a uma semana, foi o que ele próprio disse a Erlendur por telefone naquela mesma tarde, torrando sob o sol durante um churrasco e levemente embriagado, pensou o detetive. Assim que os ossos foram exumados e postos em uma van da polícia, o oficial médico do distrito de Reykjavík supervisionou a operação e garantiu que eles fossem colocados em um local apropriado no necrotério.

Em vez de serem separados, os esqueletos foram transportados juntos, como havia insistido Erlendur. Para manter a posição deles tão intacta quanto possível, os arqueólogos tinham deixado uma boa quantidade de terra entre eles. Assim, havia uma enorme pilha sobre a mesa na frente de Erlendur e do oficial médico do distrito, ambos banhados pela luz fluorescente da sala de autópsias. Os esqueletos tinham sido embrulhados em um enorme cobertor branco que o médico retirou, e os dois homens ficaram contemplando os ossos.

"Acho que o mais importante a fazer provavelmente é determinar a data dos dois esqueletos", disse Erlendur e olhou para o oficial médico.

"Sim, a data", disse o oficial médico, pensativo. "Você sabe que, na verdade, existe muito pouca diferença entre um esqueleto de homem e um de mulher, a não ser pela pélvis, que não podemos ver direito por causa do esqueleto menor e da camada de terra que há entre eles. Todos os duzentos e seis ossos do esqueleto maior parecem estar no lugar. As costelas estão quebradas, como já sabíamos. É bem grande, uma mulher bem alta. Essa é a minha primeira impressão, mas na verdade eu preferiria não ter nada a ver com isso. Vocês têm pressa? Não podem esperar uma semana? Eu não sou especialista em autópsias ou em datação de corpos. Posso deixar passar todos os detalhes que um patologista qualificado perceberia, avaliaria, saberia por intuição. Se vocês querem um trabalho bem-feito, devem esperar. Qual é a pressa? Isso não pode esperar?", repetiu ele.

Erlendur percebeu gotas de suor na testa do oficial médico e se lembrou de que alguém havia dito que ele sempre tentava evitar responsabilidades demais.

"Tanto faz", disse Erlendur. "Não há pressa. Eu não creio que haja. A menos que a escavação descubra alguma coisa sobre a qual não sabemos, alguma tragédia."

"Você está querendo dizer que alguém que está de olho na escavação sabe o que está acontecendo e pode desencadear uma série de acontecimentos?"

"Vamos esperar para ver", disse Erlendur. "Vamos esperar o patologista. Não é uma questão de vida ou morte. Mas mesmo assim veja o que pode fazer por nós. Faça no seu ritmo. Talvez você possa remover o esqueleto menor sem danificar nenhuma evidência."

O oficial médico assentiu com a cabeça, como se estivesse incerto sobre seu próximo movimento.

"Vou ver o que posso fazer", disse.

Erlendur decidiu falar com a sobrinha de Benjamín Knudsen imediatamente, em vez de esperar até a manhã seguinte, e à noite foi até a casa dela com Sigurdur Óli. Elsa atendeu à porta e convidou-os para entrar na sala de visitas. Eles se sentaram. Erlendur achou-a mais cansada e temeu a reação dela diante da descoberta dos dois esqueletos. Imaginou que devia ser um fardo para ela ver aquele assunto tão antigo vir à tona novamente, depois de tantos anos, e ainda descobrir que seu tio poderia estar implicado em um assassinato.

Ele contou a ela o que os arqueólogos haviam desenterrado na colina: tudo indicava que era a noiva de Benjamín. Elsa olhava alternadamente para os dois detetives enquanto Erlendur terminava seu relato, e foi incapaz de esconder sua descrença.

"Eu não acredito em vocês", exclamou. "Vocês estão dizendo que Benjamín matou a noiva?"

"Há uma probabilidade de..."

"E a enterrou na colina ao lado do chalé deles? Eu não acredito. Eu só não entendo aonde vocês querem chegar com isso. Deve haver alguma outra explicação. Simplesmente deve haver. Benjamín não era assassino, isso eu posso lhes dizer. Eu os deixei andar pela casa e revirar o porão do jeito que quiseram, mas isso está indo longe demais. Vocês acham que eu os deixaria fazer uma busca minuciosa no porão se eu, ou se a família, tivesse alguma coisa a esconder? Não, isso foi longe demais. É melhor vocês irem embora", disse, levantando-se. "Agora!"

"A senhora não está envolvida", disse Sigurdur Óli. Ele e Erlendur permaneceram imóveis. "Não achamos que a senhora soubesse de alguma coisa e tivesse escondido de nós. Ou...?"

"O que você está querendo dizer?", perguntou Elsa. "Que eu sabia de alguma coisa? Está me acusando de cumplicidade? Vocês vão me prender? Querem me levar para a prisão? Que maneira de se comportar!" Ela encarou Erlendur.

"Acalme-se", disse Erlendur. "Descobrimos o esqueleto de um bebê junto com o esqueleto adulto. Foi revelado que a noiva de Benjamín estava grávida. A conclusão natural é que seja ela. Você não acha? Não estamos insinuando nada. Estamos apenas tentando resolver o caso. Você foi excepcionalmente prestativa e agradecemos por isso. Nem todo mundo teria feito o que você fez. No entanto, é fato que o seu tio Benjamín é o principal suspeito agora que recuperamos os ossos."

Elsa olhou furiosa para Erlendur como se ele fosse um intruso em sua casa. Depois pareceu se acalmar um pouco. Olhou para Sigurdur Óli, voltou a olhar para Erlendur e sentou-se novamente.

"É um engano", disse. "E vocês perceberiam isso se tivessem conhecido Benjamín como eu conheci. Ele não faria mal a uma mosca. Nunca."

"Ele descobriu que a noiva estava grávida", disse Sigurdur Óli. "Eles iam se casar. Ele estava visivelmente apaixonado por ela. Seu futuro girava em torno desse amor, a família que ele ia começar, seus negócios, sua posição na sociedade. Ele não aguentou. Talvez tenha ido longe demais. O corpo dela nunca foi recuperado. Consta que ela se atirou no mar. Ela desapareceu. Talvez nós a tenhamos encontrado."

"Você contou a Sigurdur Óli que Benjamín não sabia quem havia engravidado sua noiva", disse Erlendur com cautela. Ele se perguntou se não tinham chegado a uma conclusão prematura e amaldiçoou o patologista na Espanha. Talvez devessem ter vindo vê-la um outro dia. Terem esperado por uma confirmação.

"Isso mesmo", disse Elsa. "Ele não sabia."

"Ficamos sabendo que a mãe de Sólveig foi falar com ele mais tarde e contou-lhe a história. Depois que tudo tinha acabado. Depois que Sólveig havia desaparecido."

Elsa adotou uma expressão surpresa.

"Eu não sabia disso. Quando isso aconteceu?"

"Bem depois", disse Erlendur. "Não sei exatamente quando. Sólveig manteve segredo sobre o pai da criança. Por algum motivo, ela se calou. Não contou a Benjamín o que aconteceu. Rompeu o noivado e não disse quem era o pai. Possivelmente para proteger a família dela. O bom nome de seu pai."

"O que você quer dizer com o bom nome do pai dela?"

"O sobrinho dele estuprou Sólveig quando ela estava visitando a família dele em Fljót."

Elsa deixou-se cair em uma poltrona e instintivamente levou a mão à boca, chocada.

"Não acredito", disse com um suspiro.

Ao mesmo tempo, do outro lado da cidade, Elínborg contava a Bára o que tinha sido descoberto no túmulo e que a hipótese mais provável era a de que se tratava do corpo de Sólveig, a noiva de Benjamín. Benjamín a teria enterrado ali. Elínborg enfatizou que tudo que a polícia tinha para prosseguir era o fato de ele ter sido a última pessoa a vê-la viva e uma criança ter sido encontrada com o esqueleto na colina. Toda a análise dos ossos ainda estava pendente.

Bára ouviu o relato de Elínborg sem piscar. Como de costume, estava sozinha em sua casa enorme, cercada por riqueza, e não teve nenhuma reação.

"Nosso pai queria que ela fizesse um aborto", disse. "Nossa mãe queria levá-la para o interior, deixar que ela tivesse o bebê longe, voltasse como se nada tivesse acontecido e em seguida se casasse com Benjamín. Meus pais discutiram isso por muito tempo, e então chamaram Sólveig para conversar."

Bára levantou-se.

"Mamãe me contou isso depois."

Ela foi até um imponente aparador de carvalho, abriu uma gaveta e tirou de lá um pequeno lenço branco com o qual retocou o nariz.

"Eles apresentaram duas opções a ela. A terceira nunca foi discutida. Ou seja, ter o bebê e torná-lo parte da nossa família. Sólveig tentou convencê-los, mas eles se recusaram a ouvi-la. Não queriam saber daquilo. Queriam ou matá-lo ou entregá-lo para adoção. Sem mais escolha."

"E Sólveig?"

"Eu não sei", disse Bára. "Pobre garota, eu não sei. Ela queria a criança, ela não pensaria em fazer qualquer outra coisa. Ela mesma era uma criança. Não mais que uma criança."

Erlendur olhou para Elsa.

"Será que Benjamín interpretou aquilo como um ato de traição?", perguntou. "Se Sólveig recusou-se a dizer o nome do pai da criança?"

"Ninguém sabe o que se passou entre eles naquele último encontro", disse Elsa. "Benjamín contou o essencial à minha mãe, mas é impossível saber se ele mencionou todos os detalhes importantes. Ela foi mesmo estuprada? Meu Deus!"

Elsa olhava alternadamente para Erlendur e para Sigurdur Óli.

"Pode ser que Benjamín tenha considerado traição", disse baixinho.

"Desculpe, o que você disse?", Erlendur perguntou.

"Pode ser que Benjamín tenha se sentido traído", repetiu Elsa. "Mas isso não significa que ele a matou e enterrou o corpo na colina."

"Por ela não ter falado nada", disse Erlendur.

"Sim, por ela não ter falado nada", disse Elsa. "Recusou-se a dar o nome do pai. Ele não sabia do estupro. Quanto a isso acho que não há dúvida."

"Ele poderia ter tido um cúmplice?", perguntou Erlendur. "Será que pediu que alguém fizesse o serviço?"

"Não entendi."

"Ele alugou o chalé em Grafarholt para um homem que batia na mulher e era um ladrão. Só isso não diz nada, mas ainda assim é um fato."

"Não sei do que você está falando. Um homem que batia na mulher?"

"Não, chega por ora. Talvez estejamos tirando conclusões precipitadas, Elsa. É melhor esperar o relatório do patologista. Por favor, nos desculpe se..."

"Não, de maneira alguma, não, obrigada por me manter informada. Eu agradeço."

"Nós a informaremos sobre o andamento do caso", disse Sigurdur Óli.

"E vocês têm a mecha de cabelo", disse Elsa. "Para a identificação."

Elínborg levantou-se. O dia fora longo e ela queria ir para casa. Agradeceu Bára e desculpou-se por perturbá-la tão tarde da noite. Bára disse a ela que não se preocupasse. Acompanhou Elínborg até a porta e fechou-a. Um momento depois a campainha tocou e Bára abriu a porta novamente.

"Ela era alta?", perguntou Elínborg.

"Quem?", disse Bára.

"Sua irmã", disse Elínborg. "Ela era bem alta, tinha estatura mediana ou era baixa? Como era a constituição física dela?"

"Não, ela não era alta", disse Bára com um leve sorriso. "Longe disso. Era muito baixinha. Excepcionalmente pequena. Uma coisinha, nossa mãe costumava dizer. E era engraçado ver Benjamín e ela andando de mãos dadas, porque ele era muito alto e ao lado dele ela parecia uma anã."

O oficial médico telefonou para Erlendur, que estava sentado ao lado da cama da filha no hospital, pouco antes da meia-noite.

"Estou no necrotério", disse o oficial médico, "e separei os esqueletos. Espero não ter danificado nada. Não sou patologista. Tem terra em cima de todas as mesas e no chão, uma tremenda sujeira."

"E?", disse Erlendur.

"Sim, desculpe, bem, temos o esqueleto do feto, que tinha pelo menos sete meses de idade."

"Sim", disse Erlendur impaciente.

"Não há nada estranho nisso. A não ser..."

"Continue."

"Pode ser que ele já tivesse nascido quando morreu. Ou que fosse um natimorto. Impossível dizer. Mas não é a mãe que está embaixo dele."

"Espera um pouco... por que está dizendo isso?"

"Não pode ser a mãe que estava debaixo da criança ou que foi enterrada com ela, como queira."

"Não é a mãe? Como assim? Quem é então?"

"Não há dúvida", disse o médico. "Dá para dizer pela pélvis."

"A pélvis?"

"O esqueleto adulto é de um homem. Um homem foi enterrado embaixo do bebê."

27.

O inverno na colina foi longo e rigoroso.

A mãe das crianças continuou trabalhando na fazenda em Gufunes e os meninos iam de ônibus para a escola todas as manhãs. Grímur voltou ao emprego de entregador de carvão. Depois que a falcatrua foi descoberta, o Exército não quis lhe devolver o antigo emprego. O depósito estava fechado e todas as instalações militares mudaram para Hálogaland. Sobraram apenas restos de cerca e os mourões que a seguravam, e a área de concreto que ficava na frente do quartel. O canhão foi retirado do bunker. As pessoas diziam que a guerra estava chegando ao fim. Os alemães recuavam na Rússia e dizia-se que uma grande contraofensiva era iminente no fronte ocidental.

Grímur de certa forma ignorou a mãe das crianças naquele inverno. Mal lhe dirigia a palavra, a não ser para insultá-la. Eles não dormiam mais na mesma cama. A mãe dormia no quarto de Símon, enquanto Grímur queria que Tómas ficasse com ele. Todos menos Tómas repararam como a barriga dela inchou lentamente durante o inverno até se destacar como uma lembrança agridoce dos acontecimentos do verão, e um lembrete assustador do que aconteceria se Grímur cumprisse suas ameaças.

Ela fazia o possível para minimizar seu estado. Grímur ameaçava-a constantemente. Dizia que não a deixaria ficar com o bebê. Que mataria a criança assim que ela nascesse. Dizia que ela seria uma retardada como Mikkelína e que a melhor coisa seria matá-la imediatamente. "Puta de ianque", dizia. Mas ele não a agrediu fisicamente naquele inverno. Passou mais ou menos despercebido, rodeando-a furtivamente, como uma fera preparando-se para atacar a presa.

Ela tentou falar sobre divórcio, mas Grímur riu dela. Ela não expôs sua condição para as pessoas na fazenda e escondeu que estava grávida. Talvez, até o fim, ela achasse que Grímur iria mudar de ideia, que as ameaças dele eram vazias, que quando o momento chegasse ele não faria nada, que seria um pai para a criança, apesar de tudo.

No fim ela recorreu a medidas desesperadas. Não para se vingar de Grímur, embora tivesse todos os motivos para isso, mas para proteger a si mesma e à criança que ia nascer.

Mikkelína percebeu a tensão crescente entre sua mãe e Grímur durante aquele inverno difícil e também reparou em uma mudança em Símon que a deixou bastante perturbada. Ele sempre gostara da mãe, mas agora mal saía do lado dela assim que chegava da escola e ela do trabalho. Ele se tornou mais nervoso depois que Grímur saiu da prisão naquela fria manhã de outono. Evitava o pai o quanto podia e a preocupação que sentia em relação à mãe assombrava-o mais e mais. Mikkelína ouvia-o falar sozinho às vezes, e de vez em quando ele parecia estar conversando com alguém que ela não podia ver e que não estava na casa: uma pessoa imaginária. Às vezes, ouvia-o dizer em voz alta que precisava proteger a mãe e a criança que ela ia ter, cujo pai era seu amigo Dave. Como cabia a ele defendê-la de Grímur. Como a vida do bebê dependia dele. Não havia mais ninguém a quem recorrer. Seu amigo Dave nunca mais iria voltar.

Símon levou muito a sério as ameaças de Grímur. Acreditava que Grímur não ia mesmo deixar o bebê viver. Iria levá-lo embora e eles nunca mais o veriam. Iria para o alto da montanha com a criança e voltaria sem ela.

Tómas ficava calado como sempre, mas Mikkelína percebeu uma mudança nele à medida que o inverno foi passando. Grímur deixou Tómas passar a noite no quarto do pai depois de proibir a mãe das crianças de dormir na cama de casal e forçá-la a dormir na cama de Tómas, que era pequena demais para ela e desconfortável. Mikkelína não sabia o que Grímur dizia para Tómas, mas logo Tómas adotou uma atitude diferente em relação a ela. Distanciou-se dela e de Símon também, apesar de eles sempre terem sido muito próximos. A mãe deles tentou conversar com Tómas, mas ele sempre se afastava dela, aborrecido, em silêncio e desamparado.

"Símon está ficando esquisito", Mikkelína ouviu Grímur dizer a Tómas certa vez. "Ele está ficando esquisito como a sua mãe. Cuidado com ele. Cuidado para não ficar como ele. Porque se não, você também vai ficar esquisito."

Uma vez Mikkelína ouviu a mãe conversando com Grímur sobre o bebê, a única vez em que, pelo que se lembrava, ele permitiu que ela dissesse o que pensava. A barriga da mãe já começava a ficar grande e ele a proibiu de continuar trabalhando na fazenda.

"Larga o trabalho e diz que você precisa cuidar da sua família", Mikkelína ouviu-o dizer.

"Mas você pode dizer que é seu", a mãe dissera.

Grímur riu dela.

"Pode, sim."

"Cala a boca."

Mikkelína reparou que Símon também estava escutando escondido.

"Você poderia muito bem dizer que é seu filho", disse a mãe com um tom de voz calmo.

"Nem tente fazer isso", disse Grímur.

"Ninguém precisa saber de nada. Ninguém precisa descobrir."

"É tarde demais para acertar as coisas agora. Você devia ter pensado nisso quando estava lá no mato trepando com aquele maldito ianque."

"Ou eu poderia entregá-lo para adoção", disse ela cautelosamente. "Eu não seria a primeira a fazer isso."

"Claro que não", disse Grímur. "Metade da cidade andou trepando com eles. Mas não pense que isso torna as coisas melhores para você."

"Você nem precisa ver a criança. Eu a entrego assim que ela nascer, você nem precisa vê-la."

"Todo mundo sabe que a minha mulher dá para os ianques", diz Grímur. "Todos sabem que você andou brincando no mato."

"Ninguém sabe", disse ela. "Ninguém. Ninguém sabia sobre Dave e eu."

"Como você acha que eu fiquei sabendo, sua vaca? Porque você me contou? Você acha que esse tipo de história não se espalha?"

"Sim, mas ninguém sabe que ele é o pai. Ninguém sabe."

"Cala a boca", disse Grímur. "Cala a boca ou..."

Todos esperaram para ver o que o longo inverno lhes traria, o que era, de uma maneira terrível, inevitável.

Tudo começou quando Grímur ficou doente.

* * *

Mikkelína olhou para Erlendur.

"Ela começou a envená-lo naquele inverno."

"Envená-lo?", disse Erlendur.

"Ela não sabia o que estava fazendo."

"Como ela o envenenou?"

"Você se lembra do caso Dúkskot em Reykjavík?"

"Quando uma jovem matou o irmão com veneno para ratos? Sim, foi no início do século passado."

"Mamãe não pretendia matá-lo. Queria apenas deixá-lo doente. Para que ela pudesse ter o bebê e sumir com ele antes que Grímur descobrisse. A mulher de Dúkskot pôs veneno para ratos na comida do irmão. Pôs grandes doses na coalhada dele, ele até mesmo a viu fazendo isso, mas não sabia o que era, e conseguiu contar a alguém porque só foi morrer muitos dias depois. Durante a investigação eles encontraram fósforo no corpo dele, uma substância que tem um efeito tóxico lento. Nossa mãe conhecia essa história, foi um assassinato famoso em Reykjavík. Ela conseguiu o veneno para ratos na fazenda em Gufunes. Roubava quantidades pequenas e misturava na comida dele. Punha muito pouco por vez, para que ele não sentisse o gosto nem desconfiasse de nada. Em vez de guardar o veneno em casa, ela só trazia a quantidade de que ia precisar no dia, mas quando deixou o emprego na fazenda pegou uma quantidade grande e a escondeu. Ela não fazia a menor ideia de que efeito aquilo teria nele, se aquelas pequenas quantidades iriam realmente funcionar, mas depois de um tempo os efeitos começaram a aparecer. Ele foi ficando cada vez mais fraco, sentia-se indisposto ou cansado com frequência, vomitava. Não conseguia ir trabalhar. Ficava na cama, sofrendo."

"Ele nunca desconfiou de nada?", perguntou Erlendur.

"Só quando já era tarde demais", disse Mikkelína. "Ele não acreditava em médicos. E, é claro, ela não o incentivou a fazer um exame."

"E quanto a ele ter dito que iria cuidar de Dave? Ele voltou a falar disso?"

"Não, nunca", disse Mikkelína. "Na verdade, ele só estava blefando. Dizendo coisas para assustá-la. Ele sabia que ela amava Dave."

Erlendur e Elínborg estavam na sala de visitas de Mikkelína, ouvindo sua história. Tinham contado a ela que o esqueleto embaixo do bebê no túmulo em Grafarholt era de um homem. Mikkelína balançou a cabeça: ela poderia ter lhes contado isso antes, se eles não tivessem saído com tanta pressa e sem dizer o motivo.

Ela quis saber sobre o esqueleto do bebê, e quando Erlendur perguntou se ela queria vê-lo, recusou.

"Mas eu gostaria que vocês me avisassem quando não precisarem mais dele", disse. "Já é tempo de ela receber um enterro decente."

"Ela?", perguntou Elínborg.

"Sim, ela", respondeu Mikkelína.

Sigurdur Óli contou a Elsa o que o oficial médico havia descoberto: o corpo no túmulo não podia ser o da noiva de seu tio Benjamín. Elínborg telefonou para a irmã de Sólveig, Bára, para lhe dar a mesma notícia.

Quando Erlendur se preparava para ir ver Mikkelína com Elínborg, Ed ligou no celular dele para lhe dizer que ainda não havia conseguido descobrir o paradeiro de Dave Welch; ele não sabia se ele tinha sido designado para algum lugar fora da Islândia, ou mesmo quando isso podia ter acontecido. Disse que iria continuar pesquisando.

Mais cedo, naquela manhã, Erlendur tinha ido visitar a filha na unidade de terapia intensiva. Seu estado não havia se alterado, e Erlendur ficou sentado ao lado da cama durante um bom tempo e retomou a história de seu irmão que havia morrido congelado nos pântanos acima de Eskifjördur quando Erlendur tinha dez anos. Eles estavam reunindo ovelhas com o pai quando a tempestade começou. Os irmãos perderam o pai de vista e pouco depois perderam-se um do outro. O pai conseguiu voltar para a fazenda, exausto. Grupos de busca foram formados.

"Eles me encontraram por puro acaso", disse Erlendur. "Não sei por quê. Tive a presença de espírito de cavar um abrigo para mim em um monte de neve. Eu estava mais morto do que vivo quando eles cutucaram a neve e por acaso a vara tocou o meu ombro. Nós fomos embora. Não podíamos mais morar ali, sabendo sobre como ele havia desaparecido. Tentamos recomeçar a vida em Reykjavík... em vão."

Naquele momento o médico pôs a cabeça no vão da porta. Ele e Erlendur cumprimentaram-se e discutiram brevemente o estado de Eva Lind. Inalterado, disse o médico. Nem sinal de recuperação ou de que ela estivesse recobrando a consciência. Eles ficaram em silêncio. Despediram-se. O médico virou para trás ao chegar à porta.

"Não espere nenhum milagre", disse, e notou um sorriso frio no rosto de Erlendur.

Agora Erlendur estava sentado em frente a Mikkelína, pensando na filha em uma cama de hospital e em seu irmão enterrado na neve. As palavras de Mikkelína entravam aos poucos em sua mente.

"Minha mãe não foi uma assassina", disse.

Erlendur olhou para ela.

"Não foi uma assassina", repetiu Mikkelína. "Ela achava que poderia salvar o bebê, temia pela vida da criança."

Ela olhou rapidamente para Elínborg.

"No final das contas, ele não morreu", disse. "Não morreu do veneno."

"Mas você disse que ele só foi desconfiar de alguma coisa quando já era tarde demais", lembrou Elínborg.

"Sim", disse Mikkelína. "Já era tarde demais."

Na noite em que aconteceu, Grímur parecia mais abatido depois de passar o dia inteiro na cama, atormentado pela dor.

A mãe das crianças sentiu dores na barriga e perto do anoitecer entrou em trabalho de parto com contrações muito rápidas. Ela sabia que seria para breve. O bebê ia nascer prematuro. Pediu aos garotos que trouxessem os colchões de suas camas e do divã de Mikkelína, estendeu-os no chão da cozinha e perto da hora do jantar deitou-se neles.

Mandou Símon e Mikkelína trazerem panos limpos e água quente para lavar o bebê. Depois de ter três filhos, ela sabia exatamente o que fazer.

Ainda era inverno e estava escuro, mas o tempo havia ficado inesperadamente mais quente, e tinha chovido o dia todo; a primavera iria chegar logo. A mãe deles estivera fora naquele dia, limpando os canteiros ao redor dos arbustos de groselha e podando os galhos mortos. Ela disse que os frutos estariam ótimos quando ela fizesse geleia no outono seguinte. Símon não a perdia de vista e foi com ela até os arbustos. Ela tentou acalmá-lo dizendo que tudo ia ficar bem.

"Nada vai ficar bem", disse Símon, e repetiu: "Nada vai ficar bem. Você não pode ter o bebê. Não pode. É o que ele diz, e ele vai matá-lo. Ele diz que vai. Quando o bebê vai nascer?"

"Não se preocupe", disse-lhe a mãe. "Quando o bebê nascer, eu o levarei para a cidade e ele nunca o verá. Ele está doente e desamparado. Fica na cama o dia todo e não pode fazer nada."

"Mas quando o bebê vai nascer?"

"A qualquer momento", disse a mãe com a voz calma. "Talvez logo, então tudo acaba. Não tenha medo, Símon. Você precisa ser forte. Por mim, Símon."

"Por que você não vai para o hospital? Por que não vai embora daqui para ter o bebê?"

"Ele não deixaria", disse ela. "Ele me pegaria e me obrigaria a ter o bebê aqui. Ele não quer que ninguém descubra. Vamos dizer que o achamos. Vamos mandá-lo para ser cuidado por pessoas boas. É assim que ele quer. Tudo vai dar certo."

"Mas ele diz que vai matá-lo."

"Ele não vai fazer isso."

"Estou com tanto medo", disse Símon. "Por que tem que ser assim? Eu não sei o que fazer. Eu não sei o que fazer", ele repetiu, e ela percebeu que ele estava atormentado pela ansiedade.

Agora ele estava em pé, olhando para a mãe deitada sobre os colchões na cozinha. Além do quarto de casal, aquele era o único lugar na casa espaçoso o suficiente, e ela começou a fazer força no mais absoluto silêncio. Tómas estava no quarto de Grímur. Símon foi pé ante pé até a porta e fechou-a.

Mikkelína estava deitada ao lado da mãe, que tentava não fazer nenhum barulho. A porta do quarto de Grímur se abriu. Tómas saiu pelo corredor e foi até a cozinha. Grímur estava sentado na beira da cama, gemendo. Ele havia mandado Tómas até a cozinha para buscar uma tigela de mingau que ele não havia tocado. Disse ao menino que ele poderia se servir também.

Quando Tómas passou pela mãe, Símon e Mikkelína, ele reparou que a cabeça do bebê tinha aparecido. A mãe empurrou com toda a força até que os ombros apareceram também.

Tómas pegou a tigela de mingau e uma colher, e de repente a mãe dele viu pelo canto do olho que o garoto estava prestes a tomar uma colherada.

"Tómas! Pelo amor de Deus, não mexa nesse mingau!", gritou ela em desespero.

Um silêncio sepulcral desceu sobre a casa, e as crianças olharam para a mãe, que estava sentada com o bebê recém-nascido nos braços e olhando para Tómas, e ele havia ficado tão surpreso que deixara a tigela cair no chão, onde ela se quebrou em pedaços.

A cama rangeu.

"Será possível?", disse Grímur, com voz baixa e surpresa, como se de repente tivesse descoberto a resposta de um mistério que havia muito tempo tentava decifrar. Ele olhou para a mãe das crianças.

"Você está me envenenando?", gritou.

A mãe levantou os olhos na direção de Grímur. Mikkelína e Símon não ousaram erguer os olhos. Tómas permaneceu imóvel, perto do mingau que havia se espalhado pelo chão.

"É não é que eu desconfiei dessa porra? Toda essa moleza no corpo. A dor. O enjoo..."

Grímur olhou ao redor na cozinha. Então avançou sobre os armários e abriu com violência todas as gavetas. Ficou furioso. Jogou tudo que havia dentro dos armários no chão. Pegou um velho saco de farinha e jogou-o contra a parede. Quando o saco estourou, ouviu o som de um frasco de vidro caindo de dentro dele.

"É isto aqui?", gritou, pegando o frasco. "Há quanto tempo você vem fazendo isso?", perguntou entre os dentes.

A mãe das crianças encarou-o. Uma vela estava acesa a seu lado no chão. Enquanto ele procurava o veneno, ela havia pego depressa uma tesoura grande que mantivera a seu lado, aquece-ra-a na chama da vela, depois cortou o cordão umbilical e amar-rou-o com mãos trêmulas.

"Responde!", gritou Grímur.

Ela não precisou responder. Ele conseguiu ver a resposta nos olhos dela. Na expressão de seu rosto. Em sua obstinação. Na forma como ela sempre, lá no fundo, o desafiara, firme, não importando o quanto ele acabasse com ela, ele percebeu tudo isso em sua discordância silenciosa, no olhar de desafio que lhe lançava com o ensanguentado bastardo do soldado nos braços.

Viu isso tudo no bebê que ela aconchegava ao peito.

"Deixa a mamãe em paz", disse Símon em voz baixa.

"Dá ele aqui!", gritou Grímur. "Me dá o bebê, sua cobra desgraçada!"

"Deixa a mamãe em paz", disse Símon, a voz um pouco mais alta.

"Dá aqui!", Grímur gritou. "Ou eu mato vocês dois. Mato vocês todos. Mato vocês! Todos!"

Ele espumava de raiva.

"Sua puta desgraçada! Você está tentando me matar? Você acha que pode me matar?"

"Para!", gritou Símon.

A mãe das crianças segurou o bebê firme com um dos bra-ços e tateou o chão em busca da tesoura, porém não a encon-trou. Desviou o olhar de Grímur e olhou frenética ao redor, ten-tando encontrá-la, mas a tesoura havia desaparecido.

Erlendur olhou para Mikkelína.

"Quem pegou a tesoura?", perguntou.

Mikkelína estava em pé perto da janela. Erlendur e Elínborg entreolharam-se. Os dois pensaram a mesma coisa.

"Você é a única que sobrou para contar o que aconteceu?", Erlendur perguntou.

"Sim", respondeu Mikkelína. "Não há mais ninguém."

"Quem pegou a tesoura?", perguntou Elínborg.

28.

"Vocês querem conhecer Símon?", perguntou Mikkelína. Os olhos dela estavam úmidos de lágrimas.

"Símon?", disse Erlendur, sem saber o que ela queria dizer. Então ele se lembrou. O homem que fora buscá-la na colina. "O seu filho?"

"Não, não o meu filho; o meu irmão", disse Mikkelína. "Meu irmão Símon."

"Ele está vivo?"

"Sim, ele está vivo."

"Então nós precisamos falar com ele", disse Erlendur.

"Vocês não vão conseguir muita coisa com ele", Mikkelína disse sorrindo. "Mas vamos até lá mesmo assim. Ele gosta de visitas."

"Você não vai terminar a história?", perguntou Elínborg. "Que tipo de animal era aquele homem? Eu não acredito que alguém possa agir desse jeito."

Erlendur olhou para ela.

"Eu conto a vocês no caminho", disse Mikkelína. "Vamos ver Símon."

* * *

"Símon!", a mãe deles gritou.

"Deixa a mamãe em paz", gritou Símon, a voz trêmula, e antes que alguém se desse conta ele já havia enterrado a tesoura no peito de Grímur.

Símon puxou a mão e viu que a tesoura tinha entrado até o cabo. Grímur olhou incrédulo para o filho, como se não entendesse completamente o que havia acontecido. Olhou para a tesoura, mas parecia incapaz de se mover. Olhou de novo para Símon.

"Você está me matando?", gemeu Grímur, caindo de joelhos. O sangue que jorrava do ferimento caía no chão, e lentamente ele caiu para trás, batendo contra a parede.

A mãe deles apertou o bebê, aterrorizada. Mikkelína continuou deitada imóvel ao lado dela. Tómas ainda estava em pé no lugar onde havia deixado cair o mingau. Símon começou a tremer, posicionando-se ao lado da mãe. Grímur não se mexeu.

Tudo ficou em silêncio.

Até que a mãe deles deu um grito lancinante de dor e agonia.

Mikkelína fez uma pausa.

"Eu não sei se o bebê nasceu morto ou se a mamãe o apertou com tanta força que acabou sufocando-o nos braços. Ele era bem prematuro. Ela esperava o bebê na primavera, mas ainda era final do inverno quando ele nasceu. Não ouvimos nenhum som vindo dele. Mamãe não limpou a garganta dele e segurou-o com o rosto enterrado nas roupas, com medo de meu padrasto. Medo de que ele o tirasse dela."

Seguindo a indicação de Mikkelína, Erlendur parou na frente de uma casa de aparência simples.

"Ele iria morrer naquela primavera?", perguntou Erlendur.

"O marido. Ela estava contando com isso?"

"Acho que não", respondeu Mikkelína. "Ela o envenenou durante três meses. Não foi o suficiente."

Erlendur desligou o motor.

"Já ouviu falar de hebefrenia?", perguntou ela, abrindo a porta do carro.

A mãe deles olhou para o bebê morto em seus braços, balançou-o freneticamente, para a frente e para trás, soluçando e chorando.

Sem se dar conta da presença da mãe, Símon olhava para o corpo do pai como se não pudesse acreditar no que via. Uma poça de sangue começava a se formar embaixo dele. Símon tremia incontrolavelmente.

Mikkelína tentou consolar a mãe, mas era impossível. Tómas passou por eles, foi para o quarto e fechou a porta sem dizer uma palavra. Sem nenhuma mudança de expressão no rosto.

Um bom tempo se passou.

Por fim, Mikkelína conseguiu acalmar a mãe. Quando ela voltou a si e parou de chorar, deu uma boa olhada ao redor. Viu Grímur caído sobre o próprio sangue, viu Símon tremendo ao lado dela, viu o olhar aflito no rosto de Mikkelína. Então ela começou a lavar o bebê na água quente que Símon havia lhe trazido, limpando-o cuidadosamente com movimentos lentos e delicados. Ela parecia saber o que fazer sem pensar nos detalhes. Pôs o bebê no colchão, levantou-se e abraçou Símon, que estava imóvel, como se tivesse criado raízes ali, e ele parou de tremer e começou a chorar convulsivamente. Ela o levou para uma cadeira, fez com que se sentasse, de costas para o corpo. Então foi até Grímur, arrancou a tesoura do corpo dele e atirou-a dentro da pia.

Depois sentou-se em uma cadeira, exausta pelo parto.

Conversou com Símon sobre o que eles precisavam fazer e também deu instruções a Mikkelína. Eles enrolaram o corpo de Grímur em um cobertor e o arrastaram para a porta da frente. Ela saiu com Símon e eles afastaram-se bastante da casa, até um lugar onde ele começou a cavar um buraco. A chuva, que tinha parado durante o dia, recomeçou — chuva de inverno, gelada e forte. O solo estava apenas parcialmente congelado. Símon quebrou a fina camada de gelo com uma picareta e, depois de ele haver cavado por duas horas, eles foram buscar o corpo e o arrastaram até o túmulo. Posicionaram o cobertor sobre a cova, o corpo caiu e retiraram o cobertor. O cadáver acomodou-se no túmulo com a mão esquerda levantada no ar, mas nem Símon nem a mãe tiveram coragem de tocá-lo.

A mãe voltou para casa caminhando com dificuldade, pegou o bebê, levou-o para fora sob a chuva fria e deixou-o no túmulo junto ao corpo de Grímur.

Ela estava prestes a fazer o sinal da cruz sobre o túmulo, mas parou.

"Ele não existe", disse.

Então começou a jogar terra sobre os corpos com uma pá. Símon ficou parado ao lado do túmulo observando a terra molhada e escura bater contra os cadáveres e os viu desaparecer aos poucos debaixo dela. Mikkelína tinha começado a arrumar e a limpar a cozinha. Tómas não estava em nenhum lugar que se pudesse vê-lo.

Uma camada espessa de lama já estava dentro do túmulo quando Símon teve a impressão de ter visto Grímur se mexer. Com um estremecimento, olhou para a mãe, que não tinha percebido nada, em seguida olhou de novo para o túmulo e, para seu horror, viu o rosto, parcialmente coberto pela terra, se mexer.

Os olhos se abriram

Símon ficou paralisado.

De dentro do túmulo, Grímur olhava para ele.

Símon soltou um grito forte e a mãe parou de cavar. Olhou para o garoto e depois para dentro do túmulo, e viu que Grímur ainda estava vivo. Ela se posicionou na beirada da cova. À medida que a chuva caía sobre eles com força, a água limpava a lama do rosto de Grímur. Por um momento eles se entreolharam, e então os lábios de Grímur se moveram.

"Por favor!"

Os olhos se fecharam novamente.

Ela olhou para Símon. E para o túmulo. De novo para Símon. Então pegou a pá e continuou jogando terra sobre a cova como se nada tivesse acontecido. Grímur desapareceu, completamente enterrado.

"Mamãe", choramingou Símon.

"Vá para casa, Símon", disse ela. "Acabou. Vá para casa e ajude Mikkelína. Por favor, Símon. Vá para casa."

Símon olhou para a mãe, que estava curvada, segurando a pá, encharcada pela chuva fria, enquanto terminava de aterrar a cova. Então ele se afastou em silêncio.

"Tómas possivelmente achou que tudo tinha sido culpa dele", disse Mikkelína. "Ele nunca falou sobre isso e se recusou a conversar conosco. Entrou completamente em sua concha e não saiu mais de lá. Quando mamãe gritou e ele derrubou a tigela no chão, isso desencadeou uma sequência de acontecimentos que mudaram nossas vidas e levaram à morte do pai dele."

Eles estavam em uma sala de visitas bem-arrumada, esperando por Símon. Ele tinha ido dar um passeio pela vizinhança, foi o que lhes disseram, mas não ia demorar.

"As pessoas aqui são muito simpáticas", disse Mikkelína. "Ninguém poderia tratar melhor dele."

"Ninguém deu pela falta de Grímur ou...?", perguntou Elínborg.

"Mamãe limpou a casa de alto a baixo e quatro dias depois comunicou que o marido tinha ido a pé para Selfoss, atravessando o pântano Hellisheidi, e que depois não tivera mais notícias dele. Ninguém sabia que ela tinha engravidado, ou pelo menos ninguém perguntou nada sobre isso. Grupos de busca foram mandados para o pântano, mas, é claro, o corpo nunca foi encontrado."

"Que negócios ele supostamente teria em Selfoss?"

"Mamãe nunca teve que explicar isso", disse Mikkelína. "Nunca lhe perguntaram sobre as viagens dele. Ele era um ex-presidiário. Um ladrão. O que importava o que ele tinha ido fazer em Selfoss? Eles não se interessavam por ele. Nem um pouco. Havia muitas outras coisas em que pensar. No dia em que mamãe comunicou o desaparecimento dele, alguns soldados americanos haviam matado a tiros um islandês."

Mikkelína esboçou um sorriso.

"Muitos dias se passaram. Os dias se transformaram em semanas. Ele nunca apareceu. Foi declarado morto. Ou perdido. Apenas mais um islandês desaparecido."

Ela suspirou.

"Foi por Símon que mamãe mais chorou."

Quando tudo acabou, a casa pareceu assustadoramente silenciosa.

A mãe estava sentada junto à mesa da cozinha, ainda encharcada de chuva, olhando tudo em volta com as mãos sujas em cima da mesa e sem prestar atenção nos filhos. Sentada a seu lado, Mikkelína esfregava as mãos dela. Tómas continuava no quarto e de lá não saiu. Símon estava em pé na cozinha olhando a chuva, lágrimas escorrendo pelo rosto. Olhou para a mãe e para Mikkelína e de novo para fora através da janela, onde os contornos dos arbustos de groselha podiam ser vistos. Então saiu.

Estava molhado, com frio e tremendo por causa da chuva quando se aproximou dos arbustos, parou ao lado deles e acariciou os galhos desfolhados. Olhou para cima, para o céu, o rosto voltado para a chuva. O céu estava escuro e trovões ressoavam à distância.

"Eu sei", disse Símon. "Não havia mais nada a fazer." Fez uma pausa e curvou a cabeça, a chuva caindo forte sobre ele. "Tem sido muito difícil. Tem sido muito difícil e muito ruim por muito tempo. Não sei por que ele era daquele jeito. Não sei por que tive que matá-lo."

"Com quem você está falando, Símon?", perguntou a mãe. Ela o seguira lá fora e abraçou-o.

"Sou um assassino", disse Símon. "Eu matei ele."

"Não aos meus olhos, Símon. Para mim você nunca vai ser um assassino. Não mais do que eu. Talvez isso seja uma sina que ele mesmo atraiu para si. A pior coisa que pode acontecer é você sofrer por aquilo que ele era, agora que ele está morto."

"Eu matei ele, mamãe."

"Porque não havia mais nada que você pudesse fazer. Você precisa entender isso, Símon."

"Mas eu estou me sentindo muito mal."

"Eu sei, Símon. Eu sei."

"Não me sinto muito bem. Nunca me senti, mamãe."

Ela olhou para os arbustos.

"No outono os arbustos vão dar frutos, e tudo vai ficar bem. Está ouvindo, Símon? Tudo vai ficar bem."

29.

Eles olharam quando a porta se abriu e um homem entrou, de uns setenta anos, o cabelo branco e um rosto amável e sorridente, usando um pulôver grosso e calças cinzas. Um dos ajudantes que estava com ele foi informado de que ele tinha visitas. Símon foi levado até a sala de visitas.

Erlendur e Elínborg levantaram-se. Mikkelína aproximou-se do homem e abraçou-o, e ele sorriu para ela, o rosto radiante como o de uma criança.

"Mikkelína", disse o homem com uma voz surpreendentemente jovem.

"Oi, Símon", disse ela. "Eu trouxe umas pessoas que queriam conhecer você. Esta é Elínborg e este homem se chama Erlendur."

"Meu nome é Símon", disse o homem, apertando a mão dos dois. "Mikkelína é minha irmã."

Erlendur e Elínborg assentiram com a cabeça.

"Símon é muito feliz", disse Mikkelína. "Mesmo que o resto de nós nunca tenha sido. Símon é feliz e é isso o que importa."

Símon sentou-se com eles, segurou a mão de Mikkelína, sorriu para ela, acariciou-lhe o rosto e sorriu também para Erlendur e Elínborg.

"Quem são essas pessoas?", perguntou.

"São meus amigos", disse Mikkelína.

"Você se sente bem aqui?", perguntou Erlendur.

"Como você se chama?", perguntou Símon.

"Eu me chamo Erlendur."

Símon sorriu.

"Eu sou irmão de Mikkelína."

Mikkelína acariciou-lhe o braço.

"Eles são detetives, Símon."

Símon olhou alternadamente para Erlendur e Elínborg.

"Eles sabem o que aconteceu", disse Mikkelína.

"A mamãe morreu", disse Símon.

"Sim, a mamãe morreu", disse Mikkelína.

"Você fala", disse Símon em tom de súplica. "Você fala com eles." Olhava para a irmã e evitava Erlendur e Elínborg.

"Tudo bem, Símon", disse Mikkelína. "Eu venho visitar você depois."

Símon sorriu, levantou-se e entrou em um corredor andando com passos curtos.

"Hebefrenia", disse Mikkelína.

"Hebefrenia?", repetiu Erlendur.

"Não sabíamos o que era", disse Mikkelína. "De alguma forma, ele simplesmente parou de amadurecer. Era o mesmo garoto gentil e bondoso, mas suas emoções não amadureceram junto com o corpo. Hebefrenia é uma forma de esquizofrenia. Símon é como Peter Pan. Às vezes tem a ver com a puberdade. Talvez ele já estivesse doente. Ele sempre foi sensível e quando aqueles terríveis incidentes ocorreram, ele aparentemente perdeu o controle. Ele sempre viveu com medo e sentindo a carga da responsabilidade. Achava que cabia a ele proteger nossa mãe simplesmente porque não havia mais ninguém para fazer isso. Ele era o maior e o mais forte de nós, mesmo tendo se tornado depois o menor e o mais fraco."

"E ele vive em instituições de doentes mentais desde a juventude?", perguntou Elínborg.

"Não, ele morou com a minha mãe e comigo até ela morrer. Ela morreu há vinte e seis anos. Pessoas como Símon são pacientes bastante dóceis, geralmente afáveis e fáceis de se lidar, mas precisam de muitos cuidados constantes, e mamãe lhe proporcionou isso até morrer. Ele trabalhava para o conselho municipal quando podia. Como lixeiro ou recolhendo papéis na rua. Andava por toda a Reykjavík contando os papéis que recolhia e enfiava-os em um saco."

Ficaram sentados em silêncio por algum tempo.

"David Welch nunca voltou a entrar em contato?", Elínborg acabou perguntando.

Mikkelína olhou para ela.

"Mamãe esperou por ele até o dia de sua morte", disse. "Ele nunca voltou."

Fez uma pausa.

"Ela telefonou para ele da fazenda naquela manhã em que meu padrasto voltou", continuou ela. "E conversou com ele."

"Mas", disse Erlendur, "por que ele não foi até a colina?"

Mikkelína sorriu.

"Eles já tinham se despedido", disse ela. "Ele estava indo para o continente. O navio dele ia partir naquela manhã e ela não telefonou para ele para lhe falar do perigo, mas para se despedir e lhe dizer que tudo ia ficar bem. Ele disse que iria voltar. Provavelmente foi morto em ação. Ela nunca teve notícias dele, mas quando ele não voltou depois da guerra..."

"Mas por que..."

"Ela achou que Grímur iria matá-lo. Por isso voltou à colina sozinha. Não queria que ele a ajudasse. Cabia a ela resolver o problema."

"Ele deve ter ficado sabendo que seu padrasto ia ser solto e que a história sobre ele e sua mãe havia se espalhado", disse Erlendur. "Seu padrasto sabia sobre ela, ele tinha ouvido alguma coisa."

"Eles não faziam ideia de como ele soube. Era um romance muito secreto. Nós não sabemos como meu padrasto descobriu."

"E a criança..."

"Eles não sabiam que ela estava grávida."

Erlendur e Elínborg ficaram em silêncio por algum tempo enquanto refletiam sobre as palavras de Mikkelína.

"E Tómas?", perguntou Erlendur. "O que aconteceu com ele?"

"Tómas já morreu. Viveu só até os cinquenta e dois anos. Divorciou-se duas vezes. Teve três filhos homens. Eu não tenho contato com eles."

"Por que não?", perguntou Erlendur.

"Ele era como o pai."

"Como?"

"Teve uma vida infeliz."

"Não entendi."

"Tornou-se como o pai."

"Você quer dizer...?" Elínborg olhou para Mikkelína em busca da resposta.

"Violento. Batia na mulher. Batia nos filhos. Bebia."

"Será que foi o relacionamento com o seu padrasto?"

"Não sabemos", respondeu Mikkelína. "Acho que não. Espero que não. Eu tento não pensar nisso."

"O que o seu padrasto quis dizer dentro do túmulo? 'Por favor!' Ele estava pedindo que ela o ajudasse? Estava pedindo clemência?"

"Nós discutimos muito isso, a mamãe e eu, e ela tinha uma explicação que satisfez a nós duas."

"E qual era?"

"Grímur sabia quem ele era."

"Não entendo", disse Erlendur.

"Grímur sabia quem ele era, e acho que, bem lá no fundo, ele sabia por que ele era daquele jeito, embora nunca tenha falado sobre isso. Sabemos que teve uma infância difícil. Houve um tempo em que ele foi um menino como qualquer outro, e devia haver alguma ligação com esse menino, alguma parte de sua alma que chamava esse menino. Mesmo quando estava em suas piores fases e sua fúria não tinha limites, esse menino gritava para que ele parasse."

"Sua mãe foi uma mulher inacreditavelmente corajosa", disse Elínborg.

"Posso conversar com ele?", perguntou Erlendur depois de um curto silêncio.

"Com Símon?", disse Mikkelína.

"Tudo bem? Se eu for lá falar com ele? Sozinho?"

"Ele nunca falou sobre aqueles acontecimentos. Nunca nesse tempo todo. Mamãe achava que era melhor agir como se nada tivesse acontecido. Depois que ela morreu, eu tentei fazer Símon se abrir, mas percebi imediatamente que seria inútil. É como se ele só tivesse lembranças do que aconteceu depois. Como se todo o resto tivesse desaparecido. Mas de vez em quando ele diz alguma coisa quando eu o pressiono. Caso contrário, ele é completamente fechado. Símon pertence a um mundo diferente, mais tranquilo, que ele criou para si mesmo."

"Você se importa?", perguntou Erlendur.

"Por mim, tudo bem", disse Mikkelína.

Erlendur levantou-se e entrou no corredor. A maioria das portas dos quartos estava aberta. Ele viu Símon sentado na beira de sua cama, olhando pela janela. Erlendur bateu na porta e Símon olhou para trás.

"Posso ficar aqui um pouco?", perguntou Erlendur, esperando permissão para entrar.

Símon olhou para ele, assentiu com a cabeça, virou-se para a janela e continuou olhando para fora.

Embora houvesse uma cadeira junto a uma escrivaninha, Erlendur sentou-se na cama ao lado de Símon. Havia algumas fotografias na escrivaninha. Erlendur reconheceu Mikkelína e achou que uma senhora idosa em uma delas poderia ser a mãe deles. Estendeu a mão e pegou a foto. A mulher estava sentada junto a uma mesa na cozinha, usando um roupão de náilon com um padrão colorido, que muitas mulheres de sua idade usavam naquela época, e tinha um sorriso controlado, enigmático, no rosto. Símon estava sentado ao lado dela, rindo. Erlendur achou que a foto podia ter sido tirada na cozinha do apartamento de Mikkelína.

"Esta é a sua mãe?", perguntou a Símon.

Símon olhou para a fotografia.

"É. Essa é a mamãe. Ela morreu."

"Eu sei."

Símon voltou a olhar pela janela, e Erlendur pôs a foto de volta na escrivaninha. Ficaram sentados em silêncio por algum tempo.

"O que você está olhando?", perguntou Erlendur.

"A mamãe me falou que tudo ia ficar bem", disse Símon, ainda olhando através da janela.

"E está tudo bem", disse Erlendur.

"Você vai me levar?"

"Não, não vou levar você a parte alguma. Eu só queria conhecer você."

"Talvez a gente possa ser amigo."

"Claro que sim", disse Erlendur.

Ficaram em silêncio e agora os dois homens olhavam pela janela.

"Você teve um bom pai?", perguntou Símon de repente.

"Tive", disse Erlendur. "Ele era um bom homem."

Eles ficaram em silêncio.

"Você vai me contar sobre ele?", Símon perguntou por fim.

"Sim, qualquer hora eu conto sobre ele", disse Erlendur. "Ele..."

Erlendur fez uma pausa.

"O quê?"

"Ele perdeu o filho dele."

Eles olharam para a janela.

"Tem só uma coisa que eu queria saber", disse Erlendur.

"O que é?", disse Símon.

"Qual era o nome dela?"

"Quem?"

"Sua mãe."

"Por que você quer saber?"

"Mikkelína me contou sobre ela, mas nunca disse qual era o nome dela.

"O nome dela era Margrét."

"Margrét."

Naquele instante Mikkelína apareceu na porta e quando a viu, Símon levantou-se e foi até ela.

"Você trouxe groselha?", perguntou ele. "Trouxe groselha?"

"Vou trazer groselha no outono", disse Mikkelína. "No outono, eu trago groselhas pra você."

30.

Naquele exato instante, uma pequena lágrima começou a se formar em um dos olhos de Eva Lind, deitada, imóvel, na penumbra da unidade de terapia intensiva. A lágrima transformou-se em uma gota maior, que foi saindo lentamente do canto do olho dela, descendo por seu rosto debaixo da máscara de oxigênio e chegando a seus lábios.

Minutos depois ela abriu os olhos.